TARTAS

de **Martha Stewart**

TARTAS

de Martha Stewart

Mis 150 recetas favoritas, tradicionales y modernas

De los editores de Martha Stewart Living

Fotografías de Johnny Miller y otros

Editorial EJ Juventud

Título original: Martha Stewart's
Pies & Tarts

Copyright © 2011 por Martha
Stewart Living Omnimedia, Inc.

Todos los derechos reservados

© de la traducción española:

EDITORIAL JUVENTUD, S. A., 2014
Provença, 101 - 08029 Barcelona
info@editorialjuventud.es
www.editorialjuventud.es

Publicado por acuerdo con
Clarkson Potter/Publishers, un
sello de Crown Publishing Group,
una división de Penguin Random
House LLC

Traducción de Susana Tornero

Primera edición, 2016
DL B 15536-2016
ISBN 978-84-261-4403-4
Núm. de edición de E. J.: 13300

Impuls, Avda. Sant Julià, 104 -
08400 Granollers (Barcelona)
Printed in Spain

Diseño de Flavia Schepmans

Fotografías de la cubierta: Matthew
Hranek (retrato) y Johnny Miller
(tarta)

Los créditos de las fotografías
aparecen en la página 345

Agradecimientos

Este libro representa el trabajo duro y la dedicación de muchas personas con talento, en particular del departamento de Proyectos Especiales en Martha Stewart Living Omnimedia: la directora editorial Ellen Morrisey, que ha liderado el equipo de editores, entre ellos la editora gastronómica asociada Shira Bocar, la directora gerente Leigh Ann Boutwell, la editora asociada Evelyn Battaglia y la editora adjunta Stephanie Fletcher. El director de diseño William Van Roden y la directora de arte jefe Flavia Schepmans crearon el hermoso diseño del libro. Estamos en deuda con el director creativo Eric A. Pike por su asesoramiento, y al fotógrafo Johnny Miller por la mayoría de las maravillosas imágenes (una lista completa de los fotógrafos aparece en la página 345) que ilustran el libro. También proporcionaron ideas y apoyo las siguientes personas:

El infatigable equipo de Martha Stewart Living Omnimedia

Jennifer Aaronson
Elizabeth Adler
Christine Albano
Monita Buchwald
Sarah Carey
Alison Vanek Devine
Erin Fagerland
Bryan Gardner
Catherine Gilbert
Heloise Goodman
Tanya Graff
Aida Ibarra
Anna Kovel
Charlotte March
Sara Parks
Ayesha Patel
Lucinda Scala Quinn
Megan Rice
Emily Kate Roemer
Sarah Smart
Gael Towey
Michelle Wong

Nuestro equipo de Clarkson Potter

Rica Allannic
Amy Boorstein
Angelin Borsics
Doris Cooper
Derek Gullino
Maya Mavjee
Mark McCauslin
Marysarah Quinn
Lauren Shakely
Patricia Shaw
Jane Treuhaft
Kate Tyler

PARA TODO AQUEL QUE DESEE MÁS RECETAS FABULOSAS
PARA ELABORAR SUCULENTAS TARTAS

contenido

clásicas

eclécticas

elegantes

fantasiosas

rústicas

a capas

artísticas

miniaturas

saladas

festivas

introducción

Hornear una exquisita tarta es algo que todo repostero casero debería saber hacer.

Nuestro nuevo libro, organizado por tipos de tartas, cuenta con estupendas descripciones, hermosas fotografías y una práctica presentación. Las categorías incluyen recetas clásicas y rústicas, fantasiosas y artísticas, saladas y en miniatura.

Suelo preparar tartas, y sé que utilizaré este libro por siempre jamás: no solo las recetas en sí, como la Tarta de limón con montaña de merengue, o la Tarta de guindas, o la Tarta Rocky Road, o los Pasteles de pollo individuales, ya que todos ellos forman parte de mi repertorio de tartas, sino también el capítulo de técnicas básicas al final del libro, que es sumamente valioso por toda la información que incluye: descripciones de ingredientes, listas de utensilios, y lo mejor de todo, unas sencillas recetas para elaborar inspiradas masas de hojaldre, diferentes estilos de base de tarta, y los rellenos más habituales.

Una vez dominadas todas estas técnicas, podrás elaborar tartas con facilidad. Aquí tienes una sugerencia: prepara diferentes tipos de masa y congélalas, bien envueltas y por separado, en círculos planos. Cuando llegue la ocasión idónea para una tarta, solo tendrás que estirar la masa con el rodillo, preparar un relleno y hornear una tarta dulce o salada que, sin duda alguna, te convertirá en la estrella del momento.

Martha Stewart

clásicas

Las diez tartas que aparecen a continuación representan las recetas más solicitadas y de éxito seguro entre los cientos de recetas publicadas en *Martha Stewart Living* a lo largo de dos décadas. Cada una de ellas figura entre las favoritas de todos los tiempos de los editores de revistas gastronómicas. En conjunto, este surtido incluye una hermosa variedad de texturas, sabores y estilos, de modo que podrás encontrar algo del agrado de todos. Considera este capítulo una introducción al maravilloso mundo de la preparación de tartas para principiantes, y para los aficionados a la repostería, constituirá un delicioso curso de repaso.

TARTA DE MANZANA, RECETA PÁGINA 29

Tarta de nata y chocolate

Con una base infalible y un sencillo relleno de crema, esta tarta es muy fácil de hacer, y un buen punto de partida para los novatos. Solo hay que presionar una mezcla de galletas molidas sobre el molde y hornear unos diez minutos. Gracias a la maicena, el relleno cuaja bastante bien y se corta fácilmente; si prefieres una textura más firme, puedes añadir gelatina (véase paso 3, abajo). PARA UNA TARTA DE 23 CM

PARA LA BASE

25 galletas de barquillo de chocolate (170 g), o 150 g (1 ½ tazas) de migas de galleta de barquillo

60 g de mantequilla fundida

2 cdas de azúcar granulado

Una pizca de sal

PARA EL RELLENO

600 ml (2 ½ tazas) de leche

113 g de chocolate semiamargo (mejor con 61% de cacao) picado

100 g (½ taza) de azúcar granulado

27 g (¼ de taza) de maicena

¼ de cdta de sal

1 cdta de gelatina en polvo sin sabor (opcional)

2 cdas de agua fría (opcional)

4 yemas de huevo grandes

1 cdta de extracto de vainilla puro

PARA LA COBERTURA

240 ml (1 taza) de nata para montar

25 g (¼ de taza) de azúcar glas

Rizos de chocolate (véase pág. 343) para decorar

1. Prepara la base: Precalienta el horno a 180 °C. En una picadora, tritura las galletas. Añade la mantequilla, el azúcar y la sal, y mezcla bien. Presiona la mezcla firmemente sobre la base y las paredes de un molde de 23 cm. Refrigera hasta que esté firme, unos 15 minutos. Hornea la base unos 10 minutos. Déjala enfriar por completo sobre una rejilla.

2. Prepara el relleno: En una cacerola mediana, calienta la leche y el chocolate a fuego medio/alto, removiendo de vez en cuando, hasta que el chocolate se a derrita. En un cuenco pequeño, mezcla el azúcar, la maicena y la sal. Añade 240 ml (1 taza) de la mezcla de leche y bate hasta que esté homogéneo. Devuelve la mezcla a la cacerola y remueve para mezclarlo bien. Pon la mezcla a fuego medio, removiendo constantemente, hasta que burbujee y espese, de 4 a 5 minutos (unos 2 minutos después de entrar en ebullición).

3. Si empleas gelatina, espolvorea 1 cucharadita sobre las 2 cucharadas de agua fría en un cuenco pequeño y déjala reposar hasta que se ablande (5 min). En un cuenco mediano, bate las yemas de huevo. Incorpora la mezcla de leche caliente a las yemas batiendo lentamente. Devuelve la mezcla a la cacerola y sigue cociendo la crema a fuego medio, removiendo constantemente, hasta que la crema espese y aparezcan burbujas en el centro (1-2 min). Retírala del fuego. Añade la gelatina, si la usas, y bate bien hasta disolverla. Incorpora la vainilla. Deja enfriar la crema unos 10 minutos, batiendo 2 o 3 veces.

4. Vierte la crema sobre la base horneada y enfriada. Presiona un trozo de film transparente directamente sobre la superficie de la crema. Refrigera hasta que el relleno esté firme, 4 horas o máximo 1 día.

5. Haz la cobertura: Con una batidora eléctrica a velocidad media/alta, bate la nata hasta formar picos blandos. Añade el azúcar glas y bate hasta formar picos firmes. Extiende la nata montada sobre la crema. Adorna la tarta con rizos de chocolate justo antes de servirla.

Tarta de pera y frutas del bosque

Hacer una tarta como esta puede ser increíblemente simple: tan fácil como hacer una hornada de galletas. La pasta sablé es básicamente una masa de galleta. Aquí se presiona en un molde desmontable antes de hornearla. En esta receta, la harina de maíz sustituye en parte la de trigo: su sabor casa bien con las frutas de verano; pero puedes hacerla toda de harina de trigo. Para elaborar el relleno, espolvorea la fruta con azúcar, añádela a la base parcialmente horneada, y acaba de hornear. Aquí aparecen melocotones y frutas del bosque, pero si tienes albaricoques o cerezas a mano, puedes usarlas también; esta receta se presta fácilmente a la improvisación. PARA UNA TARTA DE 20 CM

PARA LA BASE

90 g (¾ de taza) de harina normal

80 g (½ taza) de harina de maíz amarillo, preferiblemente molida a la piedra

3 cdas de azúcar

¼ de cdta de sal

105 g de mantequilla, a trocitos pequeños

1 yema de huevo grande

½ cdta de extracto de vainilla puro

PARA EL RELLENO

3 melocotones maduros, deshuesados y cortados en gajos de 1 cm

112 g (¾ de taza) de frutas del bosque surtidas, como frambuesas, arándanos negros y moras

50 g (¼ de taza) más 1 cda de azúcar

1. Prepara la base: Precalienta el horno a 200 °C. En un procesador de alimentos, mezcla la harina, la harina de maíz, el azúcar, la sal, la mantequilla, la yema de huevo y la vainilla hasta que la masa empiece a unirse. Presiona la masa uniformemente sobre la base y unos 2,5 cm de las paredes de un molde de pastel o tarta con base desmontable de 20 cm; coloca el molde sobre una bandeja de hornear con borde. Hornea la base hasta que esté dorada y ligeramente hinchada, unos 15 minutos. Aplana suavemente la base de la masa con una espátula acodada. Reduce a 180 °C.

2. Mientras tanto, prepara el relleno: En un cuenco mediano, remueve los melocotones, las frutas del bosque y el azúcar.

3. Coloca la fruta sobre la base. Hornea hasta que los melocotones estén tiernos y jugosos, 30-35 minutos más. Traslada el molde a una rejilla para que se enfríe ligeramente. Sirve caliente o a temperatura ambiente.

PRESIONAR LA MASA

Tarta de nueces pacanas

Este clásico del Día de Acción de Gracias gusta en todos los rincones de Estados Unidos, si bien la cocina casera sureña se enorgullece de sus tartas de pacanas. A veces se aromatiza con bourbon (añade 2 cucharadas a la mezcla de huevo del paso 2) o chocolate (agrega 60 g (½ taza) de chocolate semiamargo picado grueso junto a las nueces pacanas en el mismo paso). El queso crema aporta a esta base un sabor ligeramente agrio. Un borde acanalado, moldeando la masa con los nudillos o las puntas de los dedos, resulta práctico y decorativo a la vez: ayuda a sujetar la masa al molde, evitando que se encoja o se resbale al hornearla.

PARA UNA TARTA DE 23 CM

Harina normal, para espolvorear

Masa de tarta con queso crema (página 330)

480 g (4 tazas) de pacanas, partidas y tostadas (véase pág. 343)

4 huevos grandes, ligeramente batidos

180 g (1 taza) de azúcar moreno oscuro compacto

240 ml (1 taza) de sirope de maíz claro

115 g (½ taza) de mantequilla fundida y enfriada

2 cdas de extracto de vainilla puro

½ cdta de sal

1. En una superficie ligeramente enharinada, estira la masa hasta formar un círculo de 33 cm. Introduce la masa en un molde de tarta de 23 cm. Recorta la masa, dejando que sobresalga unos 2,5 cm. Dobla el saliente hacia dentro y nivélalo con el borde. Moldea el borde acanalado. Refrigera o congela hasta que esté firme, unos 30 minutos.

2. Precalienta el horno a 170 °C. Aparta 150 g (1 ¼ tazas) de pacanas partidas por la mitad y pica toscamente los 330 g (2 ¾ tazas) restantes. Mezcla los huevos, el azúcar, el sirope de maíz, la mantequilla, la vainilla y la sal en un cuenco mediano mezclándolo bien. Incorpora las pacanas picadas y vierte la mezcla en la base de tarta preparada, extendiéndola uniformemente. Coloca encima las mitades de pacanas reservadas, formando círculos concéntricos hasta cubrir por completo la superficie.

3. Coloca la tarta sobre una bandeja de hornear con borde y hornéala hasta que el relleno cuaje y la masa esté dorada, unos 90 minutos. (Si las nueces se oscurecen demasiado, cubre holgadamente la tarta con papel de aluminio). Traslada la tarta a una rejilla y déjala enfriar por completo antes de servir. (La tarta se puede guardar a temperatura ambiente, cubierta holgadamente, máximo 1 día).

Galette de ciruela

Una *galette* de fruta recién hecha es la prueba de que no se necesitan utensilios especializados (ni siquiera un molde de tarta) para lograr hornear un hermoso postre desde cero. Aquí las rodajas de ciruela se disponen sobre una base redonda irregular de pasta brisa (primero se espolvorean almendras molidas sobre la base). Luego la masa simplemente se dobla sobre el relleno formando un borde desigual. No precisa rizos ni decoraciones; el borde inacabado constituye gran parte de su encanto.

PARA 8 RACIONES

2 cdas de harina normal, y un poco más para espolvorear

Pasta brisa (pág. 322; sin dividirla en 2 discos)

35 g (¼ de taza) de almendras enteras crudas, tostadas (véase pág. 343)

50 g (¼ taza) más 1 cda de azúcar

5-6 ciruelas, partidas por la mitad, deshuesadas y en rodajas de 6 mm de grosor (mantener unidas las mitades en rodajas)

1-2 cdas de nata para montar, para pincelar

1. Precalienta el horno a 180 °C. Sobre un trozo de papel de hornear ligeramente enharinado, estira la masa formando un óvalo de unos 40 cm y 6 mm de grosor. Traslada la masa (sobre el papel) a una bandeja de hornear grande.

2. Procesa las almendras, 3 cucharadas de azúcar y la harina en un procesador de alimentos hasta obtener una textura de harina gruesa. Espolvorea la mezcla de almendra sobre la masa. Con una espátula, coloca las rodajas de ciruela sobre la masa, muy juntas y dejando un borde de 5 cm; presiona ligeramente para distribuirlas bien. Dobla el borde de masa sobre la fruta. Refrigera 30 minutos.

3. Pincela la masa con la nata; espolvorea la galette uniformemente con las 2 cucharadas de azúcar restantes. Hornea hasta que la masa esté bien dorada, y las ciruelas estén jugosas y burbujeantes, unos 70 minutos. Trasládala a una rejilla y déjala enfriar por completo.

COLOCAR LAS CIRUELAS EN RODAJAS

Tarta de calabaza

Hacer una tarta descubierta es el siguiente paso natural después de elaborar una *galette* irregular (página 22). La sencilla realización de esta tarta representa una excelente ocasión para experimentar con la ornamentación de los bordes, como una corona de hojas otoñales (en la foto), elaborada con un cortador de hojas de 2,5 cm, o un trenzado de trigo (en la imagen de la página 325; necesitarás toda una remesa de la receta de pasta brisa para hacer la base más el trenzado). La clave para obtener una estupenda tarta de calabaza es hornear parcialmente la base, es decir, hornearla antes de añadir el relleno. La base horneada dos veces quedará firme y crujiente bajo la crema. PARA UNA TARTA DE 23 CM

Harina normal, para espolvorear

½ receta de pasta brisa (página 322)

2 huevos enteros grandes, ligeramente batidos, más 1 yema de huevo grande, para el barniz de huevo

1 cda de agua

180 g (1 taza) de azúcar moreno claro compacto

1 cda de maicena

½ cdta de sal

1 cdta de jengibre molido

1 cdta de canela molida

⅛ de cdta de clavo molido

330 g (1 ½ tazas) de puré de calabaza sin azúcar, en lata o fresco (véase pág. 343)

340 g (1 ½ tazas) de leche evaporada

Nata montada, para acompañar (opcional, pág. 340)

1. Sobre una superficie ligeramente enharinada, estira 1 disco de masa de 33 cm de diámetro y 3 mm de grosor. Ajusta a una base de 23 cm. Recorta la masa sobrante y nivela el borde (reserva los restos de masa). Pincha toda la superficie con un tenedor. Refrigera o congela hasta que esté firme, unos 30 minutos.

2. Mientras, en un trozo de papel de hornear ligeramente enharinado, estira la masa sobrante. Con un cortador de 2,5 cm en forma de hoja, corta 40 hojas. Colócalas sobre una bandeja forrada con papel de hornear. Con un cuchillo, graba venas en cada hoja. Refrigéralas hasta el momento de usarlas.

3. En un cuenco pequeño, mezcla la yema de huevo y el agua; pincela ligeramente un lado de las hojas con el barniz de huevo. Coloca las hojas, ligeramente superpuestas en el borde de la masa, procurando no extenderlas sobre el borde, para evitar que se doren demasiado rápido. Pincela ligeramente la base de cada hoja con barniz de huevo mientras trabajas. Refrigera la base 30 minutos.

4. Precalienta el horno a 190 °C. Forra la base con papel de hornear y cúbrelo con pesos o legumbres secas. Hornea 20 minutos. Retira con cuidado los pesos y el papel, y sigue horneando la base hasta que esté dorada, 10 minutos más. Deja enfriar sobre una rejilla. Mantén el horno encendido.

5. En un cuenco grande, mezcla el azúcar, la maicena, la sal, el jengibre, la canela, el clavo, la calabaza y 2 huevos. Añade la leche evaporada y bate hasta mezclarlo. Vierte el relleno sobre la masa parcialmente horneada.

6. Hornea sobre una bandeja de horno con borde, hasta que los bordes hayan cuajado pero el centro no, 35-40 minutos. Traslada el molde a una rejilla para que se enfríe por completo. Puedes servirla con nata montada.

Tarta de limón y montaña de merengue

La tarta de limón y merengue es un postre perfectamente equilibrado. Picos y remolinos de merengue dulce, casi ingrávido, sobre un relleno sabroso y ácido. Pero algunos trucos pueden evitar los percances más comunes, como una base pastosa o un relleno aguado. Primero, la base debe hornearse por completo sin relleno, para que quede firme y crujiente. Una base mitad mantequilla, mitad manteca como la empleada aquí posee una agradable textura desmenuzable y tierna. Sustitúyela por una masa solo de mantequilla, si lo prefieres. El relleno de crema se espesa con yemas de huevo y maicena. Debe llegar a ebullición totalmente y luego cocer unos cuantos minutos para que la maicena se active y espese bien.

PARA UNA TARTA DE 23 CM

Harina normal, para espolvorear

½ receta de pasta brisa, variante con manteca (página 322)

27 g (¼ de taza) de maicena

200 g (1 taza) de azúcar

1 ½ cdtas de ralladura fina de limón más 120 ml (½ taza) de zumo de limón recién exprimido (de 4 limones)

¼ de cdta de sal

480 ml (2 tazas) de agua

4 yemas de huevo grandes (reserva las claras para el merengue)

60 g de mantequilla a temperatura ambiente

Cobertura de montaña de merengue (pág. 340)

1. Sobre una superficie enharinada, estira la masa y forma un círculo de 33 cm. Reviste con él un molde de 23 cm. Recorta la masa, dejando que sobresalga unos 2,5 cm. Dobla el saliente hacia dentro, nivélalo con el borde del molde, y riza los bordes. Pincha toda la superficie de la masa con un tenedor. Refrigera o congela hasta que esté firme (30 min).

2. Precalienta el horno a 190 °C. Forra la base con papel de hornear y cúbrelo con pesos o legumbres secas. Hornea hasta que los bordes empiecen a dorarse (15-18 min). Retira pesos y papel. Sigue horneando hasta que esté bien dorada (15-18 min). Déjala enfriar sobre una rejilla.

3. Mezcla la maicena, el azúcar, la ralladura y la sal en una cacerola. Incorpora el agua. Pon a fuego medio, removiendo hasta que esté burbujeante y espesa, unos 7 minutos (unos 2 minutos después de entrar en ebullición).

4. En un cuenco mediano, bate bien las yemas. Agrega la mezcla de maicena en un flujo lento y constante, batiendo hasta incorporarla totalmente. Devuelve la mezcla a la cacerola y cuece a fuego medio, sin dejar de remover, hasta que vuelva a hervir, de 1 a 2 minutos. Retíralo del fuego e incorpora el zumo de limón. Añade la mantequilla en tandas de 15 g, batiendo hasta que cada trozo se funda antes de añadir el siguiente. Deja enfriar la crema en la cacerola sobre una rejilla 10 minutos, removiendo de vez en cuando.

5. Vierte la crema sobre la masa. Presiona un trozo de film transparente directamente sobre la superficie de la crema. Refrigera hasta que el relleno de crema esté frío y firme, mínimo 6 horas, o durante toda la noche.

6. Forma una montaña de merengue sobre el relleno, procurando que se extienda hasta el borde y toque la base (para evitar que se encoja). Usa un soplete de cocina para dorar ligeramente los picos de merengue. Otra opción es colocar la tarta bajo el asador 1 o 2 minutos; vigílalo para que el merengue no se queme. Sirve inmediatamente.

Tarta de manzana

La tarta de manzana es el ejemplo más conocido de tarta de fruta, y para muchos sirve como introducción a las tartas cubiertas. Para empezar, necesitas un buen cuenco de manzanas ácidas y firmes; usa una mezcla de variedades para obtener el mejor aroma. Las manzanas se mezclan con zumo de limón, azúcar, especias y harina, y esta última hace espesar los jugos. Mantener la masa fría mientras trabajas resulta crucial: refrigérala entre cada paso y antes de hornearla para conseguir una masa hojaldrada y ayudar a que mantenga su forma. Unos cuantos orificios de ventilación en la masa permitirán la salida del vapor. Para que brille, pincela la superficie con barniz de huevo (véase pág. 327) y espolvoréala con azúcar perla. Ondula o riza los bordes, y anímate a adornar la masa de cobertura con recortes hechos con trozos de masa. Finalmente, resiste la tentación de cortar la tarta antes de que se enfríe por completo (unas 3 horas), o no tendrá tiempo de asentarse lo suficiente. PARA UNA TARTA DE 23 CM

3 cdas de harina normal, y un poco más para espolvorear

Pasta brisa (pág. 322)

1 yema de huevo grande, para el barniz de huevo

1 cda de nata para montar, para el barniz de huevo

500 g de manzanas surtidas, como Macoun, Granny Smith, Cortland, Jonagold y Empire, peladas, descorazonadas y cortadas en rodajas de 6 mm de grosor

2 cdas de zumo de limón recién exprimido

50 g (¼ de taza) de azúcar granulado

1 cdta de canela molida

¼ de cdta de nuez moscada recién rallada

⅛ de cdta de sal

15 g de mantequilla fría y cortada a trocitos

Azúcar perla grueso, para espolvorear

Helado de vainilla, para acompañar (opcional)

1. Sobre una superficie enharinada, estira la masa y forma un círculo de 33 cm de diámetro y 3 mm de grosor. Reviste un molde 23 cm (no recortes lo sobrante). Refrigera o congela hasta que esté firme, unos 30 minutos.

2. Coloca una rejilla de horno en la posición más baja. Precalienta el horno a 220 °C. Bate la yema de huevo y la nata para preparar el barniz de huevo.

3. En un cuenco grande, mezcla bien las manzanas, la harina, el zumo de limón, el azúcar granulado, la canela, la nuez moscada y la sal; vierte la mezcla sobre la base, apilándola en el centro. Reparte trocitos de mantequilla.

4. Estira el disco de masa restante como en el paso 1. Practica unos cortes en la superficie de la masa con un cuchillo. Pincela el borde de la base con el barniz de huevo. Centra la masa sobre el molde y recórtala, dejando sobresalir unos 2,5 cm. Dobla la masa bajo la base y riza los bordes a tu gusto. Pincela la tarta con el barniz de huevo y espolvoréala generosamente con el azúcar perla. Refrigera o congela hasta que esté firme, unos 30 minutos.

5. Coloca el molde sobre una bandeja con borde forrada con papel de hornear. Hornea en la parte inferior hasta que la masa empiece a estar dorada (unos 25 min). Reduce a 190 °C y hornea hasta que esté bien dorada y los jugos burbujeen, de 60 a 75 minutos más. (La temperatura alta inicial ayuda a que la masa cuaje rápidamente, y evita que se ponga pastosa. Al reducir la temperatura se cuecen las manzanas sin quemar la masa; si la masa o los bordes se doran demasiado, cubre la tarta con papel de aluminio). Traslada la tarta a una rejilla hasta que se enfríe. Puedes servirla con helado de vainilla.

Tarta de arándanos con cobertura de celosía

Una celosía constituye una fabulosa cobertura para una tarta de fruta, especialmente si son tan coloridas como los arándanos: el enrejado permite echar un vistazo al relleno y deja escapar el vapor mientras se hace la tarta. El proceso para tejer la cobertura es sencillo: corta la masa en tiras, preferentemente con una rueda de repostería ondulada, y colócalas sobre el relleno. Esta tarta y muchas otras con jugosos rellenos de bayas se espesan con maicena, con mayor poder espesante que la harina de trigo (una elección más apropiada para las manzanas o las peras, con menos jugo). Puede que desees ajustar la cantidad de espesante si las frutas son especialmente jugosas, o si prefieres un relleno más firme o más blando.

PARA UNA TARTA DE 23 CM

Harina normal, para espolvorear

Pasta brisa (página 322)

900 g (unas 7 tazas) de arándanos frescos, escogidos y lavados

100 g (½ taza) de azúcar granulado

27 g (¼ de taza) de maicena

¼ de cdta de canela molida

1 cda de zumo de limón recién exprimido

1 yema de huevo grande, para el barniz de huevo

1 cda de nata para montar, para el barniz de huevo

Azúcar perla fino, para espolvorear

1. Precalienta el horno a 200 °C. Sobre una superficie enharinada, estira 1 círculo de masa de 33 cm de diámetro y 3 mm de grosor. Ajústalo a un molde de tarta de 23 cm.

2. En un cuenco grande, revuelve los arándanos, el azúcar granulado, la maicena, la canela y el zumo de limón hasta mezclarlo bien. Vierte la mezcla sobre el molde, apilándola en el centro.

3. Sobre una superficie ligeramente enharinada, estira el disco de masa restante como en el paso 1. Para confeccionar la celosía, corta la masa en diez tiras de 2,5 cm de anchura con una rueda de repostería ondulada. Pincela ligeramente con agua el borde de la masa del molde. Coloca con cuidado las tiras de masa encima, tejiéndolas hasta formar una celosía (véase pág. 328). Recorta la masa dejando un saliente de 2,5 cm. Dobla los bordes por debajo como desees, y rízalos con un tenedor. En un cuenco pequeño, mezcla la yema de huevo y la nata para hacer el barniz de huevo; pincela la superficie de las tiras de masa y el borde de la base de la tarta. Espolvorea generosamente con el azúcar. Refrigera o congela la tarta hasta que esté firme, unos 30 minutos.

4. Coloca el molde sobre una bandeja forrada con papel de hornear y hornea hasta que la masa empiece a dorarse, unos 20 minutos. Reduce a 180 °C. Sigue horneando hasta que la masa esté bien dorada y los jugos burbujeen, 55 minutos más. (Si la masa se dora demasiado rápido, cubre la tarta con papel de aluminio). Traslada la tarta a una rejilla y déjala enfriar por completo, mínimo 3 horas, antes de servir.

Tartaletas de crema y frutas del bosque

Todo lo que necesitas es una fórmula para producir una variedad casi infinita de tartas de fruta de estilo francés. Empieza con una masa dulce para tartas, añádele crema pastelera y corónala con fruta fresca. Puedes esparcir la fruta libremente, o colocarla siguiendo un motivo para hacer una *tarte composée* (literalmente, una «tarta compuesta»). Aquí utilizamos frutas de verano, pero también puedes utilizar frutas de hueso, como cerezas o albaricoques, o incluso higos frescos o uvas. La masa dulce para tartas es más consistente que la pasta brisa, por lo que constituye una buena opción para tartas que se desmoldan antes de servir. Como el relleno no se hornea dentro de la base, es preciso hornear completamente las bases sin relleno. Tradicionalmente, las tartas de fruta francesas se glasean con mermelada, pero es opcional; espolvoreadas con un poco de azúcar glas, o con diminutas hierbas floridas, se ven igual de hermosas. Para hacer una tarta de 23 cm, utiliza la mitad de la receta de masa dulce para tartas, y añade unos 5 minutos al tiempo de horneado. PARA 24 TARTAS DE 7 CM

Harina normal, para espolvorear

Masa dulce para tarta (página 333)

Crema pastelera de vainilla (página 338)

600 g (4 tazas) de frutas del bosque mezcladas, como moras, arándanos, frambuesas, grosellas rojas o fresas en rodajas

½ taza de mermelada de albaricoque (opcional)

1. Precalienta el horno a 190 °C. Sobre una superficie enharinada, estira la masa de los discos, de 3 mm de grosor. Corta 24 círculos de 10 cm y recubre 24 moldes para tartaletas de 8 cm. Recorta la masa y nivélala con el borde. Pincha la superficie de las bases con un tenedor. Refrigera o congela hasta que estén firmes, unos 30 minutos.

2. Forra las bases con papel de hornear y cubre con pesos o legumbres secas. Hornea hasta que los bordes estén dorados, unos 15 minutos. Retira el papel y los pesos; sigue horneando hasta que las bases estén bien doradas por todos lados, unos 10 minutos. Déjalas enfriar por completo sobre una rejilla.

3. Rellena las bases con crema pastelera y corónalas con frutas del bosque, formando círculos concéntricos. Si quieres, calienta en una pequeña olla a fuego bajo mermelada de albaricoque hasta que se diluya, y luego pásala por un colador fino. Pincela delicadamente las bayas con la mermelada colada. Sírvelas inmediatamente o refrigéralas máximo 2 horas.

COLOCAR Y GLASEAR FRUTA

Tarta Tatin

Inventada por las hermanas Tatin, que poseían una fonda en el valle del Loira, este postre es muy popular en toda Francia, especialmente en París. La tarta se hornea al revés en el molde donde se han salteado las manzanas. Al invertirla, la tarta acabada ofrece una capa de fruta dorada y caramelizada encima de una base de esponjoso hojaldre. Se ha fabricado un molde Tatin de cobre especialmente para este fin, con dos asas diseñadas para desmoldar fácilmente, pero cualquier sartén resistente al horno, como por ejemplo, un molde de hierro fundido, servirá. También puedes cambiar manzanas por peras. Para conseguir un sabor y una textura extraordinarios, haz tu propia masa de hojaldre partiendo de cero; consulta la receta en la página 334, o bien elige una marca de buena calidad, con solo mantequilla, como Dufour. PARA UNA TARTA DE 25 CM

Harina normal, para espolvorear

¼ de receta de masa de hojaldre (pág. 334), o 1 caja de masa de hojaldre comprada, preferentemente de solo mantequilla, descongelada

60 g de mantequilla a temperatura ambiente

100 g (½ taza) de azúcar

7-9 manzanas Golden Delicious (1,4-1,8 kg), peladas, a cuartos y descorazonadas

Crème fraîche, para acompañar (opcional)

COLOCAR LA FRUTA EN EL MOLDE TATIN

1. Precalienta el horno a 220 °C. Sobre una superficie ligeramente enharinada, estira y recorta la masa formando un cuadrado de unos 27 cm. Retira la harina sobrante. Con la ayuda de un molde como guía, corta un círculo de unos 25 cm. Traslada el círculo a una bandeja de horno forrada con papel de hornear y refrigera hasta que esté firme, unos 30 minutos.

2. Mientras tanto, cubre generosamente la base y los lados de un molde para tarta Tatin o una sartén resistente al horno de 25 cm con la mantequilla. Espolvorea azúcar por toda la base. Coloca los cuartos de manzana muy juntos en círculos concéntricos sobre la sartén, con los lados redondos en el fondo. Calienta la sartén a fuego medio/bajo, y cuece sin remover, hasta que el jugo adquiera un tono dorado y esté burbujeante, de 18 a 20 minutos.

3. Hornea 20 minutos (las manzanas se asentarán ligeramente). Retíralas del fuego y coloca el círculo de masa refrigerada sobre las manzanas. Hornea hasta que la masa esté bien dorada, de 23 a 28 minutos más.

4. Voltea la tarta sobre una fuente con borde o una bandeja grande. Si alguna manzana se queda pegada a la sartén, retírala con cuidado con una espátula y colócala sobre la tarta. Sírvela inmediatamente. Puedes acompañarla de *crème fraîche*.

eclécticas

La falta de estructura formal y una sensación de libertad lúdica es el factor común de las tartas de esta categoría. En vez de dejar que los moldes de tarta definan sus formas y siluetas, todas se han moldeado a mano de un modo rápido sencillo, sobre una bandeja de horno. Muchas son *galettes*, con sus característicos bordes doblados hacia arriba. Otras forman una base de masa hojaldrada. Por naturaleza, se encuentran entre los postres más fáciles de preparar desde cero. Y su construcción desenfadada constituye gran parte de su encanto. Cada ejemplo encajará a la perfección en cualquier ocasión informal.

GALETTE DE CEREZAS Y ALMENDRAS, RECETA PÁGINA 48

Tarta fina de pera

He aquí una excelente opción como postre de entre semana que no precisa rodillo. La masa de queso crema es bastante fácil de hacer, y solo hay que moldearla formando un círculo fino. Una sola pera en rodajas muy finas, revuelta en un cuenco con brandi de pera, azúcar y zumo de limón. Luego la mezcla se dispone en abanico sobre la masa antes de hornear. La nata montada resulta un acompañamiento fantástico, y también un chupito de aguardiente de pera, por supuesto. PARA 8 RACIONES

57 g de queso crema

60 g de mantequilla a temperatura ambiente

60 g (½ taza) de harina normal, y un poco más para espolvorear

100 g (½ taza), más 1 cda y 1 ½ cdtas de azúcar

⅛ de cdta de sal

2 cdas de zumo de limón recién exprimido

2 cdas de aguardiente de pera (o aguardiente normal)

1 pera madura y firme, tipo Bosc o Red Bartlett

⅛ de cdta de canela molida

1. Precalienta el horno a 200 °C. Mezcla el queso crema y la mantequilla en un procesador de alimentos. Añade la harina, 50 g (¼ de taza) de azúcar y la sal, y procésalo hasta que esté mezclado. La masa quedará pegajosa. Sobre una bandeja con borde forrada de papel de hornear y con los dedos ligeramente enharinados, moldea la masa formando un círculo uniforme de 20 cm.

2. En un cuenco mediano, mezcla 50 g (¼ de taza) de azúcar con el zumo de limón y el aguardiente. Parte la pera longitudinalmente y descorazónala (conservando la piel). Corta cada mitad longitudinal en rodajas de 6 mm de grosor, agrégalas a la mezcla de zumo de limón y recúbrelas bien. Escurre las rodajas en un escurridor. Colócalas rodeando el borde exterior de la masa, sobreponiéndolas ligeramente, y luego coloca las rodajas restantes en el centro. Espolvorea la tarta con la cucharada más 1 ½ cucharaditas de azúcar restantes. Espolvorea las peras con la canela. Hornea hasta que esté dorada, de 25 a 30 minutos. Sírvela caliente o a temperatura ambiente.

Mini *galettes* de ruibarbo y frambuesa

El ruibarbo combinado con las frambuesas puede que no sea un relleno tan habitual como el ruibarbo con fresas, pero la mezcla resulta igual de deliciosa, o incluso más, según a quién preguntes. Aquí solo hay que revolver ambos ingredientes con maicena y azúcar y luego colocarlos en el centro de pequeños círculos de pasta brisa para crear *galettes* individuales.

8 UNIDADES

Pasta brisa (página 322; sin dividirla en 2 discos)

Harina normal, para espolvorear

680 g (unas 5 tazas) de ruibarbo recortado, en trozos de 6 mm

226 g (unas 1 ½ tazas) de frambuesas frescas

27 g (¼ de taza) de maicena

400 g (2 tazas) de azúcar granulado

Azúcar perla grueso, para espolvorear

1. Divide la masa en 8 porciones iguales. Sobre una superficie ligeramente enharinada, estira cada porción formando un círculo de 18 cm de diámetro y 3 mm de grosor. Coloca los círculos en 2 bandejas con borde forradas con papel de hornear, dejando unos cuantos centímetros entre ellos. Si los círculos son demasiado blandos para manejarlos, refrigéralos hasta que estén firmes, unos 20 minutos.

2. En un cuenco grande, mezcla bien el ruibarbo, las frambuesas, la maicena y el azúcar granulado.

3. Cubre cada círculo de masa con un montón de unos 50 g (½ taza) de la mezcla de ruibarbo, dejando un borde de 2,5 cm. Dobla los bordes sobre el relleno de ruibarbo, dejando una abertura en el centro; pincela suavemente agua entre los pliegues, y presiona con suavidad para se adhieran. Refrigera o congela hasta que esté firme, unos 30 minutos.

REVOLVER LA FRUTA CON AZÚCAR Y MAICENA

4. Precalienta el horno a 200 °C. Pincela los bordes de masa con agua y espolvoréalos con azúcar granulado. Hornea hasta que las masas estén bien doradas, unos 30 minutos. Reduce a 190 °C y hornea hasta que los jugos burbujeen y empiecen a salir del centro de cada *galette*, 15 minutos más. Traslada las *galettes* a una rejilla y deja que se enfríen por completo antes de servir.

Tarta plana de pera y guindas

Una mezcla de dulces peras Bartlett y guindas ácidas rellenan estas hojas de pasta de hojaldre. Un toque de pimienta negra molida y polvo de cinco especias (una mezcla de canela, nuez moscada, pimienta de Jamaica, anís estrellado y pimienta de Sichuan, habitual en la cocina china) le proporciona una nota exótica. 8-10 RACIONES

Harina normal, para espolvorear

1 caja de pasta de hojaldre comprada, preferiblemente de mantequilla, descongelada, o bien ¼ de receta de masa de hojaldre (pág. 334)

2 peras Bartlett medianas, maduras y firmes (unos 500 g), peladas, cortadas por la mitad, descorazonadas y en rodajas de 6 mm

60 g (½ taza) de guindas escurridas

67 g (⅓ de taza) de azúcar, y un poco más para espolvorear

1 cda más 1 cdta de maicena

1 cda de zumo de limón recién exprimido

⅛ de cdta de sal

⅛ de cdta de pimienta negra recién molida

⅛ de cdta de polvo de cinco especias

1 huevo grande, ligeramente batido, para el barniz de huevo

1. En una superficie ligeramente enharinada, estira y corta la masa formando dos rectángulos de 10 x 19 cm. Refrigéralos o congélalos hasta que estén firmes, unos 30 minutos.

2. En un cuenco, mezcla bien las peras, las guindas, el azúcar, la maicena, el zumo de limón, la sal, la pimienta y el polvo de cinco especias.

3. Coloca 1 rectángulo de masa sobre una bandeja con borde forrada de papel de hornear. Dispón la mezcla de fruta sobre la masa, dejando un borde de 2,5 cm. Pincela el borde con el huevo batido. Coloca el rectángulo de masa restante sobre el relleno y presiona suavemente para sellar los bordes. Refrigera o congela hasta que esté firme, unos 30 minutos. Mientras, precalienta el horno a 190 °C.

4. Recorta los bordes y pincela la superficie con huevo batido. Practica unos orificios de ventilación de 13 cm en la superficie. Espolvorea generosamente con azúcar. Hornea hasta que la masa esté dorada y los jugos burbujeen, unos 35 minutos. Traslada la tarta a una rejilla y déjala enfriar mínimo 20 minutos antes de servirla.

Galette de fresa con nata montada a la albahaca

Esta maravilla primaveral es un regalo para la vista y el paladar. Las fresas cortadas en finísimas rodajas se colocan de forma concéntrica sobre un gran círculo de pasta brisa. Aunque la *galette* no precisa adorno alguno, la nata montada aromatizada con albahaca confiere un toque sofisticado a cada porción. 6-8 RACIONES

180 ml (¾ de taza) de nata para montar

15 g (⅓ de taza) de hojas de albahaca fresca sueltas, secadas y picadas

50 g (¼ de taza) más 3 cdas de azúcar

170 g (¾ de taza de queso mascarpone)

Harina normal, para espolvorear

Pasta brisa (pág. 322; no dividir en 2 discos)

450 g de fresas limpias (unas 3 tazas)

2 cdtas de maicena

15 g de mantequilla fría, cortada a trocitos

1 yema de huevo grande, para el barniz de huevo

1 cda de agua, para el barniz de huevo

1. Mezcla la nata, la albahaca y 2 cucharadas de azúcar en un cuenco resistente al fuego. Coloca el cuenco encima (no dentro) de una olla de agua hirviendo a fuego lento, y remueve hasta que el azúcar se disuelva, unos 4 minutos. Cúbrelo con film transparente y refrigéralo mínimo 1 hora (máximo 2 horas, para que tenga un aroma de albahaca más intenso). Escúrrelo con un colador fino sobre otro cuenco. Añade el mascarpone y bátelo hasta formar picos medianos. Cúbrelo y refrigéralo hasta el momento de servir, máximo 2 horas.

2. Sobre una superficie ligeramente enharinada, estira la masa a un grosor de 6 mm. Recorta un círculo de unos 25 cm y colócalo sobre una bandeja de horno con borde forrada con papel de hornear. Refrigera o congela hasta que esté firme, unos 30 minutos.

3. Precalienta el horno a 180 °C. Mientras tanto, corta las fresas a lo largo, en rodajas de 6 mm de grosor. Reserva los trozos finales para otro uso. Revuelve con cuidado las rodajas con 50 g (¼ de taza) de azúcar y la maicena, y colócalas enseguida formando círculos concéntricos sobre la masa. Empieza a 2,5 cm del borde, solapando un poco las rodajas. Dobla el borde de la masa sobre las fresas. Refrigera la tarta 15 minutos. Salpica las fresas con la mantequilla.

4. Bate la yema de huevo y el agua. Pincela el borde de la masa con el barniz de huevo y espolvoréalo con la cucharada de azúcar restante. Hornea hasta que la masa esté bien dorada, de 40 a 45 minutos. Colócala sobre una rejilla para que se enfríe un poco. Sirve la *galette* caliente, con la nata a la albahaca.

Tartaletas de melocotón

Este postre de verano tardío ofrece la oportunidad de paladear unos melocotones perfectos, realzados por unas sencillas capas de hojaldre y un simple barniz de vino. El sabor del melocotón permanece en estado puro, solo un poco arreglado para la cena. Los invitados agradecerán tu generosidad al compartir un postre de temporada tan singular. 6 UNIDADES

Harina normal, para espolvorear

1 caja de masa de hojaldre comprada, preferentemente de solo mantequilla, descongelada, o bien ¼ de receta de masa de hojaldre (página 334)

3 melocotones maduros y firmes, deshuesados y cortados a lo largo en rodajas de 6 mm de grosor

1 yema de huevo grande, para el barniz de huevo

1 cda de nata para montar, para el barniz de huevo

6-12 cdas de azúcar

60 ml (¼ de taza) de vino dulce de postre, como Muscat de Beaumes-de-Venise

Nata montada, para acompañar (opcional, página 340)

1. Precalienta el horno a 200 °C. Sobre una superficie ligeramente enharinada, estira la masa a un grosor de 3 mm. Con un cortador de galletas redondo de 10 cm, corta 6 círculos de masa. Colócalos sobre una bandeja con borde forrada de papel de hornear. Coloca unas 8 rodajas de melocotón formando una hoja, ligeramente solapadas, en cada círculo de masa. Refrigera o congela hasta que estén firmes, unos 30 minutos.

2. En un cuenco pequeño, bate la yema de huevo y la nata para montar. Pincela los bordes de las tartaletas con el barniz de huevo. Espolvoréalas uniformemente con 1 o 2 cucharadas de azúcar, al gusto y en función de la acidez. Hornéalas hasta que estén bien doradas, unos 25 minutos. Colócalas sobre una rejilla y déjalas enfriar por completo.

3. En una olla pequeña, lleva a ebullición el vino dulce; redúcelo a la mitad, de 2 a 3 minutos. Pincela el barniz sobre los melocotones. Puedes servirlas con nata montada.

Galette de cerezas y almendras

Las cerezas y las almendras se dan la mano en muchas recetas de repostería. Para elaborar esta tarta plana, las cerezas Bing ligeramente azucaradas y especiadas y las almendras molidas se amontonan sobre un óvalo irregular de masa dulce, los bordes de la masa se doblan sobre el relleno, formando pliegues a modo de borde, y luego todo se hornea hasta lograr un glorioso y lustroso brillo. PARA 8 RACIONES

Harina normal, para espolvorear

Masa dulce para tarta (pág. 333; sin dividirla en 2 discos)

50 g (¼ de taza) más 2 cdas de azúcar

35 g (¼ de taza) de almendras crudas enteras, tostadas (véase pág. 343) y enfriadas

¼ de cdta de nuez moscada rallada

¼ de cdta de sal

680 g (unas 4 ½ tazas) de cerezas dulces, como Bing, deshuesadas

30 g de mantequilla fría, cortada a trocitos

1 yema de huevo grande, para el barniz de huevo

1 cda de nata para montar, para el barniz de huevo

1. Sobre un trozo de papel de hornear ligeramente enharinado, estira la masa formando un óvalo de unos 40 cm de longitud y unos 6 mm de grosor. Traslada la masa sobre el papel a una bandeja de horno con borde. Refrigera o congela hasta que esté firme, unos 30 minutos.

2. En un procesador de alimentos, procesa 50 g (¼ de taza) de azúcar, las almendras, la nuez moscada y la sal hasta que las almendras estén finamente picadas. Revuelve con cuidado la mezcla con las cerezas.

3. Precalienta el horno a 190 °C. Reparte la mezcla de cerezas sobre la masa, dejando un borde de 5 cm. Reparte encima la mantequilla. Dobla los bordes, presionando suavemente. Refrigera o congela hasta que esté firme, unos 30 minutos.

4. Bate el huevo y la nata; pincela los bordes de la tarta. Espolvorea por toda la superficie de la tarta las 2 cucharadas de azúcar restantes. Hornea hasta que esté dorado, de 45 a 50 minutos. Trasládala a una rejilla y déjala enfriar por completo.

REPARTIR LA MANTEQUILLA SOBRE LAS CEREZAS

Tarta de masa filo con pluots azucarados

Hojas crujientes y hojaldradas de masa filo con pluots recubiertos de azúcar: un homenaje a la simplicidad y al verano. Los pluots, un cruce entre la ciruela y el albaricoque, se pueden encontrar en mercados locales y en numerosos supermercados; también puedes sustituirlos por cualquier otra fruta de hueso. Ten a mano un paño de cocina limpio y húmedo para cubrir las hojas de masa filo sin usar y evitarás que se sequen mientras trabajas.

PARA 8 RACIONES

1 ½ cdtas de semillas de anís

6 hojas de masa filo compradas (unos 43x30 cm) descongeladas (si estaban congeladas)

60 g de mantequilla fundida, para pincelar

8 cdtas de azúcar

1 ½ pluots grandes, deshuesados y cortados en medias lunas de 6 mm de grosor (unas 25 rodajas)

1. Precalienta el horno a 200 °C. Tuesta las semillas de anís en una sartén a fuego medio, sacudiéndola de vez en cuando, hasta que estén fragantes, de 3 a 5 minutos. Déjalas enfriar 3 minutos. Machácalas un poco en un mortero, o bien con el lateral de un cuchillo de chef.

2. Corta las hojas de masa filo en rectángulos de 30 x 25 cm. Coloca 1 rectángulo sobre una bandeja de horno con borde (cubre los trozos restantes con un paño de cocina húmedo) y pincélalo ligeramente con mantequilla, cubriendo toda la superficie. Espolvoréalo con 1 cucharadita de azúcar y ¼ de cucharadita de semillas de anís, y coloca encima otra hoja de masa filo. Repite el proceso 5 veces.

3. Coloca las rodajas de pluot sobre la masa filo en filas de 5 a lo ancho, dejando más o menos 1 cm entre las filas. Espolvorea con las 2 cucharaditas de azúcar restantes y pincela las rodajas de pluot con la mantequilla fundida restante.

4. Hornea hasta que esté crujiente y dorada, de 15 a 17 minutos. Con la ayuda de una espátula, trasládala a una rejilla para que se enfríe un poco. Córtala en cuadrados y sírvela caliente o a temperatura ambiente.

Empanadillas de fresas secadas al sol

Exquisitas y fáciles de hacer, las empanadillas se hornean en su propio envase, así que se transportan de maravilla. No necesitas plato ni tenedor para comerlas. Pero más allá del atractivo de su tamaño y portabilidad, están sus deliciosos componentes: una masa tierna y, en este caso, un relleno ácido de fresas y confitura. También puedes usar fruta fresca si lo prefieres: mezcla una cucharada de fresas cortados en daditos y una cucharada de la confitura para cada empanadilla y omite el paso 2. 20 UNIDADES

Harina normal, para espolvorear

Masa de empanadilla (receta a continuación)

160 g (2 tazas) de fresas secadas al sol

360 ml (1 ½ tazas) de agua

1 vaina de vainilla cortada longitudinalmente

2 cdtas de ralladura de limón fina más 1 cdta de zumo de limón recién exprimido

325 g (1 taza) de confitura de fresa con trozos

1 clara de huevo grande, para el barniz de huevo

50 g (¼ de taza) de azúcar, para espolvorear

1. Sobre una superficie ligeramente enharinada, estira la masa a un grosor de 3 mm. Con la ayuda de un cortador de galletas redondo de 11 cm, corta 20 círculos y colócalos sobre bandejas de horno forradas con papel de hornear. Refrigera o congela hasta que estén firmes, unos 30 minutos.

2. En una olla mediana, mezcla las fresas secadas al sol con el agua. Raspa las semillas de vainilla (reserva la vaina para otro uso). Lleva la mezcla a ebullición. Reduce el fuego y déjalo cocer hasta que haya absorbido la mayoría del agua, unos 20 minutos. Retira del fuego y agrega la ralladura, el zumo de limón y la confitura. Déjalo enfriar por completo.

3. Deja la masa a temperatura ambiente hasta que esté maleable, de 2 a 3 minutos. Coloca 1 cucharada de relleno en el centro de un círculo de masa y pincela los bordes con agua. Dobla el círculo por la mitad y presiona los bordes para sellarlos. Repite el proceso con todos los círculos. Refrigera o congela las empanadillas 30 minutos.

4. Precalienta el horno a 190 °C. Bate ligeramente la clara de huevo y pincélala sobre la masa. Espolvorea las empanadillas uniformemente con el azúcar. Hornea hasta que estén doradas, de 20 a 25 minutos. Trasládalas a una rejilla para que se enfríen. Sírvelas calientes o a temperatura ambiente.

....

MASA DE EMPANADILLA
Para 20 empanadillas

360 g (3 tazas) de harina normal

¼ de cdta de bicarbonato sódico

1 cdta de polvo de hornear

½ cdta de sal

2 cdtas de ralladura de limón fina

115 g (½ taza) de mantequilla a temperatura ambiente

200 g (1 taza) de azúcar

1 huevo grande

85 g de queso crema a temperatura ambiente

2 cdas de suero de leche bajo en grasa

1 cdta de extracto de vainilla puro

1. En un cuenco mediano, mezcla la harina, el bicarbonato sódico, el polvo de hornear, la sal y la ralladura de limón.

2. Con una batidora eléctrica de varillas a velocidad alta, bate la mantequilla y el azúcar hasta formar una mezcla blanquecina y esponjosa, unos 5 minutos. Añade el huevo y bate solo hasta mezclarlo. Agrega el queso crema, el suero de leche y la vainilla; bátelo hasta que esté bien mezclado. Añade la mezcla de harina reservada y bate hasta obtener una mezcla homogénea. Moldea la masa en forma de bola y cúbrela con film transparente; aplánala en forma de disco y refrigérala 1 hora o bien toda la noche, o bien congélala máximo 1 mes (descongélala en la nevera antes de usarla).

Tarta de ciruelas pasas al vino tinto

Las ciruelas pasas se vuelven totalmente irresistibles remojadas en una mezcla aromática de vino, azúcar, canela y zumo de naranja recién exprimido. Aquí la fruta en almíbar se hornea sobre una masa de hojaldre, conformando un postre sencillo y elegante. 6 RACIONES

480 ml (2 tazas) de vino tinto

Ralladura fina de 1 naranja, más 160 ml (⅔ de taza) de zumo de naranja recién exprimido (de unas 2 naranjas)

100 g (½ taza) más 2 cdas de azúcar

1 rama de canela

450 g (3 tazas) de ciruelas pasas sin hueso, partidas por la mitad

Harina normal, para espolvorear

1 caja de masa de hojaldre comprada, preferentemente de solo mantequilla, descongelada, o ¼ de receta de masa de hojaldre (página 334)

1 huevo grande, para el barniz de huevo

1 cda de nata para montar, para el barniz de huevo

Crème fraîche o nata montada (página 340), para acompañar

1. En una olla mediana, lleva a ebullición el vino, el zumo de naranja, 100 g (½ taza) de azúcar y la rama de canela. Retíralo del fuego; añade las ciruelas pasas y déjalas en infusión 10 minutos. Con la ayuda de una cuchara ranurada, traslada las ciruelas a un cuenco. Vuelve a hervir el líquido y cuécelo hasta que haya reducido y espesado, de 10 a 12 minutos. Retíralo del fuego.

2. Precalienta el horno a 190 °C. Sobre una superficie ligeramente enharinada, estira y recorta la masa formando un rectángulo de 30x23 cm. (Si es necesario, solapa los bordes de 2 trozos más pequeños para formar un rectángulo más grande; pincela la parte solapada con agua para sellarla y luego estira la masa). Traslada la masa a una bandeja con borde forrada con papel de hornear. En un cuenco pequeño, mezcla la ralladura de naranja y las 2 cucharadas restantes de azúcar y espárcelo bien sobre la masa. Coloca las ciruelas en filas sobre la masa, dejando un borde de 2,5 cm en todos los lados. En un cuenco pequeño, bate el huevo y la nata y pincela los bordes de la masa con la mezcla.

3. Hornea, pincelando la tarta con el líquido reservado a media cocción, hasta que la masa esté dorada, unos 28 minutos. Déjala enfriar un poco. Sírvela caliente con *crème fraîche* o nata montada.

Crostata de migas de manzana

Esta receta es una combinación de sabores y tradiciones culinarias. Como en muchos postres italianos, la fruta se endulza al mínimo y lleva un simple aderezo de ralladura de cítricos. Las manzanas se saltean hasta dorarlas, luego se dejan caer sobre un círculo de masa de hojaldre para crear una crostata. El conjunto se corona con una cobertura de migas con un toque sutil de canela y pimienta de Jamaica, y se sirve con helado de vainilla. 10 RACIONES

PARA LA MASA

300 g (2 ½ tazas) de harina normal, y un poco más para espolvorear

100 g (½ taza) de azúcar granulado, y un poco más para espolvorear

½ cdta de sal gruesa

230 g (1 taza) más 15 g de mantequilla fría, cortada a trocitos

4 yemas de huevo grandes, más 1 huevo entero grande, ligeramente batido, para el barniz de huevo

3 cdas de agua helada

Azúcar perla fino, para espolvorear

PARA EL RELLENO

90 g de mantequilla

1,4 kg de manzanas ácidas y firmes, como Granny Smith, peladas, descorazonadas y cortadas a dados de 2 cm

1 cdtas de ralladura fina de naranja

1 ½ cdtas de ralladura fina de limón

¼ de cdta de sal gruesa

100 g (½ taza) de azúcar granulado

PARA LA COBERTURA

90 g (¾ de taza) de harina normal

45 g (¼ de taza) de azúcar moreno oscuro compacto

50 g (¼ de taza) de azúcar granulado

½ cdta de sal gruesa

½ cdta de canela molida

¼ de cdta de pimienta de Jamaica

115 g (½ taza) de mantequilla fría, cortada en cubos

Helado de vainilla, para acompañar

1. Prepara la masa: Con una batidora eléctrica de varillas a velocidad media, mezcla la harina, el azúcar, la sal y la mantequilla hasta que la mezcla parezca harina gruesa. Añade las yemas de huevo y bate ligeramente. Rocía el agua helada sobre la mezcla y bate solo hasta unirlo. Forma un disco con la masa y envuélvelo en film transparente. Refrigéralo hasta que esté firme, mínimo 1 hora y máximo 3 días.

2. Elabora el relleno: Funde la mantequilla en una olla grande a fuego medio/alto. Añade las manzanas, la ralladura de naranja y limón y la sal, removiendo hasta recubrirlas. Espolvorea azúcar sobre la mezcla y cuece, removiendo, hasta que el azúcar se disuelva, el líquido espese y las manzanas estén casi doradas, unos 5 minutos. Pásalo a una bandeja de horno con borde y déjalo enfriar a temperatura ambiente.

3. Haz la cobertura: En un procesador de alimentos, procesa la harina, los azúcares, la sal, la canela, la pimienta de Jamaica y la mantequilla solo hasta que la mezcla parezca harina gruesa. Refrigérala hasta el momento de usarla.

4. Precalienta el horno a 190 °C. Sobre un trozo de papel de hornear ligeramente enharinado, estira la masa y forma un círculo de 35 cm de diámetro y 6 mm de grosor. Coloca la masa y el papel sobre una bandeja de horno con borde. Amontona la mezcla de manzana ya fría en el centro, dejando un borde de 8 cm. Esparce bien la mezcla de migas sobre las manzanas. Dobla los bordes de masa sobre las manzanas, solapándolos y dejando una abertura en el centro.

5. Refrigera o congela hasta que la masa esté firme, unos 30 minutos. Pincela ligeramente la masa con huevo batido y espolvoréala con azúcar perla fino. Hornea hasta que la masa esté bien dorada y las manzanas tiernas, de 40 a 50 minutos. Sírvela caliente o a temperatura ambiente, con helado de vainilla.

Tartaletas de frutas con miel

Los cuadraditos de masa de hojaldre se convierten en un excelente recipiente para frutas de verano remojadas en miel y zumo de lima recién exprimido. La técnica para hacer las bases es similar a la empleada para crear los pastelillos franceses conocidos como *vol-au-vents* (volovanes), que significa «volar en el viento», por su textura etérea. Los volovanes suelen llevar rellenos salados y servirse como primer plato. Aquí, las ciruelas y las fresas llenan estas pastas de postre; puedes sustituirlas por otras bayas frescas o frutas de hueso, y decorarlas con un poquito de nata montada. 12 UNIDADES

Harina normal, para espolvorear

1 caja de masa de hojaldre comprada, preferentemente de solo mantequilla, descongelada, o ¼ de receta de masa de hojaldre (pág. 334)

1 huevo grande, para el barniz de huevo

1 cda de nata para montar, para el barniz de huevo

Azúcar perla fino, para espolvorear

8-10 ciruelas pequeñas, maduras y firmes, cortadas por la mitad, deshuesadas y cortadas en gajos de 1 cm; o 570 g (4 tazas) de fresas limpias, pequeñas y enteras o grandes y a rodajas

75 g (¼ de taza) de miel

La ralladura fina de ½ lima más 1-2 cucharadas de zumo de lima recién exprimido

Una pizca de sal gruesa

1. Precalienta el horno a 190 °C. Sobre una superficie ligeramente enharinada, estira y recorta la masa formando un cuadrado de 30 cm, luego corta la masa en 12 rectángulos de 8 x 10 cm. Trasládalos a una bandeja de horno con borde forrada con papel de hornear. Marca un borde de 1 cm dentro de cada rectángulo (sin cortar del todo la masa). Refrigera o congela hasta que estén firmes, unos 30 minutos.

2. Bate el huevo y la nata en un platito. Pincela los bordes de masa y espolvoréalos con azúcar perla. Hornea hasta que estén hinchadas, doradas y bien hechas, de 25 a 30 minutos. Con la ayuda de una espátula acodada, presiona hacia abajo el centro de cada base (dejando los bordes hinchados). Pásalas a una rejilla y deja que se enfríen por completo. (Las bases pueden guardarse en un recipiente hermético a temperatura ambiente máximo 2 días).

3. Revuelve la fruta, la miel, la ralladura, el zumo y la sal en un cuenco mediano. Déjalo reposar 30 minutos.

4. Justo antes de servir, reparte la mezcla de fruta entre las bases. Rocíalas con el jugo del cuenco.

Tarta de chocolate y almendra a la flor de sal

Un postre casero no tiene porqué ser complicado. Esta tarta implica poco más que sacar unos cuantos ingredientes del congelador y de la despensa. Considéralo una deconstrucción del cruasán de chocolate y almendra: uno sirve para poner fin a una comida, y el otro para empezar el día. 4 RACIONES

1 caja de masa de hojaldre comprada, preferentemente de solo mantequilla, descongelada, o ¼ de receta de masa de hojaldre (pág. 334)

1 huevo grande, ligeramente batido, para el barniz de huevo

Azúcar perla, para espolvorear

42 g de chocolate semiamargo (mejor con 61% de cacao), picado grueso

Miel, para rociar

Sal marina, preferiblemente flor de sal, para espolvorear

2 cucharadas de almendras enteras crudas, tostadas (véase pág. 343) y cortadas toscamente

Helado de vainilla, para acompañar (opcional)

1. Precalienta el horno a 230 °C. Desdobla la masa sobre una bandeja de horno con borde y forrada con papel de hornear. Recorta los bordes si es preciso para formar un cuadrado de 25 cm, y dobla cada lado formando un borde de 2,5 cm. Pincha todo el centro de la base con un tenedor. Pincela los bordes con huevo batido y espolvoréalos con azúcar perla. Refrigera o congela hasta que esté firme, unos 30 minutos.

2. Hornea hasta que la masa esté hinchada y dorada, de 15 a 20 minutos. Con la ayuda de una espátula acodada, presiona el centro de la base (dejando el borde hinchado). Cubre uniformemente el centro con chocolate. Rócialo con la miel y espolvoréalo con sal. Devuélvelo al horno, y hornea hasta que el chocolate se funda, unos 2 minutos más. Espolvoréalo con las almendras y córtalo en 4 cuadrados. Puedes servirlo con helado y rociado con más miel.

Empanadillas de mantequilla de manzana

¿Qué puede resultar más atractivo que un montón de pastelitos en forma de media luna recién hechos y rellenos de suculenta mantequilla de manzana casera? Nada, a excepción quizás de un montón de empanadillas rellenas con un surtido de mantequillas de fruta jugosas y coloridas (prueba con melocotón, ciruela, albaricoque o pera). Si haces tu propia mantequilla de manzana, elige manzanas de mesa, como Mutsu, Gala o Golden Delicious. 16 *UNIDADES*

Harina normal, para espolvorear

Masa de empanadilla (pág. 52)

500 g (2 tazas) de mantequilla de manzana (receta a continuación), o mantequilla de fruta comprada de la mejor calidad

50 g (¼ de taza) de azúcar

¼ de cdta de canela molida

1. Sobre una superficie ligeramente enharinada, estira la masa a un grosor de 3 mm. Con un cortador de galletas redondo de 11 cm, corta 16 círculos. Pasa los círculos a bandejas de horno con borde forradas de papel de hornear y refrigéralos o congélalos hasta que estén firmes, unos 30 minutos.

2. Pon unos 30 g de mantequilla de manzana sobre medio círculo, extendiéndola uniformemente con el dorso de la cuchara a 1 cm del borde (asegúrate de que la mantequilla no esté completamente aplanada). Pincela rápidamente agua helada alrededor de la circunferencia de masa, y dóblala por la mitad, creando una media luna. Presiona con los dedos los bordes para sellarlos y pellízcalos. Repite el proceso con los círculos y la mantequilla restante. Coloca las empanadillas sobre una bandeja con borde forrada con papel de hornear y refrigérala 30 minutos.

3. Precalienta el horno a 190 °C. Mezcla el azúcar y la canela en un cuenco pequeño. Pincela ligeramente las empanadillas con agua y espolvoréalas generosamente con la mezcla de azúcar y canela, repartiéndola bien. Hornea hasta que las empanadillas estén bien doradas y la masa solo ligeramente agrietada, unos 20 minutos. Traslada las empanadillas a una rejilla y déjalas enfriar ligeramente antes de servir.

....

MANTEQUILLA DE MANZANA
Para 2 tazas

15 manzanas, como Mutsu, Gala o Golden Delicious (unos 3 kg), peladas, descorazonadas y a cuartos

240 ml (1 taza) de sidra de manzana sin azúcar

2 cdas de Calvados (aguardiente de manzana) o aguardiente normal

1 rama grande de canela

1 cdta de jengibre molido

½ cdta de cardamomo molido

½ cdta de nuez moscada recién rallada

¼ de cdta de macis

Una pizca de clavo molido

200 g (1 taza) de azúcar

2 cdas de zumo de limón recién exprimido

1. Mezcla todos los ingredientes en una olla grande de fondo grueso. Cuece a fuego medio/alto, removiendo a menudo con una cuchara de madera grande para evitar que se chamusque, hasta que las manzanas se hayan deshecho y formen una salsa consistente, unos 45 minutos. Deshaz los trozos grandes que queden con el dorso de una cuchara, si es necesario.

2. Con la ayuda de una espátula resistente al calor, traslada la mezcla de manzana a una olla pequeña. Reduce a fuego medio/bajo y sigue cociendo la mezcla, removiendo a menudo, hasta que las manzanas estén totalmente deshechas y la mantequilla se vuelva muy espesa y oscura, unas 2 horas. Retírala del fuego y déjala enfriar a temperatura ambiente. Guárdala en la nevera en un recipiente hermético máximo 1 mes, o bien congélala máximo 6 meses.

Tarta de albaricoque y pistacho

Pocos postres son tan de temporada y, contrariamente a su atractiva apariencia, tan sencillos como este. Los albaricoques en rodajas en filas alternas reposan sobre un lecho de sabrosa pasta de pistacho sobre masa de hojaldre. También lleva pistachos espolvoreados por encima. *8 RACIONES*

150 g (1 taza) más 1 cda de pistachos crudos sin sal, sin cáscara y tostados (véase pág. 343)

100 g (½ taza) de azúcar granulado

115 g (½ taza) de mantequilla, cortada en dados de 1 cm

1 huevo grande entero más 1 yema de huevo grande, para el barniz de huevo

1 cdta de extracto de vainilla puro

Una pizca de sal

Harina normal, para espolvorear

1 caja de masa de hojaldre comprada, preferentemente de solo mantequilla, descongelada, o ¼ de receta de masa de hojaldre (pág. 334)

6 albaricoques (570 g) deshuesados y cortados en rodajas de 6 mm de grosor

1 cda de nata para montar, para el barniz de huevo

2 cdas de azúcar turbinado u otro azúcar integral

80 g (¼ de taza) de mermelada de albaricoque

1 ½ cdas de agua

1. En el cuenco de un procesador de alimentos, procesa 1 taza de pistachos y el azúcar granulado. Añade la mantequilla y procesa todo hasta formar una pasta. Añade el huevo entero, la vainilla y la sal, y procésalo para que se mezcle.

2. Sobre una superficie ligeramente enharinada, estira y corta la masa formando un rectángulo de 43 x 23 cm. (Si es necesario, solapa los bordes de 2 trozos más pequeños para formar un rectángulo más grande; pincela la parte solapada con agua para sellarla y luego estira la masa). Traslada la masa a una bandeja con borde forrada con papel de hornear. Con la ayuda de una espátula acodada, extiende uniformemente la mezcla de pistacho sobre la masa, dejando un borde de 2 cm.

3. Coloca el borde corto del rectángulo delante de ti. Coloca los albaricoques en 4 hileras verticales sobre la mezcla de pistacho, alternando la dirección hacia la que miran los albaricoques. Dobla los bordes de masa y moldea un borde festoneado con la ayuda del dedo índice. Refrigera o congela hasta que esté firme, unos 30 minutos.

4. Precalienta el horno a 200 °C. Bate el huevo y la nata; pincela los bordes de la tarta. Pica la cucharada de pistachos restantes y espolvorea los albaricoques con los pistachos y el azúcar turbinado. Hornea hasta que la masa esté bien dorada y la fruta jugosa, unos 35 minutos. Déjala enfriar sobre una rejilla.

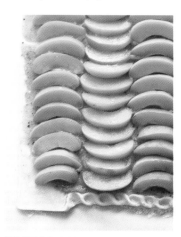

5. Mientras tanto, mezcla la mermelada con el agua en una olla pequeña. Cuece a fuego bajo, removiendo hasta que se vuelva líquida, unos 2 minutos. Pásala a un cuenco con un colador fino. Pincela los albaricoques con el glaseado. Sirve la tarta caliente o a temperatura ambiente.

MOLDEAR EL BORDE FESTONEADO

elegantes

De construcción minimalista, estilo moderno, y marcadas (en su mayoría) por un brillo lustroso, las tartas de esta sección son indiscutiblemente elegantes. Si tienes invitados, cualquiera de estos postres viene a ser como ese «vestidito negro» de tu fondo de armario, admirablemente discreto y apropiado para cualquier ocasión. A pesar de toda su sofisticación, ni uno solo de estos postres es de montaje complicado: considéralo el secreto de la repostería casera

TARTA DE CHOCOLATE CON LECHE Y PISTACHO, RECETA PÁGINA 77

Tartaletas de *crème brûlée*

La *crème brûlée*, «crema quemada», resulta aún más deliciosa sobre una crujiente tartaleta. Para caramelizar el azúcar se emplea un soplete de cocina. Pero si no tienes, emplea el asador: refrigera las tartaletas media hora y luego ponlas bajo el asador un minuto. No prepares las tartaletas con más de un día de antelación, y espera a quemarlas justo antes de servir: de este modo la masa se mantendrá firme y desmenuzable, y la cobertura conservará su brillo característico. 6 UNIDADES

PARA LA BASE

240 g (2 tazas) de harina normal, y un poco más para espolvorear

100 g (½ taza) de azúcar

½ cdta de sal

115 g (½ taza) de mantequilla fría, cortada a trocitos

1 huevo grande entero más 1 yema grande

2 cdas de agua helada

PARA EL RELLENO

360 ml (1 ½ tazas) de nata para montar

2 yemas de huevo grandes

5 cdas de azúcar

Una pizca de sal

1. Prepara la base: En un procesador de alimentos, procesa la harina, el azúcar y la sal hasta mezclarlos. Añade la mantequilla y procesa la mezcla hasta que parezca harina gruesa. Mezcla el huevo entero, la yema de huevo y el agua. Rocía uniformemente la mezcla de huevo sobre la mezcla de harina y procesa justo hasta que la masa empiece a unirse. Moldea la masa en forma de disco, envuélvelo en film transparente bien apretado y refrigéralo hasta que esté firme, alrededor de 1 hora.

2. Coloca seis anillos de tartaleta de 10 cm sobre una bandeja con borde forrada de papel de hornear. Sobre una superficie ligeramente enharinada, estira la masa a un grosor de 3 mm. Corta seis círculos de 15 cm y ajústalos a los anillos dejando que sobresalga. Si hay grietas o agujeros, tápalos. Pincha con un tenedor la base de las tartaletas; refrigéralas o congélalas hasta que estén firmes, unos 30 minutos. Mientras tanto, precalienta el horno a 180 °C. Recorta la masa sobrante nivelando los anillos.

3. Hornea las tartaletas hasta que estén ligeramente doradas, girando el molde a media cocción y presionando la masa con una espátula acodada si empieza a burbujear, unos 15 minutos. Déjalas enfriar completamente. Reduce a 170 °C.

4. Elabora el relleno: En una olla pequeña, lleva casi a ebullición la nata y retírala del fuego. Bate en un cuenco las yemas de huevo, 3 cucharadas de azúcar y la sal. Agrega poco a poco la nata a la mezcla de yema de huevo. Cuela la mezcla con un colador de malla fina sobre otro cuenco.

5. Reparte equitativamente la mezcla de crema entre las tartaletas, llenándolas hasta arriba. Colócalas con cuidado en el horno y hornéalas solo hasta que cuajen, girando el molde a media cocción, unos 20 minutos. Trasládalas a una rejilla y déjalas enfriar a temperatura ambiente. Refrigéralas hasta que cuajen, 1 hora.

6. Espolvorea uniformemente las superficies con las 2 cucharadas de azúcar restante (1 cdta por tartaleta). Quema el azúcar con un soplete de cocina (o bajo el asador). Sírvelas de inmediato.

Tarta de *mousse* de chocolate con avellanas

Una *mousse* etérea, que se elabora incorporando ganache de chocolate a una nata montada dulce, firmemente enraizada en una humilde masa de migas de galleta y frutos secos. Coronada con avellanas caramelizadas.

PARA UNA TARTA DE 23 CM

PARA LA BASE

6 láminas de galleta de harina Graham (unos 85 g)

75 g (½ taza) de avellanas sin piel (véase pág. 343)

¼ de cdta de sal gruesa

2 cdas de azúcar granulado

60 g de mantequilla, fundida y enfriada

PARA LA COBERTURA

50 g (⅓ de taza) de avellanas sin piel (véase pág. 343)

50 g (¼ de taza) de azúcar granulado

¼ de cdta de sal gruesa

60 ml (¼ de taza) de agua

PARA EL RELLENO

420 ml (1 ¾ tazas) de nata para montar

142 g de chocolate semiamargo (mejor con 61% de cacao), picado grueso

2 cdas de azúcar glas

1. Prepara la base: Precalienta el horno a 180 °C. En un procesador de alimentos, mezcla las galletas de harina Graham, las avellanas, la sal y el azúcar granulado; procésalo hasta formar unas migas finas. Con la máquina en marcha, vierte lentamente la mantequilla por el tubo de alimentación y sigue procesando hasta que se mezcle. Presiona las migas sobre la base y las paredes de un molde para tarta acanalado de 23 cm. Hornea hasta que la masa esté bien dorada y fragante, de 12 a 14 minutos. Déjala enfriar por completo sobre una rejilla.

2. Mientras tanto, haz la cobertura: en una olla pequeña, mezcla las avellanas, el azúcar granulado, la sal y el agua. Llévalo a ebullición y déjalo cocer 1 minuto. Escurre las avellanas y espárcelas en una sola capa sobre una bandeja con borde forrada de papel de hornear. Hornéalas hasta que estén tostadas y brillantes, 15 minutos. Déjalas enfriar por completo.

3. Elabora el relleno: En una olla mediana, lleva a ebullición 180 ml (¾ de taza) de nata; retírala del fuego y añade el chocolate. Déjalo reposar 5 minutos; bátelo para mezclarlo y luego déjalo enfriar a temperatura ambiente. En un cuenco grande refrigerado, bate los 240 ml (1 taza) de nata restante con el azúcar glas hasta formar picos firmes. Incorpora mediante movimientos suaves y envolventes la nata a la mezcla de chocolate hasta unirla. Vierte el relleno sobre la masa horneada y enfriada y refrigérala hasta que cuaje por completo, 2 horas, o bien, envuelta firmemente con film transparente, máximo 2 días. Corona la tarta con las avellanas caramelizadas antes de servir.

Tartaletas de *panna cotta* con fresas

Una masa dulce y crujiente y una salsa de fresas frescas con una inesperada ración de *panna cotta* («crema cocida» en italiano). Una pizca de vinagre balsámico en la salsa hace aflorar todo el sabor de la fruta. Si las fresas son muy dulces, no necesitarás tanto azúcar: utiliza una cantidad de las últimas posiciones en una escala de cinco. 6 UNIDADES

1 ½ cdtas de gelatina en polvo sin sabor

3 cdas de agua

600 ml (2 ½ tazas) de nata para montar

150 g (¾ de taza) de azúcar, más un máximo de 2 cdas para la salsa, si es necesario

120 ml (½ taza) de *crème fraîche*

½ cdta de extracto de vainilla puro

Harina normal, para espolvorear

Masa dulce para tarta (página 333)

450 g (unas 3 tazas) de fresas, limpias y cortadas por la mitad a lo largo, o bien a cuartos si son grandes

1 cdta de vinagre balsámico

1. En un cuenco pequeño, espolvorea la gelatina sobre el agua y déjala ablandar 10 minutos.

2. Prepara un baño María inverso. Lleva a ebullición la nata y 100 g (½ taza) más 2 cucharadas de azúcar en una olla mediana, removiendo de vez en cuando. Añade la mezcla de gelatina, y déjalo cocer a fuego medio/bajo, removiendo hasta que la gelatina y el azúcar se disuelvan. Retíralo del fuego. Agrega la *crème fraîche* y la vainilla. Vierte la mezcla en un cuenco mediano sobre el baño María inverso. Déjalo enfriar por completo, removiendo de vez en cuando. Reparte equitativamente la mezcla en seis ramequines o recipientes de crema de 140 g. Refrigera hasta que cuajen, 3 horas o máximo 1 día.

3. Coloca 6 anillos de tartaleta de 10 cm sobre una bandeja con borde forrada con papel de hornear. Divide la masa en 6 trozos. Sobre una superficie ligeramente enharinada, estira cada trozo de masa formando un círculo de 15 cm de diámetro y 3 mm de grosor. Presiona suavemente cada círculo dentro de un anillo de tartaleta. Recorta la masa sobrante nivelando los anillos. Refrigera o congela hasta que estén firmes, unos 30 minutos.

4. Precalienta el horno a 190 °C. Pincha toda la superficie de las bases con un tenedor. Fórralas con papel de hornear y cúbrelo con pesos o legumbres secas. Hornea hasta que los bordes estén dorados, unos 18 minutos. Retira el papel de hornear y los pesos y sigue horneando hasta que las superficies estén doradas, unos 10 minutos más. Déjalas enfriar sobre una rejilla. Retíralas de los anillos.

5. Cuece las fresas, las 2-4 cucharadas de azúcar restante (en función de la dulzura de las fresas), y el vinagre en una sartén a fuego medio/bajo, removiendo hasta que estén jugosas, unos 5 minutos. Déjalo enfriar un poco.

6. Sumerge la base de los ramequines en agua caliente; sécalos. Desliza un cuchillo pequeño alrededor del borde de cada *panna cotta*; vuélcalas con cuidado sobre cada base de tarta horneada y enfriada. Cúbrelas con las fresas y la salsa y sírvelas de inmediato.

Tarta de crema de huevo con nuez moscada

Tradicional y a la vez discretamente innovadora, esta tarta de crema resulta extraordinariamente sabrosa y cremosa. Y con la implacable presencia de la especia dominante, la nuez moscada, el resultado es aún mejor.

PARA UNA TARTA DE 23 CM

PARA LA BASE

240 g (2 tazas) de harina normal, y un poco más para espolvorear

2 cdas de azúcar granulado

¾ de cdta de sal

172 g (¾ de taza) de mantequilla fría, cortada a trocitos

1 yema de huevo grande

3 cdas de agua helada

PARA EL RELLENO

1 vaina de vainilla cortada longitudinalmente

480 ml (2 tazas) de nata para montar

480 ml (2 tazas) de leche

12 yemas de huevo grandes a temperatura ambiente

100 g (½ taza) de azúcar granulado

2 cdtas de arrurruz

¼ de cdta de nuez moscada recién rallada, y un poco más para espolvorear

Azúcar glas, para espolvorear

1. Prepara la base: En un procesador de alimentos, procesa la harina, el azúcar y la sal para mezclarlos. Añade la mantequilla y procésala hasta incorporarla. Bate la yema de huevo y el agua; rocíala sobre la mezcla de harina y procesa solo hasta que la masa empiece a unirse, no más de 30 segundos. Moldea un disco con la masa y envuélvelo en film transparente. Refrigéralo 1 hora o máximo 1 día.

2. Precalienta el horno a 180 °C. Sobre una superficie ligeramente enharinada, estira la masa formando un círculo de 28 cm de diámetro y 3 mm de grosor. Ajústalo en un molde de tarta acanalado y redondo de 23 x 5 cm de base desmontable. Refrigera o congela hasta que esté firme, unos 30 minutos. Forra la base con papel de hornear y cúbrelo con pesos o legumbres secas. Hornea 15 minutos. Retira los pesos y el papel de hornear y sigue horneando hasta que esté bien dorada, unos 25 minutos más. Déjala enfriar por completo en el molde sobre una rejilla. (Mantén el horno encendido.)

3. Elabora el relleno: Con la punta de un cuchillo de mondar, raspa las semillas de la vaina de vainilla sobre una olla y añade la vaina. Incorpora la nata y la leche y llévalo a ebullición. Retira la olla del fuego y tápala. Déjalo reposar 10 minutos.

4. En un cuenco grande, bate las yemas de huevo y el azúcar granulado hasta obtener una mezcla pálida y espesa, unos 2 minutos. Sigue batiendo y añade la mezcla de nata caliente en un flujo lento y continuado. Añade el arrurruz y la nuez moscada. Bate hasta obtener una mezcla homogénea. Cuélalo con un colador fino sobre la base horneada y enfriada. Retira la espuma de la superficie.

5. Hornea hasta que los bordes del relleno estén firmes pero el centro aún tiemble un poco, unos 40 minutos. Déjala enfriar por completo en el molde sobre una rejilla. Refrigera 4 horas (o bien, envuelta firmemente en film transparente, máximo 1 día). Antes de servir, desmóldala y espolvoréala con un montón de nuez moscada y un poco de azúcar glas.

Tarta de chocolate con leche y pistacho

Más que otras variedades, el chocolate con leche se funde en la boca como si fuera mantequilla, y posee un sabor y una textura exquisitos. Combina bien con todo tipo de frutos secos. Aquí los pistachos se mezclan en la masa de galleta: se muelen formando una pasta que se extiende sobre la base parcialmente horneada, y se espolvorean sobre la superficie como decoración. Al cortar la tarta se puede ver la franja que forma la pasta entre la miga oscura y el relleno. PARA UNA TARTA DE 23 CM

PARA LA BASE

90 g (¾ de taza) de harina normal, y un poco más para espolvorear

25 g (¼ de taza) de cacao holandés en polvo sin azúcar

50 g (⅓ de taza) de pistachos sin sal y sin cáscara, picados

¼ de cdta de sal

115 g (½ taza) de mantequilla a temperatura ambiente

50 g (¼ de taza) de azúcar

½ cdta de extracto de vainilla puro

PARA EL RELLENO

120 ml (½ taza) de nata para montar

60 ml (¼ de taza) de leche

140 g de chocolate con leche, picado fino

1 huevo grande, ligeramente batido

Pasta de pistacho (receta a continuación)

Pistachos picados finos, para decorar

1. En un cuenco, mezcla la harina, el cacao, los pistachos y la sal. Con una batidora de varillas a velocidad media, bate la mantequilla hasta que esté esponjosa, unos 3 minutos. Añade el azúcar y sigue batiendo hasta obtener una mezcla pálida, unos 2 minutos. A velocidad baja, agrega la vainilla, y luego la mezcla de harina solo hasta que se incorpore y la masa empiece a unirse. Forma una bola con la masa. Envuélvela en film transparente, moldéala en forma de disco y refrigérala alrededor de 1 hora.

2. Sobre una superficie enharinada, estira la masa formando un círculo de 28 cm de diámetro y 6 mm de grosor. Forra con él un molde de tarta de 23 cm de base desmontable, tapando las grietas y recortando la masa sobrante nivelando el borde. Refrigera o congela hasta que esté firme, unos 30 minutos.

3. Precalienta el horno a 170 °C. Hornea hasta que la base esté firme, unos 30 minutos. Déjala enfriar por completo sobre una rejilla. Reduce el fuego a 150 °C.

4. Prepara el relleno: En una olla pequeña, calienta la nata y la leche.

Vierte la mezcla sobre el chocolate en un cuenco pequeño. Deja reposar 2 minutos. Bate lentamente hasta obtener una mezcla homogénea. Deja enfriar 10 minutos, luego agrega el huevo e incorpóralo bien. Extiende bien la pasta de pistacho sobre la base, presionando bien con una espátula acodada hasta que quede plana y suave. Coloca la base de la tarta sobre una bandeja de horno con borde y vierte el relleno de chocolate. Hornea hasta que cuaje (30-35 min). Deja enfriar por completo sobre una rejilla. Espolvorea la tarta con los pistachos antes de servir. Puede guardarse en la nevera máximo 1 día.

....

PASTA DE PISTACHO

75 g (½ taza) de pistachos, pelados, sin sal

50 g (¼ de taza) de azúcar

¼ de cdta de sal

1 cdta de aceite de cártamo

En un procesador de alimentos, tritura los pistachos, el azúcar y la sal hasta que la mezcla empiece a aglutinarse. Añade el aceite, y sigue triturando hasta obtener una mezcla suave y pastosa.

Tartaletas de *clafoutis* de guindas

El *clafouti*, un cremoso y suculento postre de la campiña francesa, se hace con una masa rápida que se derrama sobre la fruta y se hornea. Las cerezas son la opción tradicional, pero otras frutas de hueso, como rodajas de albaricoques o ciruelas, o bien bayas o higos, también son una buena elección. Aquí los *clafoutis* se convierten en un inesperado y muy apetecible relleno para estas tartaletas individuales. 6 UNIDADES

PARA LA BASE

115 g (½ taza) de mantequilla
   a temperatura ambiente

67 g (⅔ de taza) de azúcar glas

1 yema de huevo grande

120 g (1 taza) de harina normal,
   y un poco más para espolvorear

½ cdta de sal gruesa

PARA EL RELLENO

2 huevos grandes

50 g (¼ de taza) de azúcar granulado

160 ml (⅔ de taza) de *crème fraîche*
   o crema agria

1 cdta de extracto de vainilla puro

Una pizca de sal

170 g (aprox. 1 ¼ tazas) de guindas
   deshuesadas y partidas

1. Prepara la base: Con una batidora eléctrica de varillas a velocidad alta, bate la mantequilla y el azúcar glas hasta que esté homogéneo. Añade la yema de huevo y mezcla hasta incorporarla. Añade la harina y la sal, y mezcla solo hasta incorporarlo. Envuelve la masa en film transparente, moldéala en forma de disco y refrigérala 1 hora o máximo 3 días.

2. Coloca seis anillos de tartaleta de 10 cm sobre una bandeja de horno con borde y forrada con papel de hornear. Sobre una superficie ligeramente enharinada, estira la masa a un grosor de 6 mm. Corta seis círculos de 15 cm y ajústalos a las bases y los laterales de los anillos. Recorta la masa nivelando los bordes. Pincha la superficie de las bases con un tenedor; refrigéralas o congélalas hasta que estén firmes, unos 30 minutos.

3. Precalienta el horno a 170 °C. Hornea hasta que estén ligeramente doradas; presiona la masa con una espátula acodada si empiezan a burbujear, unos 20 minutos. Déjalas enfriar por completo sobre una rejilla antes de rellenarlas. Sube a 190 °C.

4. Elabora el relleno: Bate suavemente los huevos, el azúcar, la *crème fraîche*, la vainilla y la sal solo hasta mezclarlos. Divide la mezcla entre las bases y esparce las guindas partidas en cada tartaleta, repartiéndolas bien. Trasládalas con cuidado al horno y hornea hasta que cuajen, de 17 a 19 minutos. Deja enfriar ligeramente las tartaletas sobre una rejilla antes de servir.

Tarta de calabaza y miel

En esta variante de tarta de calabaza, la calabaza se endulza con miel y se adereza con canela y jengibre para formar el relleno, mientras que la harina de maíz aporta textura y sabor a la masa. Refrigerar la base antes de hornear, resulta crucial para que el borde mantenga su forma.

PARA UNA TARTA DE 25 CM

PARA LA BASE

180 g (1 ½ tazas) de harina normal, y un poco más para espolvorear

80 g (½ taza) de harina de maíz amarilla, preferentemente molida a la piedra

100 g (½ taza) de azúcar

1 cdta de sal

115 g (½ taza) de mantequilla fría, cortada a trocitos

2 yemas de huevo grandes más 1 yema de huevo grande para el barniz de huevo

3-4 cdas de agua helada

1 cda de leche, para el barniz de huevo

PARA EL RELLENO

3 calabazas variedad Acorn pequeñas (unos 1,4 kg)

225 g (¾ de taza) de miel

½ cdta de canela molida

¾ de cdta de jengibre molido

1 cdta de sal

4 huevos grandes, ligeramente batidos

120 ml (½ taza) de leche

Nata montada (página 340), para acompañar

1. Prepara la masa: En un procesador de alimentos, mezcla la harina de trigo, la harina de maíz, el azúcar y la sal. Añade la mantequilla y sigue procesando hasta que la mezcla parezca harina gruesa. En un cuenco pequeño, bate ligeramente 2 yemas de huevo y 3 cucharadas de agua helada; rocíalo sobre la mezcla de harina y procesa solo hasta que empiece a unirse (añade máximo 1 cucharada de agua helada más si la mezcla es demasiado desmigajada). Dale forma de disco y envuélvela en film transparente. Refrigérala de 1 a 24 h.

2. Mientras tanto, prepara el relleno: Parte las calabazas a lo largo; retira las semillas y corta la carne en gajos. En una olla grande con tapa con una canasta para cocinar al vapor (o un escurridor), lleva a ebullición 35 ml de agua. Coloca la calabaza en la cesta (por tandas si es necesario), tápala y cocínala al vapor hasta que esté tierna al pincharla con la punta de un cuchillo, de 20 a 30 minutos (controla el nivel del agua de vez en cuando). Déjala enfriar por completo. Retira la carne de la calabaza enfriada y tritúrala con un procesador de alimentos hasta que quede homogénea. Añade la miel, la canela, el jengibre y la sal, y luego añade los huevos enteros y los 120 ml (½ taza) de leche. Sigue procesando hasta mezclarlo bien.

3. Sobre una superficie enharinada, estira la masa formando un círculo de 33 cm de diámetro y con 3 mm de grosor. Ajústalo a un molde de 25 cm; recorta la masa sobrante nivelando el borde. Corta el borde de masa 1 cm a intervalos de 2 cm; dobla las secciones alternas hacia el centro. Bate la yema de huevo restante y 1 cucharada de leche; pincela ligeramente el borde de la masa. Refrigérala o congélala hasta que esté firme, unos 30 minutos.

4. Precalienta el horno a 220 °C. Vierte el relleno sobre la base de tarta colocada encima de una bandeja de hornear con borde. Hornea 10 minutos. Reduce el horno a 180 °C y sigue horneando 30-40 minutos más, o hasta que el relleno esté casi cuajado (seguirá cuajando mientras se enfríe). Si la masa se dora muy rápido, cúbrela con un anillo de papel de aluminio (véase pág. 324). Traslada la tarta a una rejilla para que se enfríe por completo. El relleno se separará de la base a medida que se enfríe. Sírvelo caliente, a temperatura ambiente, o bien frío, con nata montada. Este pastel puede hacerse con 2 días de antelación y guardarse tapado en la nevera.

Tartaletas de caramelo, chocolate y frutos secos

Un mordisco en la base de chocolate revela un centro de suave caramelo y frutos secos tostados. Con una remesa se llenan seis moldes pequeños de tartaleta o un molde de tarta redondo de 18 cm. Cubre unas con ganache y otras con rizos de chocolate. Para confeccionar los rizos, extiende el chocolate sobrante del paso 4 sobre una bandeja de horno, refrigéralo hasta que esté firme y luego rállalo con un cuchillo o con una rasqueta. 6 UNIDADES

Harina normal, para espolvorear

½ receta de masa dulce para tarta, variante de chocolate (pág. 333)

200 g (1 taza) de azúcar

2 cdas de sirope de maíz claro

2 cdas de agua

120 ml (½ taza) de nata para montar

60 g de mantequilla

1 cda de *crème fraîche*

½ cdta de extracto de vainilla puro

Una pizca de sal gruesa

75 g (½ taza) de nueces de macadamia partidas y tostadas (véase pág. 343)

28 g de chocolate semiamargo (mejor con 61% de cacao) picado fino

1. Precalienta el horno a 180 °C. Sobre una superficie ligeramente enharinada, estira la masa a un grosor de 3 mm. Corta la masa en 6 rectángulos de 14 x 10 cm. Ajusta la masa en seis moldes de tartaleta de 11x6 cm de base desmontable, presionando sobre las bases y los laterales. Pincha la superficie de las tartaletas con un tenedor. Refrigera o congela hasta que estén firmes, unos 30 minutos.

2. Coloca las tartaletas sobre una bandeja de hornear con borde; hornea hasta que estén secas, de 15 a 18 minutos. Trasládalas a una rejilla para que se enfríen por completo.

3. En una olla pequeña, lleva a ebullición el azúcar, el sirope de maíz y el agua; limpia las paredes de la olla con un pincel de repostería empapado de agua para evitar la formación de cristales. Reduce a fuego bajo y cuece la mezcla, haciendo girar la olla para obtener un tono uniforme, hasta que el caramelo adquiera un tono ámbar intenso. Retíralo del fuego; añade con cuidado 60 ml (¼ de taza) de nata (salpicará), mantequilla, *crème fraîche*, vainilla y sal. Remueve hasta que esté homogéneo. Déjalo enfriar un poco, 1 o 2 minutos, e incorpora los frutos secos.

4. Funde 142 g de chocolate en un cuenco resistente al fuego situado encima (no dentro) de una olla de agua hirviendo (también puedes fundirlo en el microondas). Vierte 1 cucharada y ½ de chocolate fundido sobre cada base y extiéndela uniformemente con una espátula acodada. Refrigera hasta que cuaje, unos 10 minutos. Vierte la mezcla de caramelo sobre cada base, repartiéndola equitativamente.

5. Lleva a ebullición 60 ml (¼ de taza) de nata sobre una olla pequeña. Viértela sobre los 42 g restantes de chocolate en un cuenco resistente al fuego; bate hasta que quede homogéneo. Refrigéralo hasta que espese un poco, unos 10 minutos. Vierte aproximadamente 1 cucharada sobre el caramelo en 3 tartaletas; suavízalo con una espátula acodada. Guarda las tartaletas a temperatura ambiente, en un recipiente hermético, máximo 1 día.

Tarta de limón caramelizada

Las tartas de limón son eternamente populares, y esta versión caramelizada obtuvo el título de postre predilecto entre los lectores de Martha Stewart Living desde que se publicó por primera vez en la revista allá en 1992. Con su cobertura caramelizada, su vibrante relleno y su masa cremosa, este deleite para los ojos y el paladar sin duda coleccionará más elogios durante los años venideros. También puedes hacerla con un molde redondo de 20 cm. PARA UNA TARTA DE 35 X 10 CM

Harina normal, para espolvorear

½ receta de masa dulce (página 333)

6 yemas de huevo grandes

La ralladura fina de 2 limones y 120 ml (½ taza) de zumo de limón recién exprimido (de unos 2 limones)

200 g (1 taza) más 2-3 cdas de azúcar

115 g (½ taza) de mantequilla fría, cortada a trocitos

1. Precalienta el horno a 190 °C. Sobre una superficie ligeramente enharinada, estira la masa a un grosor de 3 mm. Presiona la masa sobre la base y las paredes de tarta rectangular de 35x10 cm de base desmontable. Pincha la superficie de la base con un tenedor. Recorta la masa sobrante nivelándola con el borde. Refrigera o congela hasta que esté firme, unos 30 minutos.

2. Forra la base con papel de hornear y cúbrelo con pesos o legumbres secas. Hornea la base hasta que los bordes se vuelvan dorados, unos 15 minutos. Retira los pesos y el papel de hornear; hornea hasta que esté bien dorada, 10-12 minutos más. Déjala enfriar por completo sobre una rejilla.

3. Bate las yemas, la ralladura y el zumo de limón y 200 g (1 taza) de azúcar en una olla de fondo grueso. Llévalo a ebullición, batiendo constantemente. Cuece hasta que la mezcla haya espesado y aparezcan burbujas por los bordes, de 8 a 10 minutos. Pásala a un cuenco con un colador fino. Añade los trozos de mantequilla uno por uno, hasta formar una mezcla suave. Vierte el relleno sobre la masa. Refrigera la tarta, descubierta, hasta que cuaje, unas 2 horas.

4. Justo antes de servir, esparce uniformemente las 2-3 cucharadas de azúcar restantes sobre el relleno. Carameliza con cuidado el azúcar con un soplete de cocina (o bajo el asador) hasta que adquiera un color ámbar intenso. Esta tarta es mejor comerla el mismo día, pero puede guardarse en un recipiente hermético a temperatura ambiente máximo 1 día.

CARAMELIZAR LA COBERTURA

Tarta de coco crujiente y chocolate

A pesar de su apariencia chic, en el fondo no es más que una tarta helada sin complicaciones. Y además, no tiene gluten. La tarta solo requiere cuatro ingredientes: mantequilla, chocolate, nata y coco rallado. La masa compactada se une en cuestión de segundos con el procesador de alimentos. Una vez horneada, la base se llena de una ganache aterciopelada, que le aporta un hermoso y suave brillo. PARA UNA TARTA DE 23 CM

PARA LA BASE

60 g de mantequilla, ablandada

227 g (unas 6 tazas) de coco rallado azucarado

PARA EL RELLENO

300 ml (1 ¼ tazas) de nata para montar

226 g de chocolate semiamargo (mejor con 61% de cacao), picado fino

1. Prepara la base: Precalienta el horno a 180 °C. En un procesador de alimentos, procesa la mantequilla y un tercio del coco hasta que la mezcla forme una bola, 1 a 2 minutos. Traslada la masa a un cuenco mediano. Espolvorea encima los dos tercios de coco restantes, y mézclalo con los dedos.

2. Coloca un molde de tarta de 23 cm sobre una bandeja de horno con borde y forrada de papel de hornear. Presiona la mezcla de coco sobre la base y las paredes del molde para formar la base, dejando los bordes superiores sueltos y esponjosos. Coloca un anillo de aluminio (véase pág. 324) sobre el borde para evitar que se queme. Hornea hasta que el centro empiece a dorarse, de 10 a 15 minutos; retira el aluminio y hornea hasta que los bordes estén dorados, 4-6 minutos más. Traslada la masa a una rejilla para que se enfríe por completo.

3. Prepara el relleno: Lleva a ebullición la nata en una olla pequeña y viértela sobre el chocolate en un cuenco mediano resistente al fuego. Déjalo reposar 10 minutos, luego remueve hasta que el chocolate esté completamente fundido y la mezcla ya esté mezclada. Vierte el relleno sobre la masa de coco. Refrigérala hasta que cuaje, 1 hora o máximo 1 día.

VERTER LA GANACHE SOBRE LA MASA

Flanes de calabaza en masa de hojaldre

La tarta de calabaza reinterpretada como postre festivo para cualquier época del año. Asegúrate de que las bases de hojaldre sean más grandes que los flanes. 8 UNIDADES

550 g (2 ¾ tazas) de azúcar

240 ml (1 taza) de agua

540 ml (2 ¼ tazas) de leche

330 g (1 ½ taza) de puré de calabaza sin azúcar, en lata o fresco (véase pág. 343)

2 cdtas de jengibre fresco pelado y rallado fino (de una pieza de 4 cm)

½ cdta de canela molida

¼ de cdta de nuez moscada recién rallada

¾ de cdta de sal

5 huevos enteros grandes más 2 yemas de huevo grandes

2 cdas de extracto de vainilla puro

Harina normal, para espolvorear

Pasta brisa (página 322)

Nata montada (página 340) o *crème fraîche*, para acompañar (opcional)

1. Prepara un baño María inverso. Mezcla 400 g (2 tazas) de azúcar y el agua en una olla pequeña a fuego medio/alto. Remueve hasta que el azúcar se disuelva. Cubre la olla y llévala a ebullición. Déjala cubierta hasta que la condensación baje por las paredes de la olla. Destapa y hierve hasta que el almíbar se vuelva ámbar intenso. Rápidamente, moja la base de la olla con agua helada y retírala. Reparte enseguida el caramelo entre los ramequines de 10 cm. Haz remolinos para recubrir las bases. Deja enfriar.

2. Precalienta el horno a 170 °C. En una olla, lleva a ebullición la leche. Retira del fuego. En un cuenco grande, mezcla la calabaza, los 150 g (¾ de taza) de azúcar restantes, el jengibre, la canela, la nuez moscada, la sal, los huevos enteros y las yemas de huevo hasta que quede homogéneo. Agrega la vainilla y la leche; pásalo por un colador fino, eliminando los sólidos. Vierte la mezcla sobre los ramequines revestidos de caramelo, llenándolos hasta 2,5 cm de alto; trasládalos a una fuente de horno grande.

3. Coloca la fuente en el horno; vierte con cuidado agua caliente en la fuente de horno hasta media altura de las paredes de los ramequines. Cúbrelo holgadamente con papel de aluminio. Hornea 60-65 minutos, o hasta que el centro de los flanes esté casi cuajado: al insertar un cuchillo de hoja fina en el centro, debería salir limpio. Trasládalos a una rejilla para que se enfríen. Guárdalos en la nevera durante la noche, cubiertos con film transparente.

4. Precalienta el horno a 190 °C. Coloca 8 anillos de flan o moldes de 13 cm sobre una bandeja de horno con borde y forrada de papel de hornear. Sobre una superficie enharinada, estira cada disco de masa a un grosor de 3 mm. Corta 8 círculos de 18 cm. Ajusta la masa a los anillos de flan y corta la masa sobrante. Pincha las bases. Refrigera hasta que estén firmes (30 min).

5. Forra las bases con papel de hornear, llénalas con pesos de o legumbres secas. Hornea 20 minutos y retira los pesos y el papel; sigue horneando de 6 a 8 minutos más, o hasta que las bases estén bien doradas. Déjalas enfriar por completo sobre una rejilla. Retíralas de los anillos.

6. Para desmoldar los flanes, sumerge las bases de los ramequines en un molde con agua caliente, y sécalos bien. Desliza un cuchillo por el borde interior para soltar el flan. Pon una base de hojaldre sobre un plato. Voltea con cuidado el flan sobre la masa de modo que quede centrado y que la salsa de caramelo llene los bordes. Sirve con nata montada o *crème fraîche*, si lo deseas.

Tarta marmolada de limón y salvia

Cada bocado de este postre tiene un sabor tan brillante y primaveral como sugiere su aspecto. Yemas de huevo, azúcar y zumo de limón recién exprimido conforman un curd aterciopelado que se vierte sobre una crujiente base de harina de maíz. Antes de refrigerarla para que cuaje, se esparcen unas gotas de *crème fraîche* sobre el relleno de curd y se peinan formando remolinos con un palillo de madera. PARA UNA TARTA DE 23 CM

PARA LA BASE

270 g (2 ¼ tazas) de harina normal, y un poco más para espolvorear

120 g (¾ de taza) de harina de maíz amarillo gruesa, preferiblemente molida a la piedra

3 cdas de azúcar

1 cda más 1 cdta de hojas de salvia fresca picadas finas

1 ½ cdtas de sal

½ cdta de ralladura de limón rallada fina

173 g (¾ de taza) de mantequilla fría, cortada a trocitos

3 yemas de huevo grandes

60 ml (¼ de taza) más 1 cda de agua helada

PARA EL RELLENO

¼ de cdta de gelatina en polvo sin sabor

1 cda de agua

6 yemas de huevo grandes

200 g (1 taza) de azúcar

¼ de cdta de sal

120 ml (½ taza) de zumo de limón recién exprimido

115 g (½ taza) de mantequilla, en trozos de 15 g

3 cdas de *crème fraîche*

1. Prepara la base: Mezcla la harina, la harina de maíz, el azúcar, la salvia, la sal y la ralladura de limón en un procesador de alimentos. Añade la mantequilla; procesa hasta que la mezcla parezca harina gruesa. Bate las yemas de huevo y el agua helada en un cuenco pequeño. Rocíalo uniformemente sobre la mezcla de harina y procesa solo hasta que la masa empiece a unirse. Divide la masa en dos y haz un disco con cada trozo. Envuélvelos en film transparente y refrigéralos de 1 hora a 2 días.

2. Sobre una superficie enharinada, estira 1 disco de masa formando un círculo de 28 cm. Presiónalo suavemente sobre un molde de tarta de 23 cm de base desmontable y corta la masa sobrante, nivelándola con el borde. Refrigera o congela hasta que esté firme, unos 30 minutos. Reserva la masa sobrante para otro uso (se puede congelar máximo 3 meses; descongélala en la nevera antes de usarla).

3. Precalienta el horno a 190 °C. Pincha la superficie de la base con un tenedor. Hornea hasta que esté bien dorada, unos 25 minutos. Déjala enfriar.

4. Prepara el relleno: En un cuenco pequeño, espolvorea la gelatina sobre el agua y déjala reposar hasta que se ablande, unos 5 minutos. Prepara un baño María inverso.

5. Bate las yemas de huevo, el azúcar y la sal en un cuenco grande resistente al fuego. Añade gradualmente el zumo de limón. Coloca el cuenco encima (no dentro) de una olla con agua hirviendo, y bate constantemente hasta que la mezcla espese. Añade batiendo la gelatina ablandada. Retíralo del fuego y agrega la mantequilla en tandas de unos cuantos trocitos, hasta que esté homogéneo. Déjalo enfriar, removiendo de vez en cuando. Coloca el cuenco con la mezcla de yemas sobre el baño María inverso y remueve hasta que espese ligeramente, unos 2 minutos.

6. Vierte el curd sobre la base y alisa la superficie. Vierte cucharaditas de *crème fraîche* por toda la superficie. Con un palillo de madera o la punta de un cuchillo, haz remolinos de *crème fraîche* sobre el curd para lograr un efecto marmolado. Refrigera la tarta hasta que cuaje, 2 horas, o bien envuelta en film transparente, máximo 1 día.

fantasiosas

Las tartas de crema y similares son unos postres extremadamente atractivos y con muchos seguidores, gracias a ingredientes frescos como los huevos y la nata, que se baten, se mezclan y se esparcen sobre bases de masa crujiente. Cada uno de estos ejemplos posee un atractivo genuinamente retro, y requieren pocas técnicas para su elaboración: las bases se hornean total o parcialmente; el relleno a menudo se compone de cremas y budines; y muchas de las coberturas son tan sencillas como suaves remolinos de nata montada azucarada. Recetas de lo más reconfortantes, deliciosas y generosas.

TARTA DE LIMA, RECETA PÁGINA 103

Tarta de crema *butterscotch* y crocanti

Su aspecto y su sabor extraordinarios derivan de la mantequilla marrón y el azúcar moreno del relleno, y de las esquirlas de crocanti de avellana, esparcidas por encima como si fueran joyas. PARA UNA TARTA DE 23 CM

Harina normal, para espolvorear

½ receta de pasta brisa (página 322)

90 g de mantequilla

180 g (1 taza) de azúcar moreno oscuro compacto

240 ml (1 taza) de nata para montar

27 g (¼ de taza) de maicena

¾ de cdta de sal

480 ml (2 tazas) de leche

4 yemas de huevo grandes

1 cdta de extracto de vainilla puro

Crocanti de avellana picada (página 341)

Nata montada (página 340)

1. Sobre una superficie un poco enharinada, estira 1 disco de masa formando un círculo de 33 cm de diámetro y 3 mm de grosor. Ajústalo a un molde de 23 cm. Recorta la masa dejando que sobresalga 2,5 cm. Dobla el saliente hacia dentro, nivélalo con el borde del molde, y riza los bordes. Pincha la superficie de la base. Refrigera o congela hasta que esté firme, unos 30 minutos.

2. Precalienta el horno a 190 °C. Forra la base con papel de hornear y cúbrelo con pesos o legumbres secas. Hornea hasta que los bordes empiecen a dorarse (15-18 min) Retira los pesos y el papel de hornear. Sigue horneando hasta que esté bien dorada, (12-15 min más). Déjala enfriar por completo sobre una rejilla. (La masa puede envolverse con papel de aluminio y guardarse máximo 1 día a temperatura ambiente).

3. Funde la mantequilla en una olla a fuego medio hasta que se dore, de 8 a 10 minutos. Incorpora el azúcar y cuece hasta que se disuelva, unos 5 minutos. Vierte lentamente la nata por un lado de la olla, removiendo constantemente hasta que esté homogéneo (el caramelo burbujeará). Retíralo del fuego.

4. Mezcla la maicena, la sal y la leche en un cuenco hasta que quede homogéneo. Incorpora a la mezcla de mantequilla hasta mezclarlo bien. Cuece a fuego medio/alto, removiendo sin cesar, hasta que esté burbujeante y espesa, unos 7 minutos (unos 2 minutos después de que empiece a hervir).

5. Bate las yemas de huevo en un cuenco mediano hasta mezclarlas. Agrega la mezcla de leche mediante un flujo lento y constante hasta incorporarlo por completo. Devuelve la mezcla a la olla y cuece a fuego medio, removiendo de vez en cuando, solo hasta que vuelva a hervir, 1-2 minutos. Pásala por un colador fino a un cuenco grande, e incorpora la vainilla. Deja enfriar la crema, batiéndola de vez en cuando, 10 minutos.

6. Vierte la crema sobre la base. Presiona con film transparente directamente sobre la superficie de la crema. Refrigérala hasta que el relleno esté completamente cuajado, 4 horas (o firmemente envuelta en film transparente, máximo 1 día).

7. Reserva 2 cucharadas de crocanti picado, e incorpora el crocanti restante a la nata montada. Extiéndela sobre la tarta, y espolvorea el crocanti reservado encima. Sírvela de inmediato.

Tarta de crema de café

Una pareja harmoniosa de toda la vida: el café y la tarta forman aquí un «todo en uno». Los granos de café expreso cubiertos de chocolate le dan un toque de sabor al relleno de debajo, salpicado de café expreso y licor de café. PARA UNA TARTA DE 23 CM

150 g (¾ de taza) de azúcar granulado

27 g (¼ de taza) de maicena

¼ de cdta de sal

600 ml (2 ½ tazas) de leche

2 cdas más 1 cdta café expreso instantáneo en polvo, como Medaglia D'Oro

4 huevos grandes

60 ml (¼ de taza) de licor de café, preferiblemente Kahlúa

1 cdta de extracto de vainilla puro

60 g de mantequilla, a cucharadas y ablandada

Base de galleta de barquillo de chocolate (página 331)

50 g (⅓ de taza) de granos de café expreso cubiertos de chocolate negro

300 ml (1 ¼ tazas) de nata para montar

1 cda de azúcar glas

1. Bate el azúcar granulado, la maicena y la sal en una olla mediana. Agrega la leche y 2 cucharadas de café expreso en polvo, y cuece a fuego medio/alto, removiendo constantemente, hasta que burbujee y espese, unos 7 minutos (unos 2 minutos después de llegar a ebullición).

2. Bate los huevos en un cuenco mediano hasta mezclarlos. Agrega la mezcla de leche mediante un flujo lento y continuado hasta incorporarla por completo. Devuelve la mezcla a la olla y cuece a fuego medio, removiendo constantemente, hasta que vuelva a hervir, 1-2 minutos.

3. Pásalo por un colador fino a un cuenco grande y agrega el licor de café y la vainilla. Añade la mantequilla, en tandas de 15 g, batiendo hasta que cada trozo se funda antes de añadir el siguiente. Deja enfriar la crema, batiendo de vez en cuando, unos 10 minutos.

4. Vierte la crema sobre la base horneada y enfriada. Presiona con film transparente directamente la superficie de la crema. Refrigérala hasta que el relleno esté firme, 4 horas (o bien envuelta en film transparente, máximo 1 día).

5. Con el lado plano de un cuchillo de chef, machaca los granos de café expreso de 1 en 1. Reserva 1 cda de los trozos más grandes para decorar.

6. En un cuenco refrigerado, monta la nata, el azúcar glas y la cucharadita restante de café expreso en polvo hasta formar picos firmes. Incorpora los trozos de granos de café expreso más pequeños en la mezcla de nata montada, y extiéndela sobre la tarta. Espolvoréala con los trozos de granos de café expreso reservados y sírvela enseguida.

Tarta de crema de plátano

En el apogeo de los restaurantes de carretera, este tentador postre solía colocarse en la vitrina giratoria situada cerca de la entrada, un buen modo de seducir a transeúntes hambrientos. Era una buena estrategia: la aterciopelada crema de plátano y la ondulante cobertura de nata montada eran (y siguen siendo) algo irresistible. PARA UNA TARTA DE 23 CM

Harina normal, para espolvorear

½ receta de pasta brisa (página 322)

100 g (½ taza) de azúcar granulado

27 g (¼ de taza) de maicena

¼ de cdta de sal gruesa

480 ml (2 tazas) de leche

4 yemas de huevo grandes

30 g de mantequilla fría, cortada a trocitos

3 plátanos maduros, cortados por la mitad longitudinalmente y en rodajas finas transversales

360 ml (1 taza y 1/2) de nata para montar

2 cdas de azúcar glas

½ cdta de extracto de vainilla puro

Rizos de chocolate, para decorar (véase pág. 343)

1. Sobre una superficie ligeramente enharinada, estira 1 disco de masa formando un círculo de 33 cm de diámetro y 6 mm de grosor. Ajústalo a un molde de tarta de 23 cm. Recorta la masa dejando un saliente de 2,5 cm. Dobla el saliente hacia dentro, nivélalo con el borde del molde, y riza los bordes. Pincha la superficie de la base con un tenedor. Refrigera o congela hasta que esté firme, unos 30 minutos.

2. Precalienta el horno a 220 °C. Forra la base con papel de hornear y cúbrelo con pesos o legumbres secas. Hornea hasta que los bordes empiecen a dorarse, de 15 a 18 minutos. Reduce a 190 °C. Retira los pesos y el papel de hornear y sigue horneando hasta que esté bien dorada, unos 20 minutos más. Déjala enfriar por completo sobre una rejilla.

3. Mezcla el azúcar granulado, la maicena y la sal en una olla mediana. Agrega la leche y cuece a fuego medio/alto, removiendo constantemente, hasta que la mezcla burbujee y espese, unos 7 minutos (unos 2 minutos después de llegar a ebullición).

4. Bate las yemas de huevo en un cuenco mediano hasta mezclarlas. Añade la mezcla de leche con un flujo lento y constante, batiendo hasta incorporarla por completo. Devuelve la mezcla a la olla y cuece a fuego medio, removiendo constantemente, hasta que vuelva a hervir, 1-2 minutos.

5. Cuela la mezcla de leche con un colador fino sobre un cuenco. Añade la mantequilla y remueve hasta que se funda. Incorpora el plátano. Vierte la mezcla sobre la base. Presiona film transparente directamente sobre la superficie de la crema. Refrigera hasta que el relleno cuaje, 4 horas (o bien envuelta en film transparente, máximo 1 día).

6. En un cuenco refrigerado, monta la nata, el azúcar glas y la vainilla hasta formar picos firmes. Extiende la nata montada sobre el relleno. Con la ayuda de una espátula de goma o el dorso de una cuchara, dale forma de picos a la cobertura. Espolvorea rizos de chocolate por encima y sírvela enseguida.

Tarta helada de calabaza

Esta alternativa rápida al pastel de calabaza tradicional no debe su textura sedosa a una crema cocida. En lugar de eso, combina queso crema, gelatina y leche evaporada para crear un relleno fácil que no requiere cocción. Puedes hacer la masa con dos días de antelación: envuélvela bien y guárdala a temperatura ambiente antes de rellenarla. PARA UNA TARTA DE 23 CM

PARA LA BASE

16 láminas de galleta Graham de canela (226 g), a trozos grandes

1 cda de azúcar moreno oscuro

½ cdta de sal gruesa

115 g (½ taza) de mantequilla, fundida y enfriada

PARA EL RELLENO

1 cda de gelatina en polvo sin sabor

60 ml (¼ de taza) de agua helada

113 g de queso crema a temperatura ambiente

270 g (1 ½ tazas) de azúcar moreno oscuro compacto

1 cdta de canela molida

¼ de cdta de nuez moscada recién rallada, más un poco para decorar

¾ de cdta de sal gruesa

1 lata grande (820 g) de puré de calabaza sin azúcar

1 lata (340 g) de leche evaporada

PARA LA COBERTURA

240 ml (1 taza) de nata para montar

1 cda de azúcar glas

Nuez moscada recién rallada

1. Prepara la base: Precalienta el horno a 180 °C. En un procesador de alimentos, mezcla las galletas de harina Graham, el azúcar moreno y la sal y procésalo hasta formar migas finas. Añade la mantequilla y procésalo hasta unirlo. Presiona uniformemente las migas sobre la base y las paredes de un molde de tarta de 23 cm. Refrigera hasta que esté firme, unos 15 minutos. Hornea hasta que la base esté bien dorada, 15 minutos. Déjala enfriar por completo sobre una rejilla.

2. Haz el relleno: En un cuenco pequeño, espolvorea la gelatina sobre el agua y déjala reposar 5 minutos. Con una batidora eléctrica de varillas a velocidad media, bate el queso crema, el azúcar moreno, la canela, la nuez moscada y la sal hasta que quede homogéneo. Añade el puré de calabaza y bate hasta que esté homogéneo. En una olla pequeña, lleva a ebullición la leche evaporada. Añade la gelatina ablandada y remueve hasta disolverla por completo. Vierte la mezcla de leche sobre la mezcla de calabaza y bate hasta homogeneizarlo. Vierte el relleno sobre la masa enfriada y refrigera hasta que cuaje del todo, 4 horas (o bien envuelto en film transparente, máximo 2 días).

PRESIONAR LA BASE

3. Haz la cobertura: En un cuenco refrigerado, monta la nata con el azúcar glas hasta formar picos blandos. Para servirla, corona la tarta con nata montada y espolvoréala con nuez moscada.

Tarta de lima

Martha adora la tarta de lima, especialmente la que sirven en el restaurante Joe's Stone Crab de Miami. Pequeñas, redondas y de color verde amarillento, las limas mexicanas tienen muchas cualidades, con un sabor más pronunciado que las limas persas, que son más verdes. Vale la pena buscar el sabor auténtico de las limas de Florida, pero si no las encuentras, puedes sustituirlas por zumo de lima envasado o zumo de lima persa recién exprimido. En función de tus preferencias, puedes coronar la tarta con merengue (página opuesta) o nata montada azucarada (página 340).

PARA UNA TARTA DE 23 CM

1 lata (380 g) de leche condensada azucarada

4 huevos grandes, separados

180 ml (¾ de taza) de zumo de lima mexicana recién exprimido (de unas 20 limas)

Base de galletas de harina Graham (página 331)

100 g (½ taza) más 1 cda de azúcar granulado

Ralladura fina de lima para decorar (opcional)

1. Precalienta el horno a 170 °C. Mezcla en un cuenco la leche condensada, las yemas de huevo y el zumo de lima. Vierte la mezcla sobre la base horneada y enfriada. Hornea la tarta hasta que el centro empiece a cuajar, de 15 a 17 minutos. Déjala enfriar por completo sobre una rejilla.

2. Bate el azúcar granulado y las claras de huevo en el cuenco de una batidora eléctrica con base. Coloca el cuenco encima (no dentro) de una olla con agua hirviendo y remueve hasta que esté caliente al tacto y el azúcar se haya disuelto. Coloca el cuenco en la batidora de base y bate a velocidad media/alta hasta formar picos firmes y el merengue esté brillante, unos 5 minutos.

3. Corona la tarta con merengue y decóralo con ralladura de lima, si quieres. Sírvela enseguida.

Tarta chiffon de albaricoque

La etérea tarta chiffon es la favorita de todas las reuniones por una buena razón. Es una tarta robusta y a la vez etérea que se puede preparar bien con antelación, y a la hora de servir, sigue manteniendo el tipo. PARA UNA TARTA DE 23 CM

PARA LA BASE

142 g de galletas shortbread, como Walkers, a trozos

93 g (⅔ de taza) de almendras crudas enteras

50 g (¼ de taza) de azúcar

½ cdta de sal gruesa

60 g de mantequilla, fundida

PARA EL RELLENO

800 g de albaricoques frescos (unos 10) deshuesados y a cuartos

180 ml (¾ de taza) de agua más 80 ml (⅓ de taza) de agua fría

300 g (1 ½ tazas) de azúcar

½ cdta de sal gruesa

2 sobres (4 ½ cdtas escasas) de gelatina en polvo sin sabor

5 huevos grandes, separados

Almendras crudas picadas para decorar

1. Prepara la masa: Precalienta el horno a 180 °C. Procesa las galletas en un procesador de alimentos hasta formar migas. Deberías obtener 1 taza. Añade almendras, azúcar y sal, y procésalo hasta que las almendras estén picadas finas. Añade la mantequilla y procesa hasta que la mezcla se una.

2. Presiona la mezcla sobre la base y las paredes de un molde acanalado de 23 cm con base desmontable. Refrigera hasta que esté firme (15 min). Hornea hasta que esté bien dorada (17-20 min). Deja enfriar en una rejilla.

3. Haz el relleno: En una olla, lleva a ebullición los albaricoques, 180 ml (¾ de taza) de agua, 150 g (¾ de taza) de azúcar y la sal. Cubre, baja el fuego y deja cocer hasta que los albaricoques estén muy blandos (10 min). Retira del fuego y deja enfriar 20 minutos.

4. Tritura los albaricoques y el líquido en una batidora de vaso. Cuélalo con un colador fino sobre un cuenco. Deberías obtener 660 g (3 tazas) de puré; reserva 110 g (½ taza).

5. En un cuenco pequeño, espolvorea la gelatina sobre los 80 ml (⅓ de taza) de agua fría restantes y déjala ablandar, unos 5 minutos. Calienta 550 g (2 ½ tazas) de puré de albaricoque en una olla mediana a fuego medio/alto. Agrega la gelatina ablandada al puré y remueve hasta que se disuelva.

6. Prepara un baño María inverso. En un cuenco mediano, bate las yemas de huevo con 100 g (½ taza) de azúcar. Incorpora un tercio de la mezcla de albaricoque y gelatina y luego viértelo de nuevo en la olla. Ponlo al fuego medio/alto, removiendo sin cesar, hasta que espese, 2-3 minutos. Pásalo por un colador a un cuenco sobre el baño María inverso. Bate solo hasta que empiece a hacerse gelatina, 5 minutos.

7. En otro cuenco, bate las claras hasta formar picos blandos. Añade gradualmente 50 g (¼ de taza) de azúcar y bate hasta formar picos firmes (2 min). Incorpora ⅓ de las claras a la mezcla de albaricoque. Incorpora las claras restantes con movimientos envolventes. Deja enfriar, removiendo hasta que la mezcla sea lo bastante espesa como para apilarse (3-5 min). Viértela sobre la masa (formando una montaña). Refrigera de 2 horas a 1 día. Antes de servir, rocía con los 110 g (½ taza) de puré de albaricoque restantes por encima y espolvorea con la almendra.

Nota: Los huevos en esta receta no están totalmente cocidos, por lo que no debería cocinarse para mujeres embarazadas, bebés, niños pequeños, gente mayor o cualquiera que pueda correr riesgos de salud.

INCORPORAR LAS CLARAS

Tarta de barro del Misisipi

Una prima hermana sureña de la tarta de nata y chocolate, esta versión gana puntos con la incorporación de pacanas, tanto en la masa como espolvoreadas por encima. Aunque las recetas varían (algunas incluyen café, por ejemplo), hay unos pocos elementos estándar, como la masa de galleta de barquillo de chocolate desmenuzada y una capa de suculenta crema de chocolate tan oscura y densa que recuerda las orillas fangosas del río Misisipi. PARA UNA TARTA DE 23 CM

PARA LA BASE

25 galletas de barquillo de chocolate (170 g) a trocitos, o 150 g (1 ½ tazas) de migas de galleta de barquillo

60 g (½ taza) de pacanas por la mitad

60 g de mantequilla, fundida

PARA EL RELLENO

133 g (⅔ de taza) de azúcar

33 g (⅓ de taza) de cacao en polvo sin azúcar

37 g (⅓ de taza) de maicena

¼ de cdta de sal

600 ml (2 ½ tazas) de leche

4 yemas de huevo grandes

¼ de cdta de extracto de vainilla puro

30 g de mantequilla fría, cortada a trocitos

PARA LA COBERTURA

120 ml (½ taza) de nata para montar

1 cdta de azúcar

¼ de cdta de extracto de vainilla puro

Nueces pacanas picadas gruesas, para decorar

1. Prepara la base: Precalienta el horno a 190 °C. En un procesador de alimentos, procesa las galletas y las nueces pacanas hasta formar migas finas. Añade la mantequilla y procesa hasta mezclarlo. Presiona la mezcla uniformemente sobre la base y las paredes de un molde de tarta de 23 cm. Refrigérala hasta que esté firme, unos 15 minutos. Hornéala de 8 a 10 minutos, trasládala a una rejilla y déjala enfriar por completo.

2. Haz el relleno: Mezcla el azúcar, el cacao, la maicena y la sal en una olla mediana. Añade lentamente la leche. Cuece a fuego medio/alto, removiendo constantemente, hasta que la mezcla esté burbujeante y espesa, unos 7 minutos (unos 2 minutos después de llegar a ebullición).

3. Bate las yemas de huevo en un cuenco pequeño hasta mezclarlas. Agrega la mezcla de leche mediante un flujo lento y continuado hasta incorporarla por completo. Devuelve la mezcla a la olla y cuécela a fuego medio, removiendo constantemente, solo hasta que vuelva a hervir, 1-2 minutos. Cuela la mezcla con un colador fino sobre un cuenco. Incorpora la vainilla y los trozos de mantequilla de 1 en 1, hasta que quede homogéneo.

4. Vierte el relleno sobre la base. Presiona film transparente directamente sobre la superficie de la crema y refrigérala 4 horas o máximo 1 día.

5. Prepara la cobertura: Justo antes de servir, en un cuenco refrigerado monta la nata, el azúcar y la vainilla hasta formar picos blandos. Extiende la nata montada sobre la tarta y espolvoréala con las nueces pacanas picadas.

Tarta de crema de vainilla y ron

Considera esta tarta un plato reconfortante para adultos. El ron añade un toque espirituoso. Las semillas de vainilla salpican el relleno, y la vaina infunde a la cobertura de nata montada un delicado aroma.

PARA UNA TARTA DE 33 CM

Harina normal, para espolvorear

½ receta de pasta brisa (página 322)

200 g (1 taza) de azúcar granulado

27 g (¼ de taza) de maicena

¼ de cdta de sal

600 ml (2 ½ tazas) de leche

1 vaina de vainilla, cortada por la mitad y raspadas las semillas (reservar la vaina)

4 yemas de huevo grandes

60 ml (¼ de taza) más 1 cda de ron dorado, preferiblemente Appleton

60 g de mantequilla, a cucharadas y ablandada

240 ml (1 taza) de nata para montar

1 cda de azúcar glas

1. Sobre una superficie enharinada, forma con 1 disco de masa un círculo de 33 cm de diámetro y 3 mm de grosor. Reviste un molde de 23 cm. Recorta la masa dejando 2,5 cm de saliente. Dóblalo hacia dentro, nivela con el molde, y ondula los bordes. Pincha la base con un tenedor. Refrigera o congela hasta que esté firme, unos 30 minutos.

2. Precalienta el horno a 190 °C. Forra la base con papel de hornear y cúbrelo con pesos o legumbres secas. Hornea hasta que los bordes empiecen a dorarse, de 15 a 18 minutos. Retira los pesos y el papel de hornear. Hornea hasta que la masa esté bien dorada, 12-15 minutos más. Déjala enfriar por completo sobre una rejilla. (La masa se puede envolver en papel de aluminio y guardarse toda la noche a temperatura ambiente).

3. Mezcla el azúcar granulado, la maicena y la sal en una olla mediana. Agrega la leche y cuece a fuego medio/alto, removiendo constantemente, hasta que la mezcla burbujee y espese, unos 7 minutos (unos 2 minutos después de llegar a ebullición).

4. Bate las yemas de huevo en un cuenco mediano hasta mezclarlas. Añade la mezcla de leche con un flujo lento y constante, batiendo hasta incorporarlo por completo. Devuelve la mezcla a la olla y cuece a fuego medio, removiendo constantemente, hasta que vuelva a hervir, 1-2 minutos.

5. Cuela la mezcla con un colador fino sobre un cuenco grande y añade 60 ml (¼ de taza) de ron. Añade la mantequilla en tandas de 15 g (1 cda), batiendo hasta que la mantequilla se funda antes de añadir el siguiente trozo. Déjalo enfriar, batiendo de vez en cuando, unos 10 minutos.

6. Vierte la crema sobre la base. Presiona film transparente sobre la superficie de la crema. Refrigéralo hasta que el relleno de crema esté firme, 4 horas o máximo 1 día.

7. Mientras tanto, coloca la nata y la vaina de vainilla en un cuenco. Cúbrelo y refrigéralo 4 horas o máximo 1 día.

8. Justo antes de servir, retira la vaina de la nata y deséchala. Bate la nata hasta formar picos blandos. Añade azúcar glas y la cucharada restante de ron, y bate hasta formar picos firmes. Introdúcela en una bolsa para manga pastelera con una boquilla de estrella de 1 cm (como Ateco n° 826 o Wilton n.° 8B), y decora la tarta con la nata montada. Sírvela inmediatamente.

DECORACIÓN DE NATA CON MANGA PASTELERA

Tarta helada de chocolate y manteca de cacahuete

En este delicioso postre para la cena, una base de galleta de barquillo de chocolate sustenta un relleno de manteca de cacahuete y nata montada suave y sedoso. Una lluvia de chocolate deshecho y manteca de cacahuete decoran la superficie. PARA UNA TARTA DE 23 CM

PARA LA BASE

36 galletas de barquillo de chocolate (226 g) a trocitos, o 75 g (1 ½ tazas) de migas de galleta de barquillo

90 g de mantequilla, fundida

3 cdas de azúcar moreno oscuro

Una pizca de sal

PARA EL RELLENO

170 g de queso crema a temperatura ambiente

75 g (¾ de taza) de azúcar glas

1 cdta de sal gruesa

225 g (1 ¼ tazas) de manteca de cacahuete suave

1 cda de extracto de vainilla puro

480 ml (2 tazas) de nata para montar

PARA DECORAR

28 g de chocolate semiamargo (mejor 55% de cacao) picado fino

2 cdas de manteca de cacahuete suave

1. Prepara la base: Precalienta el horno a 180 °C. En un procesador de alimentos, procesa las galletas hasta molerlas finas. Mezcla en un cuenco las migas de galleta, la mantequilla, el azúcar moreno y la sal. Presiona la mezcla con firmeza sobre la base y las paredes de un molde de tarta de 23 cm. Refrigérala hasta que esté firme, unos 15 minutos. Hornéala hasta que cuaje, de 8 a 10 minutos. Déjala enfriar por completo sobre una rejilla.

2. Elabora el relleno: Con una batidora eléctrica a velocidad media, bate el queso crema, el azúcar glas y la sal hasta que esté esponjoso. Agrega la manteca de cacahuete y la vainilla.

3. En un cuenco refrigerado, bate la nata hasta formar picos blandos. Agrega un tercio de la nata montada a la mezcla de manteca de cacahuete y luego incorpora con movimientos envolventes suaves el resto de la nata montada. Distribuye el relleno sobre la base enfriada. Congélala, sin cubrir, 4 horas (o máximo 1 día, cubierta con film transparente).

4. Decora la tarta: Funde el chocolate en un cuenco resistente al calor situado encima (no dentro) de una olla con agua hirviendo. También puedes fundirlo en el microondas. Introduce el chocolate fundido en una bolsa de plástico con cierre zip. Haz un corte en una esquina de la bolsa formando una abertura muy pequeña. Sujeta la bolsa a unos 12 cm por encima de la tarta y rocía la superficie con el chocolate fundido. En una olla pequeña a fuego bajo (o en el microondas), funde la manteca de cacahuete. Introdúcela en una bolsa de plástico con cierre zip, corta una esquina de la bolsa y rocíala igual que el chocolate fundido. Deja reposar la tarta 10 minutos antes de cortarla.

Tarta de crema de coco

El aroma del coco es especialmente intenso en esta tarta: copos de coco rallado azucarados se mezclan en la base de migas de barquillo de chocolate y el sabroso relleno de crema, y luego se espolvorea coco tostado por encima para darle el toque final. PARA UNA TARTA DE 23 CM

PARA LA BASE

30 galletas de barquillo de chocolate (unos 200 g) a trocitos

¼ de cdta de sal gruesa

75 g de mantequilla, fundida y enfriada

25 g (⅓ de taza) de coco rallado azucarado

PARA EL RELLENO

100 g (½ taza) de azúcar granulado

35 g (⅓ de taza) de maicena

½ cdta de sal gruesa

420 ml (2 ¾ tazas) de leche

4 yemas de huevo grandes

¾ de cdta de extracto de vainilla puro

95 g (1 ¼ tazas) de coco rallado azucarado

PARA LA COBERTURA

37 g (½ taza) de coco rallado azucarado

360 ml (1 ½ tazas) de nata para montar

25 g (¼ de taza) de azúcar glas

1. Prepara la base: Precalienta el horno a 180 °C. En un procesador de alimentos, procesa las galletas con la sal hasta obtener migas finas. Con la máquina en marcha, añade la mantequilla y procesa hasta que la mezcla parezca arena mojada. Introduce la mezcla en un cuenco y agrega el coco rallado. Presiona la mezcla con firmeza sobre la base y las paredes de un molde de tarta de 23 cm. Refrigérala hasta que esté firme, unos 15 minutos. Hornea hasta que la base esté fragante, unos 8-10 minutos. Déjala enfriar por completo sobre una rejilla.

2. Elabora el relleno: Mezcla el azúcar granulado, la maicena y la sal en una olla mediana. Agrega la leche y cuece a fuego medio/alto, removiendo constantemente, hasta que la mezcla burbujee y espese, unos 7 minutos (unos 2 minutos después de llegar a ebullición).

3. Bate las yemas de huevo en un cuenco mediano hasta mezclarlas bien. Añade la mezcla de leche con un flujo lento y constante, batiendo hasta incorporarla por completo. Devuelve la mezcla a la olla y cuécela a fuego medio, removiendo constantemente, hasta que vuelva a hervir, 1-2 minutos.

4. Cuela la mezcla con un colador fino sobre un cuenco grande y añade la vainilla y el coco. Vierte el relleno sobre la base horneada y fría, y alisa la superficie. Refrigérala hasta que el relleno cuaje por completo, unas 4 horas, o bien envuélvela bien con film transparente máximo 2 días.

5. Haz la cobertura: Precalienta el horno a 180 °C. Extiende el coco en una capa uniforme sobre una bandeja de hornear con borde. Hornéalo hasta que esté dorado, de 10 a 12 minutos, revolviéndolo de vez en cuando (contrólalo a menudo para asegurarte de que no se queme). Coloca la bandeja sobre una rejilla y deja enfriar por completo. En un cuenco refrigerado, bate la nata y el azúcar glas hasta formar picos blandos. Corona la tarta con la nata montada y el coco tostado. Sírvela inmediatamente.

Tarta de yogur y arándanos negros con base de granola

Inspirada en un *delicatessen* muy apreciado para el desayuno: el *parfait* de yogur, esta receta toma prestados sus ingredientes principales (granola, yogur y fruta) y los transforma en un delicioso postre. Esta tarta no es demasiado dulce, así que puedes adaptarla a tu gusto rociándola con toda la miel que quieras. PARA UNA TARTA DE 23 CM

PARA LA BASE

150 g (1 ½ tazas) de granola normal

50 g (¼ de taza) de azúcar

½ cdta de canela molida

60 g de mantequilla, fundida

PARA EL RELLENO

250 g (1 taza) de yogur natural

226 g de queso crema, a temperatura ambiente

3 cdas de azúcar

1 cdta de extracto de vainilla puro

PARA LA COBERTURA

142 g (1 taza) de arándanos, seleccionados

Miel suave, por ejemplo, de acacia

1. Elabora la base: Precalienta el horno a 180 °C. En un procesador de alimentos, procesa 100 g (1 taza) de granola con el azúcar y la canela hasta formar migas finas. Rocíalo con la mantequilla y procesa hasta mezclarlo. Añade los 50 g (½ taza) de granola restantes y procesa hasta que se mezcle, pero que la mezcla siga desmigajada.

2. Colócala sobre un molde de tarta de 23 cm y presiona la mezcla uniformemente sobre la base y las paredes. Refrigérala hasta que esté firme, unos 15 minutos. Hornea hasta que la base esté dorada y fragante, unos 10 minutos. Colócala sobre una rejilla para que se enfríe por completo.

3. Prepara el relleno: Coloca el yogur en un colador forrado con un paño de muselina sobre un cuenco mediano y déjalo escurrir mínimo 30 minutos. Deshecha el líquido.

4. Con una batidora eléctrica a velocidad media/baja, bate el queso crema hasta que quede muy homogéneo. Añade el azúcar y la vainilla y bate hasta que esté homogéneo. Añade el yogur escurrido y bate hasta que esté homogéneo.

5. Vierte el relleno sobre la masa preparada y refrigérala hasta que cuaje, 6 horas o máximo 1 día. Justo antes de servir, coloca los arándanos encima, rocía la tarta con miel y córtala en porciones.

Tarta de crema de caramelo y chocolate

Una generosa cantidad de sal equilibra la dulzura de una forma inesperada y totalmente bienvenida. PARA UNA TARTA DE 23 CM

Harina normal, para espolvorear

Masa de tarta de chocolate sabroso (página 332)

150 g (¾ de taza) de azúcar

27 g (¼ de taza) de maicena

¾ de cdta más una pizca de sal

600 ml (2 ½ tazas) de leche

113 g de chocolate semiamargo (mejor 61% de cacao) picado fino

4 yemas de huevo grandes

1 cdta de extracto de vainilla puro

1 cda de agua

300 ml (1 ¼ tazas) de nata para montar fría

Rizos de chocolate, para decorar (véase pág. 343)

1. Sobre una superficie enharinada, forma con 1 disco de masa un círculo de 33 cm de diámetro y 3 mm de grosor. Reviste un molde de 23 cm. Recorta la masa, dejando unos 2,5 cm de saliente; dóblalo por debajo y nivélalo con el borde. Con la punta de una cuchara invertida, presiona todo el borde exterior de la masa. Pincha toda la base de la tarta con un tenedor. Refrigera o congela hasta que esté firme, unos 30 minutos.

2. Precalienta el horno a 180 °C. Forra la base con papel de hornear y cúbrelo con pesos. Hornea hasta que los bordes empiecen a parecer secos (20-22 min). Retira los pesos y el papel. Hornea hasta que la masa esté más oscura en los bordes y la base se vea seca (10-12 min). Deja enfriar sobre una rejilla, o envuelta toda la noche a temperatura ambiente.

3. Mezcla en un cuenco 100 g (½ taza) de azúcar, la maicena y los ¾ de cucharadita de sal. En una olla a fuego medio/alto, mezcla la leche y el chocolate, removiendo de vez en cuando, hasta que el chocolate se funda por completo. Agrega 240 ml (1 taza) de leche caliente en la mezcla de azúcar batiendo hasta que quede homogénea. Agrega la mezcla de leche y azúcar a la mezcla de leche restante en la olla. Cuece a fuego medio, removiendo constantemente, hasta que burbujee y espese, de 4 a 5 minutos.

4. Bate las yemas de huevo en un cuenco mediano hasta mezclarlas. Agrega la mezcla de leche mediante un flujo lento y continuado. Devuelve la mezcla a la olla. Cuece a fuego medio, removiendo constantemente, hasta que burbujee, de 1 a 2 minutos. Cuela con un colador fino la mezcla sobre un cuenco grande y agrega la vainilla. Deja enfriar la crema, batiendo de vez en cuando, unos 10 minutos. Vierte la crema sobre la base. Presiona film transparente directamente sobre la superficie de la crema. Refrigérala hasta que cuaje, 4 horas (o bien, envuelta en film transparente, máximo 1 día).

5. Prepara un baño María inverso. En una olla a fuego medio/alto, mezcla los 50 g (¼ de taza) de azúcar y la pizca de sal restantes, y el agua, removiendo hasta que el azúcar se disuelva. Cuece, sin remover, hasta que la mezcla adquiera un tono ámbar. Vierte con cuidado 120 ml (½ taza) de nata en un flujo lento y constante por un lado de la olla, batiendo constantemente, hasta que quede homogéneo. Coloca la olla en el baño María inverso, removiendo de vez en cuando, hasta que se enfríe, 20 minutos.

6. Bate los 180 ml (¾ de taza) restantes de nata hasta formar picos blandos. Añade con cuidado el caramelo a la nata montada, y bate hasta formar picos firmes. Extiende la nata montada sobre la tarta. Decora con rizos de chocolate. Sírvela, o refrigérala máximo 2 horas.

rústicas

Si buscas una tarta de manual, no busques más allá de las siguientes recetas favoritas y nostálgicas. En general, son las que te vienen a la cabeza cuando imaginas medallas de calidad y ferias de artesanía, o puestos de fruta familiares al borde de la carretera y mercados locales. Todas ellas rezuman el encanto relajado de una tarde de domingo. Tanto si pellizcas, rizas u ondulas los bordes de la masa para conseguir una maravillosa tarta cubierta, o si esparces la cobertura de *streusel* sobre una tarta *crumble*, es una verdadera satisfacción preparar (y por supuesto, comer) cualquiera de estos bocados imperecederos.

TARTA *CRUMBLE* CON FRAMBUESA Y CIRUELA, RECETA PÁGINA 137

Tarta de peras, higos y nueces

Esta no es una tarta cubierta de fruta al uso. Peras frescas, higos secos y nueces tostadas se combinan para crear un maravilloso contraste de sabores y texturas. Antes de mezclarlos con el resto de ingredientes, los higos se han cocido a fuego lento con vino de Madeira hasta ablandarse, y el anís estrellado añade un inesperado toque aromático. Usa las tijeras de cocina para cortar el tallo de los higos y partirlos a cuartos.

PARA UNA TARTA DE 23 CM

180 ml (¾ de taza) de vino de Madeira

142 g de higos secos variedad Black Mission (poco menos de ⅔ de taza), sin tallo y a cuartos

3 semillas de anís estrellado enteras

Harina normal, para espolvorear

Pasta brisa (página 322)

1,4 kg de peras maduras y firmes variedad Anjou

112 g (¾ de taza) de nueces, cortadas a trocitos, tostadas y enfriadas (véase pág. 343)

El zumo recién exprimido de 1 limón

100 g (½ taza) de azúcar granulado

¼ de cdta de sal

3 cdas de maicena

30 g de mantequilla, cortada a trocitos

1 yema de huevo grande, para el barniz de huevo

1 cda de nata para montar, para el barniz de huevo

Azúcar perla fino, para espolvorear

1. Lleva a ebullición el vino, los higos y el anís estrellado en una olla pequeña. Reduce el fuego y cuece la mezcla hasta que se ablanden los higos, de 10 a 12 minutos. Con una cuchara ranurada, traslada los higos a un cuenco grande. Cuece el líquido a fuego medio/alto hasta reducirlo a un almíbar, unos 3 minutos; desecha el anís estrellado. Vierte el almíbar sobre los higos.

2. Mientras tanto, en una superficie ligeramente enharinada, estira 1 disco de masa formando un círculo de 33 cm. Ajústalo a un molde de tarta de 23 cm. Recorta la masa, dejando un saliente de unos 2,5 cm; refrigera o congela hasta que esté firme, unos 30 minutos. Estira el segundo disco de masa formando un círculo de 33 cm. Recorta un orificio de ventilación en el centro con un cortador de galletas; refrigera o congela el círculo de masa y el recorte hasta que esté firme, unos 30 minutos.

3. Pela y descorazona las peras y córtalas en gajos de 6 mm de grosor. Añade las peras, las nueces, el zumo de limón, el azúcar granulado, la sal y la maicena a los higos con almíbar; remueve todo hasta mezclarlo bien. Espárcelo sobre el molde con la masa, formando una montañita en el centro. Salpícalo con la mantequilla y pincela ligeramente el borde de la masa con agua. Cubre el rodillo con el segundo círculo de masa y colócalo centrado sobre el relleno. Presiona suavemente alrededor del relleno para ajustar la masa; recórtala, dejando que sobresalga 2,5 cm. Dobla el borde de la masa de cobertura bajo el borde de la masa de base y pellízcalo para sellarlo. Pincela con agua la parte inferior del recorte y presiónalo sobre la masa superior. Bate el huevo y la nata y pincela toda la masa. Espolvorea generosamente la tarta con azúcar perla y congela la tarta hasta que esté firme, unos 30 minutos. Mientras tanto, precalienta el horno a 200 °C, con la rejilla en el tercio inferior del horno.

4. Coloca la tarta sobre una bandeja de horno forrada con papel de hornear y hornéala hasta que empiece a dorarse, de 20 a 25 minutos. Reduce a 190 °C. Hornea hasta que los jugos burbujeen y la masa esté bien dorada, alrededor de 1 hora. Si los bordes se doran demasiado rápido, cúbrelos con un anillo de aluminio (véase pág. 324). Deja enfriar la tarta por completo sobre una rejilla.

Tartaletas de manzanas asadas

Celebra la llegada del otoño con media docena de tartaletas rústicas y a la vez refinadas. Sobre una compota de manzana deliciosamente dulce elaborada con fruta asada y Calvados, reposan dos capas de rodajas de manzana, tan finas como el papel, pinceladas con mantequilla y espolvoreadas con azúcar para que se caramelicen en el horno. Estas tartaletas están deliciosas aún calientes del horno o a temperatura ambiente, especialmente con una copa de Calvados al lado para ir dando sorbitos. 6 UNIDADES

1 cdta de harina normal, y un poco más para espolvorear

½ receta de pasta brisa (página 322)

5 manzanas ácidas y firmes, como Granny Smith

50 g (¼ de taza) más 3 cdas de azúcar

2 cdas de migas de pan recién hecho

1 cda de zumo de limón recién exprimido

1 cda más 1 ½ cdtas de Calvados u otro aguardiente de manzana

Una pizca de sal

60 g de mantequilla, fundida

80 g (¼ de taza) de mermelada de albaricoque, calentada y colada

1. Coloca seis anillos de tartaleta de 10 cm sobre una bandeja de horno forrada con papel de hornear. Sobre una superficie ligeramente enharinada, estira la masa hasta alcanzar 6 mm de grosor. Corta seis círculos de 14 cm, amasando de nuevo los trozos si es necesario. Presiona la masa en las bases y los laterales de los anillos de tartaleta. Recorta la masa sobrante y nivélala con los bordes. Refrigera o congela hasta que esté firme, unos 30 minutos.

2. Precalienta el horno a 180 °C. Pela, descorazona y corta 2 manzanas en 8 gajos cada una. Revuelve los gajos con la harina, 50 g (¼ de taza) de azúcar, las migas de pan, 1 cucharadita de zumo de limón, el Calvados y la sal. Extiéndelas formando una capa uniforme sobre una bandeja de horno con borde y hornéalas 20 minutos. Revuelve las manzanas y sigue horneándolas hasta que estén muy blandas y con los bordes caramelizados, de 15 a 20 minutos más. Pásalas a un cuenco y tritúralas un poco. Déjalas enfriar por completo.

3. Pela, descorazona y corta a cuartos 1 manzana. Descorazona y corta a cuartos (sin pelar) las 2 manzanas restantes y corta las 3 manzanas a rodajas muy finas con una mandolina o un cuchillo muy afilado. Por separado, mezcla las manzanas peladas y sin pelar con las 2 cucharadas de zumo de limón restantes. Extiende 2 cucharadas de la mezcla de manzana triturada en cada base de tarta. Coloca en abanico las rodajas de manzana peladas encima de la mezcla. Pincela uniformemente las manzanas con la mitad de la mantequilla fundida y espolvoréalas con la mitad del azúcar restante. Repite el proceso con la manzana sin pelar y la mantequilla y el azúcar restantes. Hornea las tartaletas hasta que las manzanas tengan bien dorados los bordes, unos 65 minutos. Pincela la superficie con la mermelada colada. Colócalas sobre una rejilla y deja que se enfríen un poco.

Tarta de suero de leche

Esta receta presenta una variante de un clásico americano. La pasta brisa se extiende sobre migas de galleta de harina Graham logrando un resultado más crujiente y sabroso. Como solo requiere un puñado de ingredientes básicos, la tarta se puede elaborar en cualquier época del año; aquí hemos esparcido encima una salsa veraniega de bayas silvestres con frutas de hueso. PARA UNA TARTA DE 23 CM

4 láminas de galleta de harina Graham (57 g) picadas finas (aprox. ½ taza)

½ receta de pasta brisa (página 322; omitir el azúcar y añadir ¼ de cdta de sal)

480 ml (2 tazas) de suero de leche bajo en grasa

75 g de mantequilla, fundida y enfriada

5 yemas de huevo grandes

1 ½ cdtas de extracto de vainilla puro

265 g (1 ⅓ tazas) más 2 cdas de azúcar

30 g (¼ de taza) más 1 cda de harina normal

¼ de cdta de sal

2 cdtas de ralladura fina de limón

3 melocotones amarillos maduros, deshuesados y en rodajas

144 g (1 taza) de moras frescas

1. Extiende las migas de galleta de harina Graham sobre una superficie limpia. Estira la masa encima de las migas, volteando la masa para recubrir ambos lados, formando un círculo de 33 cm de diámetro y unos 3 mm de grosor. Ajusta con cuidado la masa sobre un molde de tarta de 23 cm y riza los bordes a tu gusto. Refrigera o congela hasta que esté firme, unos 30 minutos.

2. Precalienta el horno a 200 °C. Pincha la superficie de la base con un tenedor. Forra la base con papel de hornear y cúbrelo con pesos o legumbres secas. Hornea hasta que esté ligeramente dorada, unos 25 minutos. Retira los pesos y el papel y sigue horneando hasta que la base esté ligeramente dorada, unos 10 minutos más. Déjala enfriar por completo sobre una rejilla. Reduce a 180 °C.

3. En un cuenco mediano, mezcla el suero de leche, la mantequilla, las yemas de huevo y la vainilla. En un cuenco grande, mezcla 267 g (1 ⅓ tazas) de azúcar, la harina y la sal. Incorpora la mezcla de suero de leche a los ingredientes secos. Pásalo a un cuenco limpio a través de un colador fino. Agrega la ralladura de limón.

4. Vierte la mezcla sobre la base y hornea hasta que el centro empiece a cuajar, unos 70 minutos. Déjala enfriar y refrigérala 4 horas, máximo 1 día.

5. En un cuenco mediano, revuelve las rodajas de melocotón y las moras con las 2 cucharadas de azúcar restante. Cúbrelo con film transparente y déjalo macerar a temperatura ambiente hasta que suelte jugo, unos 30 minutos.

6. Antes de servir, rocía la tarta con la fruta y la salsa. Sírvela fría.

Tarta de limón *shaker*

Esta tarta ejemplifica la economía y el sentido práctico de la comunidad religiosa *shaker*. Además de usar todo el cítrico, piel incluida, el relleno solo lleva dos ingredientes básicos: azúcar y huevos. Las tartas *shaker* más famosas suelen hacerse principalmente con limones, pero esta también lleva naranjas. Busca frutos sin tratar si es posible; además, los de piel fina poseen mejor aroma. En esta receta, las rodajas de cítricos se revuelven con azúcar y luego se dejan macerar durante la noche; cuando la fruta se escurre, el almíbar fragante se mezcla con el relleno junto con la fruta cortada. Rodajas enteras adornan la superficie de la tarta. La compota de arándanos rojos ácidos constituye un excelente acompañamiento (especialmente para el Día de Acción de Gracias), al igual que una cucharada de nata montada suave. PARA UNA TARTA DE 25 CM

2 naranjas tipo Navel (sin pelar) bien lavadas

1 limón (sin pelar) bien lavado

400 g (2 tazas) de azúcar

Harina normal, para espolvorear

½ receta de pasta brisa (página 322)

4 huevos enteros grandes, más 1 yema de huevo grande, para el barniz de huevo

1 cda de nata para montar, para el barniz de huevo

Compota de arándanos rojos (opcional; página 341)

1. Corta las naranjas y el limón en rodajas finas como el papel y retira las semillas. Corta en juliana 4 de las rodajas de naranja y 4 de las rodajas de limón; reserva las rodajas restantes. Colócalas todas (incluso las rodajas reservadas) en un recipiente de cristal u otro material no reactivo, añade azúcar, revuelve suavemente y refrigéralo toda la noche.

2. Sobre una superficie ligeramente enharinada, estira la masa a un grosor de 3 mm y ajústala a un molde de tarta de 25 cm. Recorta la masa sobrante y riza el borde a tu gusto. Refrigera o congela hasta que esté firme, unos 30 minutos.

3. Precalienta el horno a 200 °C. Escurre la fruta sobre un cuenco, reservando el almíbar; separa las rodajas enteras de las cortadas en juliana.

4. Con una batidora eléctrica a velocidad media/alta, bate los huevos enteros y el almíbar de cítricos hasta obtener una mezcla pálida y esponjosa, unos 5 minutos. Retira el cuenco de la batidora y agrega la naranja y el limón en juliana. Vierte la mezcla sobre la base de tarta enfriada y recúbrela con las rodajas de fruta reservadas.

5. En un cuenco pequeño, mezcla la yema de huevo y la nata; pincela con cuidado los bordes de la masa. Coloca el molde sobre una bandeja forrada con papel de hornear y hornea durante 15 minutos. Reduce a 180 °C y hornea hasta que el relleno cuaje, de 35 a 40 minutos más. Deja enfriar la tarta sobre una rejilla 2 o 3 horas. Puedes servirla con compota.

Tarta de manzana y membrillo

Las referencias sobre tartas de membrillo se remontan al 1400; más tarde el postre obtuvo una mención en *Romeo y Julieta* de Shakespeare. Aquí, los membrillos pelados y cortados por la mitad primero se cuecen con vino dulce y la piel reservada (para obtener su característico color rosado) y una vaina de vainilla partida para darle aroma. Al hornear la tarta en una sartén de hierro fundido, la masa adquiera un tono bien dorado y confiere a la tarta un atractivo verdaderamente casero. Puedes sustituir los membrillos en almíbar por cuatro manzanas más; remoja entonces las pasas en 80 ml (⅓ de taza) de Calvados caliente en lugar del líquido de cocción.

PARA UNA TARTA DE 20 CM

4 membrillos, pelados y partidos en dos, reservar la piel

1 botella (375 ml) de vino dulce, tipo moscatel

1 vaina de vainilla, cortada longitudinalmente y raspada (reservar vaina y semillas)

200 g (1 taza) de azúcar, y un poco más para espolvorear

75 g (½ taza) de pasas

4 manzanas ácidas y firmes, como Granny Smith

El zumo recién exprimido de 1 limón

30 g (¼ de taza) de harina normal, y un poco más para espolvorear

1 cdta de canela molida

½ receta de pasta brisa (página 322)

15 g de mantequilla, cortada a trocitos

1. En una olla, mezcla los membrillos con la piel reservada, el vino, la vaina y las semillas de vainilla, 50 g (¼ de taza) de azúcar y suficiente agua para cubrirlo. Coloca un paño de muselina o un círculo de papel de hornear sobre la fruta para mantenerla sumergida y llévalo a ebullición. Reduce el fuego y déjalo cocer hasta que los membrillos estén tiernos al pincharlos con la punta de un cuchillo de mondar, de 25 a 35 minutos. Retira la fruta con una cuchara ranurada. Sigue cociendo el líquido hasta que adquiera consistencia de almíbar y se reduzca dos tercios, unos 30 minutos.

2. Precalienta el horno a 190 °C. En un cuenco mediano, cubre las pasas con la reducción de almíbar. Déjalo enfriar.

3. Pela y descorazona las manzanas y córtalas en gajos de 2 cm de grosor. Pásalas a un cuenco grande con el zumo de limón y revuelve para que se empapen. Añade los 150 g (¾ de taza) de azúcar restantes, la harina y la canela y revuelve para mezclarlo. Escurre las pasas (reserva el almíbar) y añádelas a la mezcla de manzana. Con la ayuda de un vaciador de fruta retira el corazón de los membrillos en almíbar, corta la fruta en gajos de 2 cm de grosor y añádelos a la mezcla de manzana.

4. En una superficie ligeramente enharinada, estira la masa formando un círculo de 35 cm de diámetro y 3 mm de grosor, y ajústalo a una sartén de hierro fundido de 20 cm, dejando que sobresalga. Rellena la masa con la mezcla de manzana y membrillo, salpícala con mantequilla y dobla los bordes sobre la fruta, solapándola y dejando el centro abierto. Pincela la masa con agua y espolvoréala con azúcar.

5. Hornea hasta que la masa esté dorada y los jugos burbujeen, alrededor de 1 hora y 25 minutos. Si la fruta del centro parece seca, pincélala con el almíbar reservado. Si la fruta o la masa se dora demasiado rápido, cúbrela con papel de aluminio. Coloca la tarta sobre una rejilla y déjala enfriar por completo.

Crostata de ciruela y oporto

El relleno para esta tarta al estilo italiano empieza con una aromática reducción de vino de Oporto y azúcar moreno; se le añade medio chile thai fresco para darle un sutil (y enteramente opcional) toque picante. Para empezar, emplea la mejor fruta que puedas encontrar. Las ciruelas pequeñas y ovaladas italianas son más firmes y más dulces que otras variedades, y además, al ser fáciles de deshuesar, sus huesos no están pegados a la carne y se retiran fácilmente. PARA UNA TARTA DE 20 CM

Harina normal, para espolvorear

½ receta de pasta brisa (página 322)

360 ml (1 ½ tazas) de vino de Oporto «ruby»

225 g (1 ¼ tazas) de azúcar moreno claro compacto

½ chile thai, sin semillas y picado (opcional)

1 cdta de sal

900 g de ciruelas italianas, cortadas por la mitad y deshuesadas

27 g (¼ de taza) de maicena

¼ de cdta de canela molida

1 cdta de nata para montar, para pincelar

Azúcar perla grueso, para espolvorear

1. Sobre una superficie ligeramente enharinada, estira la masa formando un disco de 30 cm de diámetro y 3 mm de grosor. Ajústalo a un molde de tarta de 20 cm, dejando sobresalir 2,5 cm. Refrigera o congela hasta que esté firme, unos 30 minutos.

2. Hierve a fuego lento el vino de Oporto y 90 g (½ taza) de azúcar moreno en una olla hasta reducirlo a 120 ml (½ taza), unos 25 minutos. Pásalo a un cuenco. Añade el chile si lo deseas. Cúbrelo y déjalo enfriar 10 minutos.

3. Mientras tanto, precalienta el horno a 200 °C. Mezcla los 135 g (¾ de taza) de azúcar moreno restantes y la sal, las ciruelas, la maicena, la canela y el almíbar de oporto. Viértelo sobre la base de tarta. Dobla la parte saliente formando un borde, pincela la masa con la nata y espolvoréala con el azúcar perla. Hornea 30 minutos y reduce a 190 °C. Hornea hasta que la masa esté dorada y el centro burbujee, unos 90 minutos más. Deja enfriar por completo la tarta sobre una rejilla.

Tarta de miel y piñones

No es extraño encontrarse con tartas como esta por toda Italia, donde se conoce como *crostata di miele e pignoli*. El relleno combina estos dos ingredientes típicos de la repostería italiana con otros que son universales en la confección de postres: huevos, nata, azúcar y mantequilla. Si puedes encontrar una variedad cremosa, aromática y floral como la miel de árbol del cuero de Tasmania, utiliza 60 g (¼ de taza) para el relleno y equilíbralo con 80 g (⅓ de taza) de miel clara y suave, como la de acacia. De no ser así, usa solo miel de acacia, como se propone en la receta. La masa es pastaflora, un tipo de masa quebrada italiana de textura crujiente, similar a las galletas. Procura no cocer demasiado la tarta: el relleno aún se moverá en el centro cuando la saques del horno, y se endurecerá a medida que se enfríe. PARA UNA TARTA DE 25 CM

PARA LA MASA

60 ml (¼ de taza) de nata para montar

1 huevo grande más 1 yema de huevo grande

½ cdta de extracto de vainilla puro

280 g (2 ⅓ tazas) de harina normal, y un poco más para espolvorear

100 g (½ taza) de azúcar

1 cdta de sal gruesa

½ cdta de polvo de hornear

115 g (½ taza) más 30 g de mantequilla, cortada a trocitos

PARA EL RELLENO

100 g (½ taza) de azúcar

120 g (½ taza) más 1 cda de miel suave, como la de acacia

1 cdta de sal gruesa

172 g (¾ de taza) de mantequilla, cortada a trocitos

120 ml (½ taza) de nata para montar

1 huevo grande más 1 yema de huevo grande

170 g (1 ½ tazas) de piñones

1. Prepara la base: Mezcla la nata, el huevo entero, la yema de huevo y la vainilla en un cuenco mediano. Procesa la harina, el azúcar, la sal y el polvo de hornear en un procesador de alimentos. Añade la mantequilla y procesa hasta que la mezcla parezca harina gruesa. Rocíala con la mezcla de crema y procesa hasta que la masa empiece a unirse. Amasa 2 discos y envuélvelos en film transparente. Refrigéralos alrededor de 1 hora. La masa se puede refrigerar máximo 2 días o congelar hasta 3 meses; descongélala en la nevera antes de usarla.

2. Sobre una superficie enharinada, estira 1 disco de masa formando un círculo de 35 cm de diámetro y 3 mm de grosor (reserva el segundo disco para otro uso). Si la masa está blanda y pegajosa, pásala a una bandeja de horno con borde forrada con papel de hornear y congélala hasta que esté firme, pero aún flexible, unos 5 minutos. Ajusta la masa sobre un molde de tarta acanalado de 25 cm con base desmontable. Rellena las grietas con trozos de masa. Congela la masa hasta tener listo el relleno.

3. Haz el relleno: En una olla mediana, lleva a ebullición el azúcar, la miel y la sal, removiendo hasta que el azúcar se disuelva. Añade la mantequilla en tandas de varios trocitos y remueve hasta incorporarlos. Pasa la mezcla de miel a un cuenco mediano y déjala enfriar 30 minutos. Agrega la nata, el huevo entero y la yema de huevo, batiendo hasta incorporarlos.

4. Precalienta el horno a 170 °C. Coloca el molde de tarta sobre una bandeja de horno con borde forrada de papel de hornear. Extiende los piñones sobre la base. Vierte lentamente el relleno sobre los piñones, redistribuyéndolos uniformemente con los dedos. Hornea hasta que la masa esté dorada y el centro esté cuajado pero aún un poco flojo, alrededor de 1 hora. Coloca la tarta sobre una rejilla y déjala enfriar por completo antes de servir.

Tarta helada de fresas

Las fresas son la fruta veraniega favorita en los Estados Unidos. Aquí, una base de galletas de harina Graham sustenta un exquisito relleno de fresa coronado con oleadas de nata montada azucarada. Para que el relleno se pueda cortar, algunas de las frutas se han cocido con un poco de maicena (y zumo de arándanos rojos, para subir el color); el resto se han agregado fuera del fuego. El resultado es una tarta con un verdadero sabor a fresas frescas, y con todas las cualidades de textura y cremosidad de los mejores postres helados. PARA UNA TARTA DE 23 CM

150 g (¾ de taza) más 2 cdas de azúcar

120 ml (½ taza) de zumo de arándanos rojos sin azúcar

2 kg de fresas frescas, limpias y a rodajas finas (reserva unas cuantas fresas enteras para decorar)

27 g (¼ de taza) de maicena

¼ de cdta de sal

Base de galletas de harina Graham (página 331)

120 ml (½ taza) de nata para montar

1. En una olla mediana a fuego medio/alto, mezcla 150 g (¾ de taza) de azúcar, el zumo de arándanos, 300 g (2 tazas) de fresas, la maicena y la sal. Con un triturador de patatas, tritura suavemente las fresas. Llévalo a ebullición; reduce a fuego lento y cuece, removiendo a menudo, hasta que esté muy espeso, alrededor de 1 minuto. Retíralo del fuego y déjalo enfriar un poco. Agrega las fresas restantes. Viértelo en la base horneada y enfriada. Refrigera hasta que cuaje, 4 horas, o bien, cubierta con film transparente, máximo 1 día.

2. En un cuenco grande y refrigerado, bate la nata hasta formar picos blandos. Espolvorea 2 cucharadas de azúcar sobre la nata y sigue batiendo hasta volver a obtener picos blandos (no batas en exceso). Extiende la nata montada sobre la tarta, dejando 4 cm alrededor del borde. Decora con las fresas enteras reservadas.

Tarta *crumble* con frambuesa y ciruela

La masa presionada de esta tarta, aromatizada con avellanas molidas y canela, se duplica con la cobertura de *crumble* dorada encima del relleno de fruta y crema al hornearse. Es otra receta altamente adaptable y versátil que funciona bien con cualquier tipo de bayas o frutas de hueso.

PARA UNA TARTA DE 23 CM

PARA LA BASE Y LA COBERTURA

172 g (¾ de taza) de mantequilla fría, cortada a trozos, y un poco más para el molde

50 g (⅓ de taza) de avellanas, tostadas y sin piel (véase pág. 343)

180 g (1 ½ tazas) de harina normal

100 g (½ taza) de azúcar granulado

60 g (⅓ de taza) de azúcar moreno claro compacto

½ cdta de canela molida

½ cdta de sal

PARA EL RELLENO

3 ciruelas maduras y firmes (unos 340 g)

112 g (unos ¾ de taza) de frambuesas

8 g (1 cda) de harina normal

50 g (¼ de taza) más 2 cdas de azúcar granulado

1 huevo entero grande, ligeramente batido, y 1 yema de huevo grande

80 ml (⅓ de taza) de nata para montar

60 ml (¼ de taza) de leche

¼ de cdta de canela molida

¼ de cdta de sal

Una pizca de nuez moscada recién rallada (opcional)

1. Prepara la masa: precalienta el horno a 180 °C. Unta con mantequilla un molde desmontable de 23 cm. En un procesador de alimentos, procesa las avellanas hasta que estén algo finas, picando unas 30 veces.

2. Con una mezcladora eléctrica a velocidad media, mezcla bien las avellanas molidas, la harina, los azúcares, la canela y la sal. Añade la mantequilla y mezcla a baja velocidad solo hasta que esté bien unido, de 2 a 3 minutos. Presiona unos 300 g (3 tazas) de la mezcla de migas en la base del molde y hasta unos 4 cm de las paredes formando una base. Reserva la mezcla de migas restante. Hornea la base hasta que cuaje, de 18 a 20 minutos. Déjala enfriar por completo sobre una rejilla.

3. Haz el relleno: corta las ciruelas por la mitad y retira los huesos. Córtalas en 8 rodajas. Esparce las frambuesas y las rodajas de ciruela encima de la base enfriada.

4. En un cuenco mediano, mezcla la harina y el azúcar. Incorpora el huevo entero, la yema de huevo, la nata, la leche, la canela, la sal y la nuez moscada, si lo deseas. Vierte la crema por encima de la fruta y espolvoréala con la mezcla de migas reservada. Hornea la tarta hasta que la crema cuaje y esté ligeramente dorada, de 45 a 50 minutos. Pásala a una rejilla y deja enfriar la tarta por lo menos 25 minutos antes de cortarla. Sírvela caliente o a temperatura ambiente.

Tarta de manzana con masa de Cheddar

Para algunas personas la tarta de manzana no sería lo mismo sin una loncha de queso Cheddar fundido encima o servido de acompañamiento. Esta receta va un paso más allá de esta costumbre mezclando el queso con la masa, para que puedas disfrutar de esta combinación de sabores con cada bocado. El método para hacer la masa es una sencilla variante de la receta estándar de pasta brisa: el queso rallado se añade a los ingredientes secos con la mantequilla para formar la masa. PARA UNA TARTA DE 23 CM

30 g (¼ de taza) de harina normal, y un poco más para espolvorear

Pasta brisa, variante con Cheddar (página 322)

2 cdas de zumo de limón recién exprimido

1,8 kg de manzanas ácidas y firmes, como Granny Smith

150 g (¾ de taza) de azúcar

1 cdta de canela molida

½ cdta de sal

1. Sobre una superficie ligeramente enharinada, estira 1 disco de masa formando un círculo de 33 cm de diámetro y 3 mm de grosor. Coloca uno de los círculos sobre una bandeja de horno con borde forrada con papel de hornear para hacer la masa de cobertura, y refrigérala. Ajusta el segundo círculo en un molde para tarta de 23 cm para formar la base. Recorta la masa, dejando que sobresalga 2,5 cm.

2. Vierte el zumo de limón en un cuenco grande. Pela, corta a cuartos y descorazona las manzanas; córtalas en rodajas finas, revolviéndolas con el zumo de limón a medida que avanzas. Añade la harina, el azúcar, la canela y la sal; revuelve todo para mezclarlo.

3. Llena la base de masa con la mezcla de manzana, amontonándola bien alta en el centro; pincela ligeramente el borde de masa con agua. Coloca la masa de cobertura sobre el relleno; presiona todo el borde para sellarla con la base. Corta con unas tijeras la masa dejando que sobresalga 2,5 cm; dóblalo hacia abajo para formar un borde y presiónalo para sellarlo. Con la ayuda del pulgar y el índice, pellizca la masa a lo largo del borde. Con un cuchillo de mondar, practica 5 pequeños cortes en el centro de la tarta para dejar salir el vapor.

4. Precalienta el horno a 220 °C, con la rejilla en la posición más baja. Coloca la tarta sobre una bandeja con borde forrada de papel de hornear. Hornea 20 minutos; reduce a 190 °C y sigue horneando hasta que la masa esté bien dorada y los jugos burbujeen, 60-70 minutos más. Si el borde se dora demasiado rápido, cubre la tarta con papel de aluminio. Deja enfriar por completo la tarta sobre una rejilla, mínimo 4 horas, o toda la noche, antes de servirla.

Tarta de melocotón y *crème fraîche*

Esta tarta tiene todo lo necesario para ser la favorita del verano: facilidad, sabor de temporada y un atractivo estilo relajado. Los melocotones con nata forman una pareja muy aplaudida, aún más si son con *crème fraîche*: su ligera acidez complementa maravillosamente la dulzura de la fruta. Mientras se hornea la tarta, la *crème fraîche* cuaja como una crema, los melocotones se ponen tiernos, y la cobertura de *crumble* se vuelve dorada, crujiente y perfecta. PARA UNA TARTA DE 25 CM

25 g (¼ de taza) de azúcar glas

3 cdas de harina normal, y un poco más para espolvorear

¼ de cdta de polvo de hornear

⅛ de cdta de sal

60 g de mantequilla fría, cortada a trocitos

½ receta de masa dulce (página 333)

680 g de melocotones amarillos maduros (4 o 5), deshuesados y a cuartos

2 cdas de azúcar granulado

60 ml (¼ de taza) más 1 cda de *crème fraîche*

1. En un cuenco mediano, tamiza juntos el azúcar glas, la harina, el polvo de hornear y una pizca de sal. Con la ayuda de un mezclador de repostería o con la punta de los dedos, incorpora la mantequilla hasta que la mezcla se asemeje a harina gruesa. Refrigera la cobertura de *crumble* hasta que vayas a usarla.

2. En una superficie ligeramente enharinada, estira la masa a un grosor de 3 mm. Ajusta la masa en un molde de tarta de 25 cm. Recorta la masa, dejándola sobresalir 2,5 cm; dóblala por debajo y pellízcala si quieres. Pincha toda la base con un tenedor. Refrigera o congela hasta que esté firme, unos 30 minutos.

3. Precalienta el horno a 200 °C. Forra la base con papel de hornear y cúbrelo con pesos o legumbres secas. Hornea 10 minutos. Retira los pesos y el papel de hornear. Hornéala hasta que adquiera un tono dorado pálido, de 5 a 8 minutos más. Trasládala a una rejilla para que se enfríe un poco. Reduce a 190 °C.

4. En un cuenco mediano, espolvorea los melocotones con el azúcar granulado y la pizca de sal restante; revuelve suavemente para recubrir la fruta. Déjalo reposar 15 minutos. Extiende 2 cucharadas de *crème fraîche* sobre la base de masa; espolvorea con un tercio de la mezcla de *crumble*. Coloca los melocotones encima y extiende o salpica con las 3 cucharadas restantes de *crème fraîche*. Espolvorea con la cobertura de *crumble* restante.

5. Hornea la tarta hasta que la *crème fraîche* burbujee y la cobertura de *crumble* esté bien dorada, unos 50 minutos. Cubre el borde de la masa con un anillo de papel de aluminio (véase pág. 324) si se dora demasiado rápido. Deja enfriar la tarta sobre una rejilla mínimo 20 minutos. Sírvela caliente o a temperatura ambiente.

Tarta de mermelada de mora

La harina de maíz y las moras aparecen juntas en numerosas recetas de postres y repostería, pues sus sabores de finales de verano se complementan entre sí maravillosamente. Esta receta requiere que prepares tu propia mermelada, así que te verás recompensada con unos tarros extra. O si no, intenta comprar una mermelada de la mejor calidad para usarla en su lugar; alégrala con dos cucharadas de kirsch. PARA UNA TARTA DE 25 CM

Harina normal, para espolvorear

½ receta de pasta brisa, variante con harina de maíz (página 322)

200 ml de «mermelada del solterón» (receta a continuación), revuelta para mezclar los sabores, o 325 g (1 taza) de mermelada de moras de buena calidad

340 g (unas 3 tazas) de moras frescas

22 g (¼ de taza) de almendras fileteadas, tostadas (véase pág. 343)

1. Precalienta el horno a 190 °C. Sobre una superficie ligeramente enharinada, estira la masa formando un círculo de 30 cm de diámetro y 6 mm de grosor. Presiona la masa sobre la base y las paredes de un molde desmontable de 25 cm. Recorta los bordes de modo que cubran 2,5 cm de las paredes del molde. Refrigera o congela hasta que esté firme, unos 30 minutos.

2. Pincha la superficie de la base con un tenedor. Hornea hasta que esté bien dorada, unos 25 minutos. Extiende inmediatamente la mermelada sobre la base de la tarta. Cúbrela con las moras y espolvorea con las almendras. Hornea 10 minutos más. Colócala sobre una rejilla para que se enfríe un poco. Sírvela caliente.

«MERMELADA DEL SOLTERÓN»

Cualquier tipo de frutas del bosque sirven para la «mermelada del viejo solterón»; esta es de moras, frambuesas y kirsch. Hay quien dice que el nombre de esta mermelada reposada en licor viene de su utilidad para hacer entrar en calor a los caballeros solteros en las noches de invierno. La mermelada aguantará 1 mes en un recipiente hermético en la nevera.

Para 4 tarros de 200 ml

900 g (unas 7 tazas) de moras frescas

700 g (3 ½ tazas) de azúcar

2 limones cortados por la mitad

900 g (unas 7 tazas) de frambuesas frescas

120 ml (½ taza) de kirsch u otro licor de cerezas

1. Cuece las moras, 350 g (1 ¾ tazas) de azúcar y el zumo de 1 limón en una cacerola grande, hasta que el azúcar se disuelva y las frutas estén blandas, de 4 a 5 minutos. Presiona un círculo de papel de hornear directamente sobre la superficie de la mermelada y refrigérala durante la noche. Repite el proceso con las frambuesas, los 350 g (1 ¾ tazas) de azúcar restantes y el zumo de un limón en otra cacerola grande.

2. Retira los círculos de papel de hornear y lleva a ebullición ambas cacerolas. Cuece a fuego medio/alto hasta que las frutas estén ligeramente deshechas y la mezcla tenga una consistencia de una jalea muy suelta, unos 12 minutos para las moras y unos 17 minutos para las frambuesas.

3. Reparte la mermelada de moras en los 4 tarros de 200 ml, llenando cada uno hasta la mitad; cúbrelos con 1 cucharada de kirsch. Reparte la mermelada de frambuesas en los tarros y añade encima 1 cucharada de kirsch.

Tarta suflé de boniato

En el reino de los postres, los boniatos se vuelven sorprendentemente ligeros si se hornean en un suflé. Aquí, las capas finas como el papel de masa filo se superponen formando una base de tarta crujiente que se eleva mientras el relleno se enfría y baja (este suflé se supone que debe bajar).

PARA UNA TARTA DE 23 CM

PARA EL RELLENO

2 boniatos pinchados con un tenedor

¼ de cdta de jengibre molido

½ cdta de extracto de vainilla puro

¼ de cdta de sal

4 huevos grandes, separados

2 cdas de azúcar moreno claro

240 ml (1 taza) de leche

1 trozo (de 2,5 cm) de jengibre fresco, pelado en rodajas finas

60 g de mantequilla

30 g (¼ de taza) de harina normal

Una pizca de cremor tártaro

50 g (¼ de taza) de azúcar granulado

PARA LA BASE

115 g (½ taza) de mantequilla, fundida, y un poco más para el molde

67 g (⅓ de taza) de azúcar granulado, o más si es necesario

½ cdta de canela molida, o más si es necesario

9 hojas de masa filo (43x30 cm), descongelada (si es congelada)

1. Prepara el relleno: Precalienta el horno a 200 °C. Sobre una bandeja de horno con borde forrada de papel de hornear, hornea los boniatos hasta que estén tiernos, de 60 a 75 minutos. Déjalos enfriar hasta que se puedan manipular. Reduce a 190 °C.

2. Pela los boniatos y pásalos con un pasapurés a un cuenco grande (deberías obtener más o menos 1 taza); deja enfriar por completo. Incorpora el jengibre molido, la vainilla, la sal, las yemas de huevo y el azúcar moreno.

3. Mientras, en una olla mediana, calienta la leche y el jengibre a fuego medio hasta que llegue a ebullición. Retíralo del fuego y deja reposar 30 minutos. Pásala a un cuenco con un colador fino y desecha los sólidos.

4. En una olla a fuego medio/alto, funde la mantequilla. Agrega la harina y cuece, batiendo, 1 minuto. Agrega batiendo la leche infusionada con jengibre. Llévalo a ebullición. Reduce a fuego medio y cuece 1 minuto. Añádelo a la mezcla de boniato.

5. Prepara la masa: Unta con mantequilla un molde desmontable de 23 cm y colócalo sobre una bandeja de horno con borde forrada de papel. Mezcla el azúcar granulado y la canela en un cuenco. Pincela 1 hoja de masa filo con un poco de mantequilla fundida. Espolvorea con la mezcla de azúcar y canela. Dobla por la mitad transversalmente y pincela con mantequilla. Espolvorea con la mezcla de azúcar y canela y reviste el molde preparado, con el lado doblado dentro, dejando sobresalir 6 cm. Repite el proceso con cada hoja, sobreponiéndolas para cubrir la base.

6. Con una batidora a velocidad alta, bate las claras hasta que estén espumosas. Añade el cremor tártaro y bate hasta formar picos blandos. Con la máquina en marcha, añade gradualmente 50 g (¼ de taza) de azúcar granulado; bate hasta que se formen picos firmes y brillantes. Incorpora ⅓ de las claras a la mezcla de boniato. Con una espátula ancha y flexible, incorpora con movimientos lentos y envolventes las claras restantes.

7. Vierte el relleno sobre la masa filo y dobla la masa sobresaliente sobre el relleno. Espolvoréala con la mezcla de azúcar y canela (si es preciso, añade 1 o 2 cucharadas más de azúcar con una pizca de canela). Hornea la tarta hasta que esté hinchada y empiece a cuajar en el centro, de 45 a 50 minutos. Deja reposar la tarta hasta que se haya enfriado un poco y el centro baje, unos 20 minutos. Sírvela de inmediato.

Pastel de plato de la Sra. Dunlinson

Esta receta es de Julia Dunlinson, madre del director de diseño de Martha Stewart Living, James Dunlinson, procedente de Inglaterra. Como su nombre indica, los «pasteles de plato» son tartas horneadas en un plato de comer. Necesitarás un plato resistente al horno de entre 20 y 22 cm, por ejemplo, de gres o siderita. Esta receta es de una tarta rellena de frambuesas y manzana, pero puedes usar cualquier fruta del bosque veraniega; la cantidad de azúcar variará en función de la acidez. La nata montada combina divinamente con frutas ácidas como las uvas espinas o las grosellas negras (busca las variantes abajo). PARA UNA TARTA DE 20 O 22 CM

1 cdta de mantequilla, para el plato

900 g de manzanas ácidas y firmes, como Granny Smith, peladas, descorazonadas y cortadas en trozos de 4 cm

El zumo de 1 limón recién exprimido

450 g (unas 3 tazas) de frambuesas

Harina normal, para espolvorear

Pasta brisa (página 322)

100 g (½ taza) de azúcar, más 1 cda para espolvorear

1 huevo grande, para el barniz de huevo

1 cdta de agua, para el barniz de huevo

1. Precalienta el horno a 190 °C. Unta un plato resistente al horno de 20 o 22 cm con mantequilla. En un cuenco mediano, revuelve las manzanas con el zumo de limón. Incorpora con cuidado las frambuesas.

2. Sobre una superficie ligeramente enharinada, estira 1 disco de masa formando un círculo de 23 o 25 cm de diámetro (2,5 cm más grande que el plato) y unos 3 mm de grosor. Colócala en el plato. Amontona bien la fruta en el centro del plato y espolvoréala con 100 g (½ taza) de azúcar. Pincela el borde de la masa con agua.

3. Estira la masa sobrante formando un círculo unos pocos centímetros más grande que el plato, y colócalo sobre la fruta, justo en el centro. Recorta la masa sobrante y luego dobla la parte sobresaliente hacia abajo para sellarla. Pellizca los bordes con los dedos o con un tenedor y haz 2 o 3 cortes en la parte superior para dejar salir el vapor. En un cuenco pequeño, bate el huevo y el agua; pincela uniformemente la masa y espolvorea la tarta con la cucharada de azúcar restante. Coloca el plato sobre una bandeja con borde forrada de papel de hornear. Hornea de 40 a 50 minutos, hasta que la masa esté dorada y la fruta burbujeante. Deja enfriar por completo el plato sobre una rejilla antes de servir.

Variantes: para hacer pasteles de plato de uvas espinas o grosellas negras, sustituye la fruta en el paso 1 por 900 g (5 tazas) de uvas espinas (limpias) o grosellas negras frescas y revuélvelas con 300 g (1 ½ tazas) de azúcar y el zumo de limón. En el paso 2, espolvorea la fruta amontonada con 100 g (½ taza) de azúcar más. Sigue el resto de instrucciones de la receta.

RELLENAR LOS PASTELES DE PLATO

Tartaletas de uvas espinas y crema

He aquí un montón de lustrosas uvas espinas, que en realidad no son bayas, sino parientes de los tomatillos, asentadas sobre unas tartaletas de crema que resultan igualmente atractivas por su facilidad de preparación. El sabor de la fruta puede variar, algunas uvas espinas son fuertes y agrias; otras son dulces y evocan albaricoques, ciruelas y uvas. Busca las uvas espinas en los mercados locales o en tiendas especializadas a finales de junio y primeros de julio. O también puedes cultivarlas en casa, como hace Martha. 8 UNIDADES

Harina normal, para espolvorear

Pasta brisa (página 322)

2 huevos enteros más 1 yema grande

66 g (⅓ de taza) más 50 g (¼ de taza) de azúcar, y un poco más para espolvorear

240 ml (1 taza) de nata para montar

1,2 kg (8 tazas) de uvas espinas verdes frescas, limpias

1. Precalienta el horno a 180 °C. Sobre una superficie ligeramente enharinada, estira la masa a unos 3 mm de grosor. Corta ocho círculos de 15 cm y ajusta cada círculo en un molde para tartaleta de 10 cm de base desmontable. Dobla los bordes hacia abajo, y presiona la masa en las paredes de los moldes. Refrigera o congela hasta que esté firme, unos 30 minutos.

2. Pincha la superficie de las bases con un tenedor. Forra las bases con papel de hornear y llénalas con pesos o legumbres secas. Hornea hasta que estén bien doradas, de 25 a 30 minutos. Retira los pesos y el papel de hornear. Déjalas enfriar por completo sobre una rejilla.

3. Bate los huevos, la yema de huevo y 66 g (⅓ de taza) de azúcar en un cuenco pequeño. Incorpora la nata, batiendo hasta mezclarla bien.

4. En otro cuenco, revuelve las uvas espinas con los 50 g (¼ de taza) de azúcar restantes. Amontona las uvas espinas cubiertas de azúcar sobre las tartaletas, poco menos de 150 g (1 taza) por tartaleta, y vierte lentamente la crema (aproximadamente 60 ml por tartaleta). Moja un pincel de repostería en cada relleno de crema y pincela ligeramente los bordes de la base. Espolvorea bien las superficies con azúcar.

5. Hornea hasta que la crema empiece a cuajar y las uvas espinas estén blandas, unos 35 minutos. Traslada las tartaletas a una rejilla para que se enfríen 15 minutos. Sírvelas calientes.

Tarta de queso sin queso

A pesar de que existen innumerables teorías que explican el nombre de la «chess pie», ninguna ha sido considerada definitiva. Sea cual sea su origen, esta tarta de despensa se basa principalmente en azúcar, huevos y mantequilla para confeccionar su engañosamente complejo relleno. Aquí, el postre tradicional se ha reinterpretado en forma de tarta con un aspecto más moderno. Una base de miga sencilla, elaborada con galletas de barquillo de vainilla compradas, sustituye la masa de tarta estándar, y se hornea en un anillo de tarta acanalado en lugar de un molde. Al probar la receta, nuestros editores comprobaron que las galletas de barquillo Nilla funcionaban mejor que otras marcas. El relleno se espesa con harina de maíz fina; durante el horneado, forma una corteza fina en la superficie que, una vez cortada, revela una crema dorada y cremosa. Puede que esta versión acabe convirtiéndose en un clásico por derecho propio. PARA UNA TARTA DE 23 CM

PARA LA BASE

200 g (1 ¼ tazas) de galletas de barquillo de vainilla (unas 45), como las de la marca Nilla

75 g de mantequilla, fundida y ligeramente enfriada

2 cdas de azúcar granulado

¼ de cdta de sal

PARA EL RELLENO

200 g (1 taza) de azúcar granulado

90 g (½ taza) de azúcar moreno claro compacto

1 cda de harina de maíz fina

¼ de cdta de sal

3 huevos enteros grandes más 1 yema de huevo grande

½ cdta de extracto de vainilla puro

115 g (½ taza) de mantequilla, fundida y ligeramente enfriada

1. Prepara la base: Precalienta el horno a 180 °C. Mezcla en un cuenco las migas de galleta, la mantequilla, el azúcar y la sal hasta mezclarlo bien. Presiona la mezcla sobre la base y las paredes de un molde de tarta acanalado de 23 cm con base desmontable. Refrigera o congela la base hasta que esté firme, unos 15 minutos.

2. Coloca el molde sobre una bandeja de horno con borde y hornea hasta que la masa esté dorada, unos 12 minutos. Déjala enfriar un poco. Reduce a 170 °C.

3. Haz el relleno: Mezcla los azúcares, la harina de maíz y la sal, deshaciendo los grumos. Incorpora batiendo los huevos enteros, la yema de huevo y la vainilla. Incorpora la mantequilla batiendo bien hasta que quede totalmente homogéneo. Vierte el relleno sobre la base. Hornea hasta que la superficie esté bien dorada y el borde esté cuajado pero el centro no esté del todo firme, de 35 a 40 minutos.

4. Traslada el molde a una rejilla y deja enfriar 15 minutos. Refrigera la tarta hasta que se enfríe por completo, 2 horas o máximo un día. Desmóldala y sírvela.

Tarta de grosellas rojas y frambuesas

Las grosellas rojas frescas son uno de los tesoros del verano que suelen pasarse por alto. Sin embargo, son tan versátiles en repostería como muchas otras bayas más habituales, como los arándanos negros y las frambuesas. De hecho, la naturaleza ácida de las grosellas rojas a menudo se empareja con estas bayas más dulces logrando un perfecto equilibrio de sabores. Aquí, las grosellas rojas y las frambuesas se mezclan y se hornean en una tarta cubierta de masa, espolvoreada generosamente con azúcar perla. Es exactamente la clase de postre que deseas hacer (y comer) después de visitar un mercado agrícola o un puesto de frutas a pie de carretera un día de pleno verano. PARA UNA TARTA DE 25 CM

Harina normal, para espolvorear

Pasta brisa (página 322)

280 g (2 tazas) de grosellas rojas frescas, sin tallo

280 g (unas 2 tazas) de frambuesas frescas

30 g (¼ de taza) de tapioca instantánea

La ralladura fina y el zumo recién exprimido de 1 limón

200 g (1 taza) de azúcar granulado

30 g de mantequilla, cortada a trocitos

1 huevo grande, para el barniz de huevo

1 cda de leche, para el barniz de huevo

Azúcar perla grueso, para espolvorear

1. Sobre una superficie ligeramente enharinada, estira 1 disco de masa formando un círculo de 35 cm de diámetro y 3 mm de grosor. Ajústalo a un molde de tarta de 25 cm. Refrigera o congela hasta que esté firme, unos 30 minutos.

2. En un cuenco mediano, mezcla con cuidado las grosellas rojas, las frambuesas, la tapioca, la ralladura y el zumo de limón y el azúcar granulado, recubriendo bien la fruta. Vierte la mezcla sobre la masa del molde, apilando la fruta en el centro. Salpica el relleno con mantequilla.

3. Precalienta el horno a 220 °C. Estira el disco de masa restante como en el paso 1. Bate el huevo y la leche. Pincela el borde de la base con un poco de barniz de huevo, coloca el otro disco de masa encima y recórtala dejando que sobresalga 2,5 cm. Pellizca los bordes y refrigera o congela la tarta hasta que esté firme, unos 30 minutos.

4. Coloca la tarta sobre una bandeja de horno con borde forrada de papel de hornear y corta algunos orificios de ventilación en la parte superior de la tarta. Pincélala con el barniz de huevo y espolvoréala con azúcar perla. Hornea 20 minutos. Reduce a 180 °C. Sigue horneando hasta que los jugos burbujeen y la masa esté bien dorada, unos 40 minutos más. Deja enfriar la tarta por completo sobre una rejilla antes de servirla.

Tarta *crumble* de ruibarbo

El ruibarbo resplandece en este exquisito postre. Para el relleno, el ruibarbo sencillamente se revuelve con azúcar, sal y un poco de maicena. La cobertura se puede emplear para cualquier tarta de fruta sencilla, o para un *crumble* propiamente dicho, por supuesto. Haz unas cuantas remesas y guárdalas en el congelador para más comodidad: aguantará máximo seis meses en recipientes herméticos. Esta tarta se disfruta mejor un día después de hornearla; pruébala sola o con una cucharada de helado de vainilla (o fresa). **PARA UNA TARTA DE 23 CM**

Harina normal, para espolvorear

½ receta de pasta brisa (página 322)

800 g (unas 6 tazas) de ruibarbo, recortado y cortado transversalmente en trozos de 2 cm

200 g (1 taza) de azúcar

2 cdas de maicena

Una pizca de sal

Cobertura de *crumble* (receta a continuación)

1. Sobre un trozo de papel de hornear ligeramente enharinado, estira la masa formando un círculo de 33 cm. Ajústalo a un molde de 23 cm. Recorta la masa, dejando sobresalir 2,5 cm; dobla la parte sobresaliente hacia abajo y presiona suavemente para sellarla. Pellizca los bordes a tu gusto. Refrigera o congela hasta que esté firme, unos 30 minutos.

2. Precalienta el horno a 200 °C. En un cuenco grande, revuelve el ruibarbo con el azúcar, la maicena y la sal. Vierte la mezcla sobre la base y espolvorea uniformemente con la cobertura de *crumble*. Coloca el molde sobre una bandeja de horno con borde forrada de papel de hornear.

3. Reduce a 190 °C. Hornea hasta que la cobertura se dore y la masa esté ligeramente dorada, aproximadamente 1 hora y media. Si la cobertura o la masa se doran demasiado rápido, cúbrelas con papel de aluminio. Deja enfriar la tarta por completo sobre una rejilla antes de servirla.

COBERTURA DE *CRUMBLE*
Para 375 g (2 ½ tazas)

90 g (¾ de taza) de harina normal

60 g (⅓ de taza) de azúcar moreno claro compacto

3 cdas de azúcar granulado

Una pizca de sal

90 g de mantequilla fría, a dados

En un cuenco mediano, mezcla bien la harina, los azúcares y la sal. Trabaja la mantequilla con las yemas de los dedos hasta formar grumos grandes. Refrigera la mezcla cubierta, hasta el momento de usarla (máximo 3 días).

MONTAR LA TARTA

Tartitas de pera y jengibre

Mantequilla marrón, semillas de vainilla y jengibre recién rallado se emplean aquí en su justa medida para aportar sabor a estas tartas individuales rellenas de crema y pera. Las bases de masa plisadas se moldean en moldes de muffins, por lo que se extraen fácilmente después de hornear.

12 UNIDADES

PARA LA BASE

300 g (2 ½ tazas) de harina normal, y un poco más para espolvorear

1 cdta de azúcar granulado

1 cdta de sal

172 g (¾ de taza) de mantequilla fría, cortada a trocitos

57 g (¼ de taza) de manteca vegetal fría, cortada a trocitos

1 cda de vinagre blanco destilado

60-120 ml (de ¼ de taza a ½ taza) de agua helada

PARA EL RELLENO

2 huevos grandes

130 g (⅔ de taza) más 2 cdas de azúcar granulado

2 cdtas de zumo de limón recién exprimido

30 g (¼ de taza) más 3 cdas de harina normal

¼ de cdta de sal

2 peras maduras y firmes, por ejemplo, Bosc, peladas y cortadas a dados de 6 mm

115 g (½ taza) de mantequilla

1 vaina de vainilla, cortada longitudinalmente y raspada

2 cdas de jengibre fresco pelado y rallado fino

Azúcar glas, para espolvorear

1. Prepara la base: En un procesador de alimentos, procesa la harina, el azúcar y la sal hasta mezclarlos. Añade la mantequilla y la manteca vegetal; procesa solo hasta que la mezcla se asemeje a harina gruesa, de 8 a 10 minutos. Mezcla el vinagre con 60 ml (¼ de taza) de agua helada y rocíalo por toda la mezcla; procesa hasta que la masa empiece a unirse. Si la masa sigue desmigajada, añade 60 ml (¼ de taza) más de agua helada, en tandas de 1 cucharada.

2. Moldea la masa formando 2 discos y envuélvelos en film transparente. Refrigéralos hasta que estén firmes, 1 hora o máximo 1 día.

3. Sobre una superficie ligeramente enharinada, estira la masa a un grosor de 6 mm. Corta doce círculos de 13 cm. Presiona suavemente los círculos dentro de los 12 moldes de muffins normales, formando pliegues alrededor de los bordes y presionando suavemente para sellarlos. Refrigera o congela hasta que estén firmes, unos 30 minutos.

4. Precalienta el horno a 190 °C. Prepara el relleno: En un cuenco mediano, bate los huevos y el azúcar granulado hasta obtener una mezcla espesa y de un tono amarillo pálido. Agrega batiendo el zumo de limón, luego la harina y la sal. Coloca las peras a trocitos en un cuenco mediano.

5. En una olla pequeña, calienta la mantequilla, la vaina y las semillas de vainilla y el jengibre rallado a fuego medio/alto hasta que la mantequilla espume y se vuelva marrón, unos 5 minutos. Con un colador fino, vierte la mezcla sobre las peras, desechando la parte sólida. Agrega la mezcla de huevo a la mezcla de pera hasta mezclarlas bien.

6. Divide la masa entre las bases enfriadas. Hornea las tartitas hasta que las masas y el relleno se doren, unos 30 minutos. Déjalas enfriar en los moldes sobre una rejilla de 30 a 40 minutos. Desmóldalas y déjalas enfriar por completo sobre la rejilla. Justo antes de servir, espolvoréalas con azúcar glas.

a capas

Corta un pedazo de cualquiera de las tartas que aparecen a continuación y verás cómo sus múltiples componentes trabajan juntos para crear un delicioso conjunto. En una sola ración, el tenedor deambula de un elemento al otro en una agradable combinación de sabores y texturas en cada bocado. A menudo la masa, el relleno y la cobertura pueden prepararse con antelación por separado, y el postre puede montarse justo antes de servir. Y como normalmente puedes cambiar un ingrediente por otro similar, las tartas a capas son especialmente versátiles: otra característica de su atractivo carácter polifacético.

TARTA DE CHOCOLATE Y CAFÉ EXPRESO, RECETA PÁGINA 165

Tarta roja, blanca y azul de queso y arándanos

Reúne todas las capas de un pastel de queso clásico (base de migas de galleta de harina Graham, un relleno cremoso y fruta fresca como cobertura) y combínalos para crear una tarta moderna. La crema agria aumenta el toque de acidez del relleno; las almendras completan la masa de galleta y el azúcar endulza las ciruelas, que se cuecen como una mermelada. Guarda un poco del almíbar de cocción para revolver en él los arándanos antes de esparcirlos por encima. PARA UNA TARTA DE 23 CM

PARA LA BASE

6 láminas de galleta de harina Graham (unos 85 g)

45 g (⅓ de taza) de almendras crudas enteras

50 g (¼ de taza) de azúcar

60 g de mantequilla, fundida

PARA EL RELLENO

450 g de queso crema a temperatura ambiente

120 ml (½ taza) de crema agria

100 g (½ taza) de azúcar

1 huevo grande

½ cdta de extracto de vainilla puro

Una pizca de sal

PARA LA COBERTURA

4 ciruelas rojas (entre 450 y 680 g en total), cortadas por la mitad, deshuesadas y a trozos de 1 cm de grosor

100 g (½ taza) de azúcar

1 cda de zumo de limón recién exprimido

280 g (2 tazas) de arándanos frescos

1. Prepara la masa: Precalienta el horno a 180 °C. En un procesador de alimentos, procesa las galletas de harina Graham, las almendras y el azúcar hasta molerlos finos; añade la mantequilla y procesa hasta unirlo. Presiona la mezcla con firmeza sobre la base y las paredes de un molde para tarta de 23 cm de base desmontable. Refrigera la base hasta que esté firme, unos 15 minutos.

2. Haz el relleno: Limpia cuidadosamente la cuchilla y el cuenco del procesador. Luego procesa el queso crema, la crema agria, el azúcar, el huevo, la vainilla y la sal, solo hasta que esté homogéneo. Coloca el molde de tarta sobre una bandeja de horno con borde y rellena la base con la mezcla de queso crema. Hornea hasta que el relleno empiece a cuajar, de 30 a 35 minutos. Coloca la tarta sobre una rejilla para que se enfríe por completo.

3. Prepara la cobertura: En una olla mediana, mezcla las ciruelas, el azúcar y el zumo de limón. Cuece todo a fuego bajo hasta que la mezcla espese y adquiera una consistencia de mermelada, de 15 a 25 minutos (el tiempo dependerá de la madurez de la fruta). Reserva 1 cucharada de líquido de cocción (sin sólidos); deja enfriar por completo el resto de la mezcla de ciruelas.

4. Dejando un borde de 2,5 cm, extiende la mezcla de ciruelas enfriada sobre el relleno. Recalienta el líquido reservado de la ciruela (en el fuego o en el microondas) hasta que se diluya. En un cuenco mediano, mézclalo con los arándanos y espárcelos encima de la mezcla de ciruelas. Refrigera hasta el momento de servir, 2 horas o máximo 1 día; desmóldala antes de servir.

Tartaletas de arroz con leche y naranja sanguina

Mete el arroz con leche en crujientes bases de tartaleta y corónalas con gajos de jugosa naranja sanguina rojo rubí. El relleno se ha aromatizado con vaina de vainilla y zumo de naranja sanguina. Las tartaletas pueden servirse calientes, a temperatura ambiente, o bien frías, para un té por la tarde o un delicioso postre para la cena. Coloca los gajos de naranja sanguina en forma de flor, y luego rocía las tartaletas con algo más de jugo. 6 UNIDADES

Harina normal, para espolvorear

Masa dulce para tarta (página 333)

4 naranjas sanguinas

200 g (1 taza) de arroz Arborio

960 ml (4 tazas) de leche

1 vaina de vainilla, cortada longitudinalmente y raspada

Una pizca de sal

100 g (½ taza) de azúcar

240 ml (1 taza) de nata para montar

2 yemas de huevo grandes

1. Precalienta el horno a 200 °C. Coloca 6 anillos de tartaleta de 10 cm sobre una bandeja forrada con papel de hornear.

2. Sobre una superficie ligeramente enharinada, estira la masa a un grosor de 3 mm. Corta seis círculos de 15 cm y presiona la masa en los anillos. Recorta la masa sobrante nivelando los bordes. Pincha la superficie de las bases con un tenedor. Refrigera o congela hasta que esté firme, unos 30 minutos.

3. Forra los anillos con papel de hornear y cúbrelos con pesos o legumbres secas. Hornea hasta que los bordes empiecen a dorarse, unos 20 minutos. Retira el papel y los pesos; sigue horneando hasta que se doren bien por todos lados, unos 10 minutos. Colócalas sobre una rejilla para que se enfríen por completo.

4. Ralla bien fina la piel de 1 naranja sanguina. Corta los extremos de las 4 naranjas, retira la piel y la médula con un cuchillo de mondar, siguiendo la curva de la fruta. Trabajando sobre un cuenco para recoger el jugo, corta entre las membranas para retirar los gajos, procurando dejarlos enteros. Pásalos a un cuenco. Exprime las membranas para extraer todo el zumo posible; reserva 60 ml (¼ de taza) de zumo.

5. En una olla mediana, cuece a fuego suave el arroz, la leche, la ralladura, la vaina y las semillas de vainilla, la sal y el azúcar. Cuece, removiendo de vez en cuando, hasta que el arroz esté tierno y se haya absorbido la mayoría del líquido, 30-35 minutos. Retira del fuego y desecha la vaina de vainilla.

6. En un cuenco mediano, bate la nata, las yemas de huevo y los 60 ml (¼ de taza) de zumo de naranja reservado. Agrega gradualmente la mezcla de arroz y devuélvela a la olla. Pon la olla a fuego medio/bajo y cuece, removiendo constantemente, hasta que la mezcla hierva y espese, unos 10 minutos. Retíralo del fuego y déjalo reposar 5 minutos. Vierte el relleno sobre las bases horneadas. Coloca los gajos de naranja en forma de flor sobre el arroz con leche y rocíalo con el zumo del cuenco. Sírvelas calientes, a temperatura ambiente, o bien frías.

COLOCAR GAJOS DE NARANJA

Tarta de chocolate y café expreso

Una base de cacao crujiente y dos rellenos sedosos: una capa uniforme de queso Mascarpone, ácido y cremoso, y unas espléndidas rosetas de ganache de chocolate al aroma de café. Sabores fuertes, aunque no especialmente dulces; si lo prefieres, puedes mezclar dos cucharadas de azúcar con el relleno de Mascarpone. Para elaborar una ganache perfecta, procura que la mezcla esté siempre a temperatura ambiente antes de empezar a batirla. Si está más caliente o más fría, la mezcla podría apelmazarse o volverse granulosa. PARA UNA TARTA DE 35x10 CM

PARA LA GANACHE

226 g de chocolate semiamargo (mejor 61% de cacao) picado fino

300 ml (1 taza y ¼) de nata para montar

2 cdas de granos de café expreso molidos de buena calidad

PARA LA BASE

120 g (1 taza) de harina normal, y un poco más para espolvorear

¾ de cdta de sal

34 g (⅓ de taza) de cacao holandés en polvo sin azúcar

115 g (½ taza) de mantequilla, ablandada

50 g (¼ de taza) de azúcar

1 huevo grande

¾ de cdta de extracto de vainilla puro

3 cdas de nata para montar

PARA EL RELLENO

338 g (1 ½ tazas) de queso Mascarpone

1. Prepara la ganache: Introduce el chocolate en un cuenco mediano resistente al fuego. En una olla pequeña, lleva a ebullición la nata y el café expreso. Con un colador fino, vierte la mezcla sobre el chocolate, desechando los sólidos. Déjalo reposar 2 minutos y luego bate hasta que quede bien cremoso. Déjalo enfriar a temperatura ambiente, removiendo de vez en cuando, 30-45 minutos.

2. Prepara la masa: Tamiza la harina, la sal y el cacao en un cuenco mediano. Con una batidora eléctrica de varillas a velocidad media, bate la mantequilla y el azúcar hasta obtener una mezcla blanquecina y esponjosa, unos 4 minutos. Añade el huevo y la vainilla y mezcla bien, raspando las paredes del cuenco si es preciso. Reduce a velocidad baja. Añade gradualmente la mezcla de harina en 3 tandas, alternando con la nata. Moldea la masa en forma de rectángulo grueso y envuélvela en film transparente. Refrigérala hasta que esté firme, más o menos 1 hora.

3. Precalienta el horno a 180 °C. Estira la masa entre 2 trozos de papel de hornear ligeramente enharinados formando un rectángulo de 40 x 15 cm y de unos 6 mm de grosor. Presiona la masa sobre un molde de tarta rectangular de 35 x 10 cm con base desmontable. Recorta la masa sobrante nivelándola con el borde. Pincha la superficie de la base con un tenedor. Refrigera o congela hasta que esté firme, unos 30 minutos. Hornéala hasta que esté seca, de 18 a 20 minutos. Colócala sobre una rejilla para que se enfríe por completo; desmolda.

4. Con una batidora de varillas a velocidad media/alta, bate la ganache hasta formar picos blandos, 6-7 minutos. Introdúcela en una bolsa para manga pastelera con una boquilla de estrella de 1,5 cm (como Ateco n.° 828 o Wilton n.° 6B).

5. Extiende uniformemente el queso Mascarpone sobre la base de la tarta con una espátula acodada. Forma filas de rosetas de ganache, una junto a la otra, encima del Mascarpone hasta cubrirlo. La tarta puede guardarse en la nevera, cubierta, máximo 1 día antes de servirla.

Galette de almendrados con fresas

Este espectacular postre puede parecer una virguería, pero su base es increíblemente fácil; se trata de una sencilla galleta tipo almendrado de talla XL. Las fresas se maceran en azúcar y licor antes de colocarlas sobre la tarta; si se las deja reposar un par de horas, su base etérea empezará a absorber algo del delicioso almíbar borracho. Como no lleva harina, la galette resulta una excelente elección para la Pascua Judía.

PARA UNA GALETTE DE 23 CM

3 claras de huevo grandes

2 cdtas de ralladura de limón fina más 2 cdtas de zumo de limón recién exprimido

100 g (1 taza) de azúcar glas

132 g (1 ½ tazas) de almendras blanqueadas fileteadas, tostadas (véase pág. 343) y picadas finas

Espray de aceite vegetal para cocinar

900 g (unas 6 tazas) de fresas frescas, enteras

1 cda de azúcar granulado

1 cda de kirsch

3 cdas de mermelada de fresa de buena calidad

1. Precalienta el horno a 170 °C. Con una batidora eléctrica a velocidad media, bate las claras de huevo hasta formar picos blandos. Agrega la ralladura de limón. Añade gradualmente el azúcar glas, batiendo hasta que las claras estén brillantes y a punto de cinta en la superficie, 6-7 minutos. Agrega las almendras.

2. Unta el interior de un anillo de flan de 23 cm con espray para cocinar, y colócalo sobre una bandeja de horno con borde forrada con papel de hornear. Vierte la masa en el molde y alisa la superficie. Déjalo reposar 10 minutos. Mételo en el horno y mantén abierta la puerta más o menos 1 cm con una cuchara de madera. Hornea 10 minutos. Reduce a 150 °C y cierra la puerta por completo. Hornea hasta que esté ligeramente dorada y cuajada, unos 25 minutos. Desmolda y déjala enfriar por completo sobre una rejilla.

3. Parte longitudinalmente 8-10 fresas. Limpia el resto de fresas, y córtalas longitudinalmente en 4 rodajas. Revuelve las rodajas con el azúcar granulado, el kirsch y el zumo de limón en un cuenco; déjalo reposar mínimo 30 minutos y máximo 2 horas, removiendo de vez en cuando.

4. Calienta la mermelada en una olla pequeña hasta que se vuelva líquida. Pincela la superficie de la *galette* con la mermelada. Coloca las mitades de fresa reservadas alrededor del borde, con las hojas hacia fuera. Coloca las rodajas de fresas en círculo, desde el centro hacia fuera, con la parte inferior mirando hacia fuera, y reserva las rodajas más pequeñas para el centro. Rocía el líquido de las fresas por encima. Sirve inmediatamente, o déjala reposar 2 horas para que los jugos empapen la masa.

Tarta de almendra y peras en almíbar

La tarta de pera y almendra es uno de los postres más conocidos y más venerados de la repostería francesa clásica, y también es uno de los favoritos de Martha. Las almendras se espolvorean por encima y aportan aroma tanto a la masa presionada como al relleno de franchipán. Las peras, cortadas por la mitad y cocidas en vino blanco y vainilla, se disponen en pulcras hileras, dejando el espacio justo para que el relleno suba durante el horneado y forme un magnífico marco dorado. PARA UNA TARTA DE 28x20 CM

PARA LA BASE

115 g (½ taza) a temperatura ambiente, más 15 g de mantequilla, fundida y enfriada

105 g (¾ de taza) de almendras blanqueadas enteras

3 cdas de azúcar

120 g (1 taza) de harina normal

¼ de cdta de sal

¼ de cdta de extracto de almendra puro

PARA EL RELLENO

3 cdas de almendras blanqueadas fileteadas

100 g (½ taza) más 1 cda de azúcar

¼ de cdta de sal

30 g (¼ de taza) más 2 cdas de harina normal

37 g (¼ de taza) más 2 cdas de harina de almendra, o de almendras blanqueadas picadas muy finas

½ cdta de polvo de hornear

2 huevos enteros más 1 yema grande, ligeramente batidos

30 g de mantequilla, fundida

60 ml (¼ de taza) más 2 cdas de leche

Peras en almíbar de vainilla (página 342)

1. Prepara la base: Pincela 15 g de mantequilla fundida en la base y las paredes de un molde de tarta de 28 x 20 cm de base desmontable.

2. Procesa las almendras enteras con 1 cucharada de azúcar en el procesador hasta que estén bien molidas. Añade los 115 g (½ taza) restantes de mantequilla y procesa hasta unirlo. Añade la harina, las 2 cucharadas de azúcar restante, la sal, el extracto de almendra, y procesa hasta unirlo.

3. Presiona uniformemente la masa en la base y las paredes del molde. Refrigera o congela hasta que esté firme, unos 30 minutos. Mientras, precalienta el horno a 180 °C. Hornea hasta que la masa esté dorada, 20-25 minutos. Colócala sobre una rejilla para que se enfríe.

4. Prepara el relleno: Extiende las almendras fileteadas en una capa uniforme sobre una bandeja de hornear con borde y tuéstalas en el horno, revolviéndolas de vez en cuando, hasta que se doren, unos 10 minutos.

5. En un cuenco grande, bate 100 g (½ taza) de azúcar, la sal, la harina, la harina de almendra y el polvo de hornear. Incorpora los huevos y la yema, la mantequilla y la leche hasta unirlo bien. Vierte el relleno sobre la base.

6. Seca un poco cada mitad de pera con papel de cocina para eliminar el almíbar sobrante. Coloca las mitades sobre el relleno con la parte cortada hacia abajo, juntándolas bastante (3 filas de 3 peras; reserva la otra mitad para otro uso). Espolvorea las peras con la cucharada de azúcar restante. Espolvorea las almendras tostadas sobre la tarta. Coloca la tarta en una bandeja de horno con borde.

7. Hornea hasta que el relleno esté hinchado y bien dorado, 60-70 minutos. Coloca la tarta sobre una rejilla para que se enfríe por completo. Desmolda justo antes de servir.

Tarta de fresas e higos frescos

Los higos frescos y las fresas son las favoritas del verano, y forman una deliciosa combinación. Aquí se disponen sobre una base de pasta brisa y se rodean de masa de avellana, que se dora al hornear. La masa es similar al franchipán, un relleno clásico de la repostería francesa, especialmente de los *pithiviers* y de otras muchas tartas; tradicionalmente se elabora con almendras, pero también son habituales otros frutos secos. El armañac es un aguardiente francés; puede sustituirse por coñac u otro aguardiente de excelente calidad. PARA UNA TARTA DE 25 CM

Harina normal, para espolvorear

½ receta de pasta brisa (página 322)

112 g (¾ de taza) de avellanas, tostadas y sin piel (véase pág. 343)

90 g (½ taza) de azúcar moreno claro compacto

50 g (¼ de taza) de azúcar granulado

¼ de cdta de sal

½ cdta de ralladura fina de limón

115 g (½ taza) de mantequilla cortada a trocitos

2 cdas de armañac (o coñac u otro aguardiente)

2 huevos grandes

½ cdta de extracto de vainilla puro

226 g de higos frescos variedad Black Mission (unos 7), sin tallo y cortados longitudinalmente

226 g (1 ½ tazas) de fresas frescas, limpias y cortadas por la mitad si son grandes

Nata montada, para acompañar (opcional, página 340)

1. Sobre una superficie ligeramente enharinada, estira 1 disco de masa formando un círculo de 35 cm de diámetro y 3 mm de grosor. Presiona la mezcla sobre la base y las paredes de un molde de tarta acanalado de 25 cm con base desmontable. Recorta la masa sobrante nivelándola con el borde. Refrigera o congela hasta que esté firme, unos 30 minutos.

2. Precalienta el horno a 180 °C. Pincha la superficie de la base con un tenedor; fórrala con papel de hornear y cúbrelo con pesos o legumbres secas. Hornea 30 minutos: retira los pesos y el papel de hornear y sigue horneando hasta que esté bien dorada, unos 5 minutos más. Trasládala a una rejilla para que se enfríe por completo.

3. Procesa las avellanas en un procesador de alimentos hasta que estén picadas finas. Añade los azúcares, la sal y la ralladura, y procesa hasta unirlo. Agrega la mantequilla, el armañac, los huevos y la vainilla, y procesa hasta que esté casi homogéneo.

4. Extiende la pasta de avellana uniformemente sobre la base y cúbrela con los higos y las fresas. Hornea 30 minutos, luego reduce a 170 °C y hornea hasta que cuaje y se dore bien, alrededor de 1 hora más. Trasládala a una rejilla para que se enfríe. Puedes servirla a temperatura ambiente y con nata montada.

Tarta de naranjas frescas y yogur

Un postre cítrico puede ser como un rayo de sol en un día invernal. Para esta sencilla tarta, una rápida base de almendra molida con el procesador de alimentos se presiona en el molde y se hornea hasta dorarla. El relleno, que no precisa horno, básicamente yogur espesado con gelatina, solo te llevará unos pocos minutos de preparación antes de extenderlo sobre la masa fría y cubrirlo de rodajas de naranja. PARA UNA TARTA DE 20 CM

PARA LA BASE

70 g (½ taza) de almendras enteras crudas

50 g (¼ de taza) de azúcar granulado

½ cdta de sal gruesa

120 g (1 taza) de harina normal

90 g de mantequilla fría, cortada a trocitos

PARA EL RELLENO

2 cdtas de gelatina en polvo sin sabor

2 cdas de agua helada

120 ml (½ taza) de nata para montar

375 g (1 ½ tazas) de yogur natural estilo griego

45 g (¼ de taza) de azúcar moreno claro compacto

Una pizca de sal gruesa

3 naranjas tipo Navel

1. Prepara la masa: En un procesador de alimentos, procesa las almendras, el azúcar granulado y la sal hasta que esté bien fino. Agrega la harina y procesa hasta incorporarla. Añade la mantequilla y procesa hasta unirlo. Presiona las migas en la base y las paredes de un molde para tarta acanalado de 20 cm con base desmontable. Refrigera o congela hasta que esté firme, unos 30 minutos.

2. Precalienta el horno a 180 °C. Coloca el molde sobre una bandeja de horno con borde y hornea hasta que la masa esté bien dorada y cuajada, 30-35 minutos. Déjala enfriar por completo sobre una rejilla.

3. Prepara el relleno: En un cuenco pequeño, espolvorea la gelatina sobre el agua y déjala reposar 5 minutos. En una olla pequeña, calienta la nata a fuego medio. Cuando empiece a humear, agrega la gelatina ablandada y remueve hasta disolverla, alrededor de 1 minuto. En un cuenco mediano, bate el yogur, el azúcar moreno y una pizca de sal. Revuelve la mezcla de nata caliente con la mezcla de yogur. Vierte el relleno sobre la base de tarta enfriada y refrigérala hasta que cuaje, 2 horas, o bien, envuelta en film transparente, máximo 1 día.

4. Con un cuchillo de mondar afilado, corta los extremos de las naranjas. Pélalas siguiendo la curva de la fruta y procurando retirar toda la parte blanca posible. Corta las naranjas en rodajas de 6 mm de grosor y retira las semillas. Justo antes de servir, coloca las rodajas de naranja encima de la tarta.

Tartas de hojaldre arco iris

Una actualización de un clásico de la repostería francesa. Las tartas de la imagen llevan kiwis, melocotones y fresas, además de un surtido de frutas del bosque, pero atrévete a improvisar con tu fruta favorita, fresca o en almíbar, y distribúyela componiendo los dibujos que te apetezca. Esta es parte de la diversión de una receta así: la masa se convierte en un lienzo en blanco para tu creatividad. PARA DOS TARTAS CUADRADAS DE 18 CM

Harina normal, para espolvorear

1 caja de masa de hojaldre comprada, preferentemente de solo mantequilla, descongelada, o ¼ de receta de masa de hojaldre (página 334)

1 huevo grande, ligeramente batido, para el barniz de huevo

Crema pastelera de vainilla (página 338)

300 g (2 tazas) de frutas del bosque variadas, como arándanos negros y frambuesas

1 melocotón maduro y firme, pelado (véase pág. 343), deshuesado y cortado a gajos

2 kiwis, pelados y cortados en rodajas finas

1. En una superficie ligeramente enharinada, estira y corta la masa formando dos cuadrados de 23 cm y 3 mm de grosor, procurando no presionar demasiado fuerte los bordes. Recorta (y reserva) ocho tiras de 2,5 cm de ancho (4 para cada cuadrado), 1 de cada borde. Los cuadrados de masa deberían ser de 18 x 18 cm. Coloca los cuadrados sobre una bandeja de horno forrada con papel de hornear.

2. Pincha la superficie de los cuadrados con un tenedor. Con un pincel de repostería, humedece los bordes de masa con huevo batido, procurando que no resbale sobre los bordes cortados.

3. Coloca las tiras de 2,5 cm reservadas sobre los bordes de cada cuadrado, alineándolas exactamente y solapándolas en las esquinas. Recorta las tiras para ajustarlas si es preciso. Pincela con huevo batido debajo de cada una de las 4 esquinas solapadas para sellarlas. Pincela la superficie de las tiras, procurando que el barniz de huevo no resbale por los lados. Refrigera o congela hasta que esté firme, unos 30 minutos.

4. Precalienta el horno a 200 °C. Hornea hasta que estén bien doradas e hinchadas, unos 15 minutos. Con la ayuda de una espátula acodada, presiona hacia abajo el centro de la masa, dejando los bordes hinchados. Devuélvelas al horno y hornea 12 minutos más. Trasládalas a una rejilla para que se enfríen. Presiónalas de nuevo si es preciso. Déjalas enfriar por completo.

5. Bate la crema pastelera para que esté cremosa. Con la ayuda de una espátula acodada, extiende la crema pastelera sobre las bases, repartiéndola equitativamente. Coloca la fruta a tu gusto sobre la crema pastelera.

PRESIONAR EL CENTRO DE LA BASE

Tarta de pera y chocolate

El chocolate casa bien con muchos tipos de fruta diferente, pero las peras y el chocolate forman una pareja muy especial. Aquí, un anillo de fruta en rodajas reposa sobre un denso relleno de chocolate negro que se hincha al hornearse. Coloca las rodajas con la parte curvada hacia el mismo lado, y con el extremo más estrecho apuntando hacia el centro de la tarta. PARA UNA TARTA DE 23 CM

PARA LA BASE

115 g (½ taza) de mantequilla, a temperatura ambiente, y un poco más para el molde

140 g (1 taza) de almendras blanqueadas enteras

150 g (¾ de taza) de azúcar

3 huevos grandes

34 g (⅓ de taza) de cacao holandés en polvo sin azúcar

1 cdta de extracto de vainilla puro

½ cdta de sal

¼ de cdta de extracto de almendra puro (opcional)

PARA LA COBERTURA

3 peras maduras y firmes tipo Bartlett

½ limón

2 cdas de jalea de manzana

1. Precalienta el horno a 180 °C. Pincela con mantequilla ablandada la base y las paredes de un molde de tarta de 23 cm con base desmontable.

2. Prepara la masa: En un procesador de alimentos, procesa las almendras y el azúcar hasta que esté bien fino. Añade la mantequilla, los huevos, el cacao, la vainilla, la sal y el extracto de almendra, si lo usas; procesa hasta unirlo. Extiende la mezcla uniformemente sobre el molde preparado.

3. Haz la cobertura: Pela, corta por la mitad y descorazona las peras; córtalas longitudinalmente en rodajas de 6 mm de grosor, frotándolas con limón a medida que avanzas (para evitar la oxidación). Coloca las rodajas sobre la mezcla de chocolate, solapándolas ligeramente, sin presionar.

4. Coloca el molde sobre una bandeja de horno con borde y hornea hasta que la superficie se hinche y al introducir un probador de pasteles en el centro de la mezcla de chocolate, salga solo con apenas unas migas, 40-45 minutos. Traslada el molde a una rejilla para que se enfríe por completo.

5. Calienta la jalea en el microondas o el fuego hasta que esté líquida. Pincela suavemente las peras con la jalea y deja que cuaje mínimo 20 minutos. Desmolda la tarta y sírvela.

COLOCAR RODAJAS DE PERA

Tarta de franchipán de avellanas con albaricoques

Albaricoques blanqueados y pelados dispuestos sobre un lecho de suave *crème fraîche* batida: siete mitades en círculo, y otra mitad cortada en tercios y situada en el centro. PARA UNA TARTA DE 23 CM

Pasta sablé (página 332)

50 g (⅓ de taza) más 2 cdas de avellanas tostadas, sin piel y picadas gruesas (véase pág. 343)

2 cdas de harina normal

¼ de cdta de sal gruesa

60 g de mantequilla, a temperatura ambiente

65 g (⅓ de taza) de azúcar granulado

1 huevo grande

4 albaricoques en su punto

120 ml (½ taza) de nata para montar

25 g (¼ de taza) de azúcar glas

¼ de cdta de extracto de vainilla puro

180 ml (¾ de taza) de *crème fraîche*

3 cdas de mermelada de albaricoque

1 cda de zumo de limón recién exprimido

1. Presiona la masa sobre la base y las paredes de un molde para tarta redondo de 23 cm con base desmontable, a unos 6 mm de grosor. Remienda los agujeros si es necesario. Recorta la masa sobrante y nivélala con los bordes. Refrigera o congela hasta que esté firme, unos 30 minutos.

2. Precalienta el horno a 180 °C. Forra la base con papel de hornear y cúbrelo con pesos o legumbres secas. Hornea hasta que los bordes estén dorados, unos 20 minutos. Gira la base y retira el papel y los pesos. Hornea hasta que esté crujiente y ligeramente dorada, 10-15 minutos más. Déjala enfriar sobre una rejilla 10 minutos. Reduce a 170 °C.

3. Procesa 50 g (⅓ de taza) de avellanas en un procesador de alimentos hasta picarlas finas. Mezcla las avellanas molidas, la harina y la sal. Con una batidora eléctrica, bate la mantequilla y el azúcar granulado hasta obtener una mezcla blanquecina y esponjosa, 3-5 minutos. Incorpora el huevo, batiendo. Añade la mezcla de avellanas y bate hasta unirlo. El franchipán se puede guardar en la nevera en un recipiente hermético hasta 1 semana.

4. Extiende el franchipán sobre la base y alísalo con una espátula acodada. Déjalo reposar 10 minutos. Hornea hasta que cuaje, unos 15 minutos. Si los bordes se doran demasiado rápido, cúbrelos con un anillo de papel de aluminio (véase pág. 324). Trasládala a una rejilla y déjala enfriar.

5. Pela los albaricoques (véase pág. 343); córtalos por la mitad y retira los huesos. Justo antes de servir, bate la nata, el azúcar glas y la vainilla hasta formar picos blandos; añade la *crème fraîche* batiendo. Extiéndela sobre el franchipán. Coloca las 7 mitades de albaricoque, con la parte cortada hacia abajo, rodeando el borde. Corta la mitad restante en tercios y colócalos en el centro.

6. Calienta la mermelada en una olla a fuego medio/bajo hasta que esté líquida. Agrega el zumo de limón y déjala enfriar 5-10 minutos. Pásala por un colador y descarta los sólidos. Pincela los albaricoques con la mermelada colada y vierte el resto de barniz sobre la nata. Espolvorea las 2 cucharadas de avellanas restantes alrededor de los albaricoques. Sirve de inmediato.

Tarta de nectarina y frambuesa

Gracias a su longitud y a su abundante y reluciente fruta, esta tarta resulta apoteósica. La tierna base de harina de maíz es más desmigajada que otras masas, así que no la mezcles en exceso y procura refrigerarla bien antes de extenderla. También es una masa maleable: puedes arreglar cualquier agujero o grieta al ajustarla al molde. PARA UNA TARTA DE 35x10 CM

PARA LA BASE

90 g de mantequilla, a temperatura ambiente

100 g (½ taza) de azúcar granulado

2 yemas de huevo grandes

120 g (1 taza) de harina normal, y un poco más para espolvorear

53 g (⅓ de taza) de harina de maíz amarilla, preferiblemente molida a la piedra

½ cdta de sal

Espray de aceite vegetal para cocinar

PARA EL RELLENO

113 g de queso crema, ablandado

120 ml (½ taza) de *crème fraîche*

1 ½ cdas de azúcar glas

3 nectarinas maduras, cortadas por la mitad, deshuesadas y cortadas en rodajas de 1 cm

125 g (1 taza) de frambuesas

PARA EL GLASEADO

80 g (¼ de taza) de mermelada de albaricoque

1. Prepara la base: Con una batidora eléctrica a velocidad media/alta, bate la mantequilla y el azúcar granulado hasta formar una mezcla blanquecina y esponjosa, unos 2 minutos. Añade las yemas y mezcla solo hasta unirlo. Mezcla la harina, la harina de maíz y la sal, y añádelas a la mezcla de yemas; mezcla solo hasta que la masa empiece a unirse. Presiona la masa formando un disco, envuélvelo en film transparente y refrigéralo hasta que esté firme, 1 hora.

2. Rocía un molde de tarta acanalado y rectangular de 35 x 10 cm con espray para cocinar. Sobre un trozo de papel de hornear ligeramente enharinado, estira la masa a un grosor de 3 mm. Ajusta la masa al molde y recorta la masa sobrante nivelándola con el borde. Refrigera o congela hasta que esté firme, unos 30 minutos.

3. Precalienta el horno a 180 °C con la rejilla en el centro. Pincha la base de la tarta con un tenedor y hornéala hasta que la masa empiece a tomar color, 15-10 minutos. Colócala sobre una rejilla para que se enfríe por completo. Desmolda la base.

4. Prepara el relleno: Con una batidora eléctrica a velocidad media, bate el queso crema hasta que esté homogéneo. Añade la *crème fraîche* y el azúcar glas y bate hasta que la mezcla esté cremosa y esponjosa, unos 2 minutos. Refrigera 30 minutos. Extiende el relleno sobre la base enfriada y coloca la fruta encima, presionando ligeramente.

5. Prepara el glaseado: Calienta la mermelada en una olla pequeña a fuego bajo hasta que esté líquida. Pásala por un colador y pincela con el glaseado caliente las frambuesas y las nectarinas. Refrigera la tarta unas pocas horas si no la vas a servir de inmediato.

Tarta de ruibarbo con *mousse* de yogur al limón

Los primeros tallos de ruibarbo de la temporada se cuecen en aguardiente especiado y luego se extienden sobre una *mousse* sedosa de cítricos y yogur. La base se hornea en un molde desmontable para que sea más alta. Puedes hornear la base un día, llenarla con la *mousse* el siguiente, y luego refrigerarla durante la noche antes de poner la cobertura y servir. El ruibarbo en almíbar también lo puedes preparar un día antes y refrigerarlo.

PARA UNA TARTA DE 25 CM

Harina normal, para espolvorear

Masa dulce para tarta, variante de limón y harina de maíz (página 333)

1 cdta de gelatina en polvo sin sabor

1 cda más 80 ml (⅓ de taza) de agua helada

1 cda más 180 ml (¾ de taza) de nata para montar

3 cdas de azúcar moreno claro

375 g (1 ½ tazas) de yogur natural

1 cda de ralladura de limón fina más 1 cda de zumo de limón recién exprimido

⅛ de cdta de sal gruesa

400 g (2 tazas) de azúcar granulado

240 ml (1 taza) de brandi

1 rama de canela

7 granos de pimienta enteros

1 cdta de extracto de vainilla puro

680 g de ruibarbo, recortado, cortado longitudinalmente y a trozos de 4 cm

1. Precalienta el horno a 190 °C. Sobre una superficie ligeramente enharinada, estira la masa a un grosor de 6 mm. Ajusta la masa sobre la base y las paredes de un molde desmontable de 25 cm. Refrigera o congela hasta que esté firme, unos 30 minutos. Forra la base con papel de hornear y cúbrelo con pesos o legumbres secas. Hornea hasta que los bordes empiecen a dorarse, unos 25 minutos. Retira los pesos y el papel de hornear. Reduce a 180 °C y hornea hasta que esté bien dorado, 20-25 minutos más. Deja enfriar la base en el molde sobre una rejilla.

2. Espolvorea la gelatina sobre 1 cucharada de agua fría en un bol y déjala reposar hasta que se ablande, unos 5 minutos. Mezcla 1 cucharada de nata y el azúcar moreno en una olla pequeña a fuego medio, removiendo hasta que el azúcar se disuelva y la mezcla esté caliente. Agrega la gelatina ablandada y retíralo del fuego. Mezcla el yogur, la ralladura y una pizca de sal en un cuenco mediano. Añade la mezcla de azúcar moreno y bate hasta que esté homogéneo. Bate la nata restante en un cuenco mediano hasta formar picos medios. Incorpora suavemente la nata a la mezcla de yogur.

3. Vierte el relleno sobre la masa. Cúbrelo y refrigéralo hasta que esté firme, 4 horas o máximo 1 día.

4. Lleva a ebullición el azúcar granulado y los 80 ml (¾ de taza) de agua restantes en una olla mediana, removiendo hasta que el azúcar se disuelva. Cuece sin tocar, hasta que adquiera un tono ámbar suave, unos 7 minutos. Retíralo del fuego, añade 180 ml (¾ de taza) de brandi, la canela, los granos de pimienta, la vainilla y la pizca de sal restante. Vuelve a llevar a ebullición la mezcla 1 minuto, y luego agrega el ruibarbo. Retira la olla del fuego. Agrega el zumo de limón y los 60 ml (¼ de taza) de brandi restantes, cubre y deja reposar 25 minutos. Refrigéralo hasta que esté frío unas 4 horas. Pásalo por un colador, reserva el líquido y desecha la canela y los granos de pimienta. Lleva a ebullición en una olla mediana el líquido reservado hasta reducirlo a 360 ml (1 ½ tazas), unos 4 minutos. Déjalo enfriar por completo.

5. Extiende el ruibarbo colado sobre la *mousse* y sirve inmediatamente acompañado con la reducción del líquido de cocción.

Tarta de plátano y coco con crema de anacardos

Esta tarta sin gluten, sin lactosa y sin horno se compone de dátiles y nueces pacanas para formar una base contundente, sirope de arce para endulzar, y los plátanos y el coco para aportar su sabor tropical. La «crema» de anacardos se obtiene triturando anacardos con agua y semillas de vainilla. Si dejas en remojo los frutos secos durante la noche lograrás que tengan una textura similar al flan una vez molidos. Resumiendo, un postre muy sugerente, incluso para los que no padecen de alergias o intolerancias alimentarias. PARA UNA TARTA DE 23 CM

PARA LA BASE

180 g (1 ½ tazas) de nueces pacanas enteras crudas

Una pizca de sal gruesa

262 g (1 ½ tazas) de dátiles sin hueso

2 cdtas de sirope de arce puro

PARA EL RELLENO

150 g (1 taza) de anacardos crudos, remojados toda la noche y bien escurridos

120 ml (½ taza) de agua

2 cdas más 2 cdtas de sirope de arce, y más al gusto

1 vaina de vainilla, cortada longitudinalmente y raspadas las semillas (reserva la vaina para otro uso)

55 g (¾ de de taza) de coco rallado sin azúcar

3 o 4 plátanos maduros y firmes

1. Prepara la base: En un procesador de alimentos, procesa los anacardos y la sal hasta que estén picados gruesos. Agrega los dátiles y procesa hasta unirlo, 15-10 segundos. Añade el almíbar; procesa solo hasta mezclarlo y que la mezcla se mantenga unida. Presiona firmemente la mezcla de frutos secos sobre un molde de tarta de 23 cm, humedeciendo tus dedos si es necesario.

2. Haz el relleno: Muele los anacardos escurridos hasta obtener una pasta gruesa en una picadora. Añade el agua, el almíbar y las semillas de vainilla; procesa hasta que esté homogéneo, unos 5 minutos, raspando las paredes si es preciso. La mezcla debería alcanzar la consistencia de una masa para tortitas gruesa. Reserva 2 cucharadas de coco, añade el resto al procesador y procesa hasta unirlo. Vierte la mezcla sobre la base, extendiéndola uniformemente.

3. Corta los plátanos en rodajas finas y en diagonal; empezando por el borde exterior, coloca las rodajas en filas ligeramente sobrepuestas y en dirección al centro. Espolvorea bien con el coco reservado y sirve de inmediato.

miniaturas

Practica a escala para recrear tartas de tamaño natural en miniatura. Estos bocados tan diminutos suelen ser muy habituales en encuentros con amigas para tomar el té o almorzar, o bien en reuniones en el jardín, fiestas de compromiso, etc. Sin embargo, sus novedosas formas y combinaciones de sabores hacen que los siguientes postres encajen perfectamente en cualquier entorno moderno. Un surtido de tartas del tamaño de un vaso, por ejemplo, pueden ser un detalle extravagante y perfecto para una boda. Busca otras posibilidades para presentar una docena o más de estos adorables postres.

TARTALETAS DE AMAPOLA CON CURD DE LIMÓN, RECETA PÁGINA 194

Pastelitos de arándanos rojos y merengue

Un poco de zumo de naranja sanguina endulza la acidez de los arándanos, aunque no en exceso. Puedes montar y hornear los pastelitos un día antes, pero para conseguir la mejor presentación, espera a cubrirlos con merengue justo antes de servir. PARA 1 DOCENA

Harina normal, para espolvorear

½ receta de masa dulce para tarta, variante con cítricos (página 333)

390 g (3 ¼ tazas) de arándanos rojos frescos

300 g (1 ½ tazas) de azúcar

420 ml (1 ½ tazas más ¼ de taza) de agua

1 ½ cdtas de ralladura de limón fina

1 cdta de ralladura más 60 ml (¼ de taza) de zumo de naranja sanguina (preferentemente), recién exprimido

¼ de cdta de sal

⅛ de cdta de canela molida

Una pizca de clavo molido

3 cdas de maicena

3 claras de huevo grandes

Una pizca de cremor tártaro

1. Precalienta el horno a 190 °C. Sobre una superficie enharinada, estira la masa hasta alcanzar 3 mm de grosor. Corta 12 círculos con borde acanalado de 10 cm y ponlos en un molde de 12 muffins. Pincha las bases con un tenedor. Refrigera o congela hasta que esté firme, unos 30 minutos.

2. Forra las bases con papel de hornear y llénalas con pesos o legumbres secas. Hornea 15 minutos. Retira pesos y papel. Hornea hasta que las bases empiecen a dorarse, 5 minutos más. Pásalas a una rejilla y deja enfriar 5 minutos. Sácalas del molde y déjalas enfriar por completo.

3. Lleva a ebullición 240 g (2 tazas) de arándanos y 200 g (1 taza) de azúcar en una olla mediana. Reduce el fuego y cuece la mezcla, removiendo de vez en cuando, hasta que los arándanos se abran, unos 5 minutos. Pásalos por un colador fino (por tandas, si es preciso) y desecha los sólidos. Deberías obtener más o menos 420 ml (1 ¾ tazas); si tienes menos, añade agua.

4. Lleva a ebullición el jugo de arándanos, 50 g (¼ de taza) de azúcar, las ralladuras de cítricos, la sal, la canela, el clavo y los arándanos restantes, removiendo de vez en cuando. Reduce el fuego y sigue cociendo, hasta que los arándanos estén blandos pero no se abran (3 min).

5. Mientras, mezcla la maicena, el zumo de naranja y los 60 ml (¼ de taza) restantes de agua en un cuenco; agrégia a la mezcla de arándanos. Lleva a ebullición, y cuece, removiendo sin cesar. hasta que esté translúcido, 1 minuto. Reparte entre las bases. Refrigera hasta que cuaje, de 1 hora a un 1 día.

6. Bate las claras y el azúcar restante en un cuenco resistente al fuego situado encima (no dentro) de una olla de agua hirviendo, hasta que el azúcar se disuelva y esté caliente al tacto. Con una batidora, bate a velocidad media hasta que esté espumoso. Aumenta la velocidad. Añade el cremor tártaro y bate hasta formar picos medios y brillantes. Reparte el merengue entre las tartas.

7. Dora ligeramente los picos de merengue con un soplete de cocina. Otra opción es precalentar el asador y colocar los pastelitos bajo el asador 30 segundos, máximo 1 minuto; vigílalo bien para que el merengue no se queme. Sírvelas de inmediato.

Tartaletas de chocolate y caramelo al oporto

El chocolate y el caramelo se ven realzados por el vino de Oporto, la almendra Marcona y la flor de sal, en estas suculentas tartas en miniatura, tan deliciosamente untuosas como trufas. La gran cantidad de esta receta la hace perfecta para fiestas; pero suelen desaparecer con suma rapidez.

40 UNIDADES

PARA LA BASE

300 g (2 ½ tazas) de harina normal, y un poco más para espolvorear

50 g (½ taza) de cacao holandés en polvo sin azúcar

100 g (½ taza) de azúcar

¾ de cdta de flor de sal, u otra sal marina

115 g (½ taza) de mantequilla fría, cortada a trocitos

3 huevos grandes, ligeramente batidos

PARA EL RELLENO

200 g (1 taza) de azúcar

120 ml (½ taza) de agua

120 ml (½ taza) de nata para montar

3 cdas de vino de Oporto, ruby o tawny

30 g de mantequilla fría, cortada a trocitos

28 g de chocolate negro (mejor 70% de cacao) picado fino

140 g (1 taza) de almendras Marconas saladas (o almendras blanqueadas, tostadas y saladas) picadas finas

Flor de sal, u otra sal marina, para espolvorear

1. Prepara la base: Procesa la harina, el cacao, el azúcar y la flor de sal en un procesador de alimentos hasta mezclarlo. Añade la mantequilla y sigue procesando hasta que la mezcla parezca harina gruesa. Añade los huevos y procesa hasta que la masa se una. Moldea la masa en forma de disco. Envuélvela en film. Refrigera hasta que esté firme, alrededor de 1 h.

2. Sobre una superficie ligeramente enharinada, estira la masa hasta alcanzar 3 mm de grosor. Con un cortador de galletas redondo de 7 cm, corta 10 círculos de masa. Traslada la masa restante a una bandeja de horno espolvoreada y refrigérala. Ajusta los círculos de masa a 10 moldes redondos de tartaleta (de 6 cm de diámetro). Recorta la masa y nivélala con el borde. Refrigera los restos de masa. Refrigera o congela las bases hasta que estén firmes, unos 30 minutos.

3. Precalienta el horno a 180 °C. Pincha la superficie de las bases con un tenedor. Hornea hasta que estén firmes, unos 12 minutos. Déjalas enfriar por completo en los moldes sobre una rejilla. Desmolda.

4. Trabajando en tandas de 10 y con la masa restante (vuelve a extender los restos), repite los pasos 2 y 3 para hacer 40 bases en total.

5. Prepara el relleno: Mezcla el azúcar y el agua en una olla pequeña a fuego medio/alto, removiendo suavemente de vez en cuando, hasta que el azúcar se disuelva. Sigue cociendo, sin remover, hasta que hierva, limpiando de vez en cuando las paredes de la olla con un pincel de repostería mojado para evitar la formación de cristales. Déjalo hervir, revolviendo de vez en cuando, hasta que se vuelva ámbar oscuro. Retíralo del fuego.

6. Incorpora con cuidado la nata y el oporto (el caramelo humeará y salpicará). Añade la mantequilla y el chocolate y remueve hasta que se funda y esté homogéneo. Deja enfriar hasta que haya espesado un poco pero que aún se pueda verter, unos 20 minutos.

7. Cubre las bases de tartaleta con almendras picadas (más o menos 1 cucharadita por base). Vierte el relleno en las bases, casi hasta arriba. Espolvorea con almendras y flor de sal. Refrigera hasta que estén listos para servir, 3 horas o máximo 1 día.

Pastelillos de fresa y ruibarbo

Estos pastelillos serán muy bien recibidos en reuniones familiares, fiestas de graduación y demás eventos veraniegos. Hornear los pastelillos de celosía en moldes de mini muffins permite elaborar grandes cantidades con facilidad. Si quieres servirlos con helado, usa un vaciador de fruta para formar bolas de helado diminutas. PARA 2 DOCENAS

PARA LA BASE

360 g (3 tazas) de harina normal, y un poco más para espolvorear

3 cdas de azúcar granulado

1 cdta de sal

47 g (¼ de taza) más 1 cda de manteca vegetal sólida fría

172 g (¾ de taza) de mantequilla fría, cortada a trocitos

60 ml (¼ de taza) más 2 cdas de agua helada

Espray de aceite vegetal para cocinar

2 huevos grandes, para el barniz de huevo

Azúcar perla fino, para espolvorear

PARA EL RELLENO

340 g (unas 2 tazas) de fresas frescas, limpias y cortadas a daditos pequeños

5 tallos de ruibarbo, recortado y cortado a daditos pequeños

1 cda de ralladura de naranja fina más 60 ml (¼ de taza) de zumo de naranja recién exprimido

60 ml (¼ de taza) más 1 cda de licor de naranja, como Grand Marnier

300 g (1 ½ tazas) de azúcar granulado

1. Prepara la base: En un procesador de alimentos, procesa la harina, el azúcar granulado, la sal, la manteca vegetal y la mantequilla hasta que la mezcla parezca harina gruesa, de 8 a 10 segundos. Agrega agua helada, en tandas de 1 cucharada; procesa hasta que la masa empiece a unirse. Divide la masa por la mitad y aplánala formando 2 discos. Envuélvelos en film transparente y refrigéralos de 1 hora a 1 día.

2. Prepara el relleno: Mezcla en un cuenco las fresas, el ruibarbo, la ralladura y el zumo, el licor y el azúcar granulado.

3. Precalienta el horno a 180 °C. Rocía 2 moldes de mini muffins con espray para cocinar. Sobre una superficie ligeramente enharinada, estira la masa hasta alcanzar 3 mm de grosor. Corta 24 círculos con un cortador redondo de 9 cm y presiónalos en los huecos. Vuelve a extender los restos de masa y corta con una rueda de repostería veintiocho tiras de celosía de 6 mm. Refrigera o congela las bases hasta que estén firmes, unos 30 minutos.

4. Escurre la mezcla de fruta y desecha el líquido; pon 2 cucharadas en cada base. Bate ligeramente los huevos y pincela el borde de cada base con el barniz de huevo. En cada fila de tartaletas coloca 2 tiras de masa a lo largo del molde de muffins. Coloca 2 tiras más transversalmente, formando una celosía sobre las tartaletas. Pincela con el barniz de huevo. Usa un cortador redondo de 6 cm para cortar la masa sobrante. Espolvorea con azúcar perla. Refrigera o congela hasta que esté firme, unos 30 minutos. Coloca los moldes sobre bandejas de horno. Hornea hasta que estén dorados, 60-70 minutos.

5. Despega suavemente los bordes de los pastelillos con un palillo y retíralos de los moldes cuando aún estén calientes; si esperas a que se enfríen, los jugos de la fruta podrían endurecerse y pegarlos al molde. Traslada los pastelillos a una rejilla y déjalos enfriar por completo. Sírvelos a temperatura ambiente. Los pastelillos pueden guardarse a temperatura ambiente máximo 1 día.

Tartaletas de amapola con curd de limón

Cada uno de estos diminutos bocados para el té lleva una base de masa salpicada de semillas de amapola, un suculento curd de limón, una rodaja de limón confitado y una roseta de nata montada espolvoreada con más semillas de amapola. La verdad es que hacerlos lleva más tiempo que elaborar un postre más grande, pero la mayoría de sus componentes se pueden preparar con antelación (las bases y el limón confitado aguantarán casi una semana). No tienes más que rellenar y cubrir las tartaletas antes de servir; usa una manga pastelera con boquilla de estrella para distribuir la crema con rapidez. PARA 2 DOCENAS

Harina normal, para espolvorear

Masa dulce para tarta, variante de semillas de amapola (página 333)

2 recetas de curd de limón (página 339)

120 ml (⅔ de taza) de nata para montar

2 cdas de azúcar glas

½ cdta de extracto de vainilla puro

Rodajas de limón confitadas (página 339)

Semillas de amapola, para decorar

1. Precalienta el horno a 190 °C. Sobre una superficie ligeramente enharinada, estira la masa hasta alcanzar 3 mm de grosor. Con un cortador de galletas redondo de 10 cm, corta 24 círculos. Ajusta los círculos de masa en moldes de tartaleta de 9 cm. Pincha la superficie de las bases con un tenedor. Refrigera o congela hasta que estén firmes, unos 30 minutos. Coloca un segundo molde de tartaleta del mismo tamaño encima y presiónalos ligeramente. También puedes forrar la masa con papel de hornear y llenarlo con pesos o legumbres secas.

2. Hornea las bases de 8 a 10 minutos; cuando los bordes empiecen a dorarse, retira el molde superior y sigue horneando hasta que la base esté seca y bien dorada, 4-6 minutos más. Colócalas sobre una rejilla para que se enfríen por completo. Desmolda. Las bases de tartaleta pueden guardarse en un recipiente hermético a temperatura ambiente máximo 3 días.

3. Vierte unas 2 cucharadas de curd en el centro de cada base.

4. Poco antes de servir, con la batidora eléctrica a velocidad media, bate la nata, el azúcar glas y la vainilla hasta formar picos blandos, unos 4 minutos. Ajusta una bolsa de manga pastelera con una boquilla de estrella de unos 5 mm (n.° 35) y llénala con la nata montada.

5. Escurre el limón confitado del almíbar y retira las semillas. Coloca 1 rodaja de limón encima de cada tartaleta y corónala con una roseta de nata montada. Espolvoréalas con semillas de amapola y sírvelas.

Pastelitos de albaricoque

Las mitades de albaricoque se cuecen con piel de limón, vainas de cardamomo abiertas, rodajas de jengibre fresco y semillas de vainilla para formar el sabroso relleno de estos pequeños pasteles a rayas. Puedes usar ciruelas o melocotones en lugar de albaricoques; puede que necesites cortar círculos de masa más grandes en función del tamaño de la fruta. Procura mantener la fruta sumergida en el líquido de cocción, o se pondrá marrón. PARA 1 DOCENA

480 ml (2 tazas) de agua

150 g (¾ de taza) de azúcar granulado

2 tiras (de 4 cm de longitud) de piel de limón fresca, sin la parte blanca

1 trozo (más o menos 1 cm) de jengibre fresco, pelado

4 vainas de cardamomo abiertas

½ vaina de vainilla, cortada longitudinalmente y raspadas las semillas

6 albaricoques pequeños y en su punto (340 g), partidos por la mitad y deshuesados

Harina normal, para espolvorear

Pasta brisa (página 322)

2 cdas de agua helada

Azúcar perla fino, para espolvorear

1. Lleva a ebullición el agua, el azúcar granulado, la piel de limón, el jengibre, el cardamomo y las semillas de la vainilla en una olla. Cuece hasta disolver el azúcar; reduce el fuego y hierve a fuego lento, sin cubrir, hasta que el líquido espese un poco, unos 10 minutos.

2. Agrega los albaricoques a la olla. Moja un paño de muselina de doble espesor con agua fría y cubre los albaricoques, de modo que la fruta quede cubierta por la tela y sumergida en el líquido. También puedes cortar un círculo de papel de hornear a la medida de la olla y cubrir la fruta. Sigue cociendo hasta que los albaricoques se ablanden, de 2 a 4 minutos, en función de su madurez. Retíralo del fuego y déjalo enfriar por completo. Úsalos de inmediato, o guarda los albaricoques y el líquido de cocción en un recipiente. Asegúrate de que los albaricoques estén totalmente sumergidos en el líquido en todo momento. Refrigéralos hasta el momento de usar, máximo 4 días.

3. Sobre una superficie ligeramente enharinada, estira 1 disco de masa formando un círculo grande de unos 3 mm de grosor. Corta doce círculos de 7 cm. Pasa los círculos a bandejas de horno con borde forradas de papel de hornear y refrigéralos o congélalos hasta que estén firmes, unos 30 minutos. Repite el proceso con la masa restante, usando un cortador de galletas de 10 cm para hacer 12 círculos más; no los refrigeres.

4. Seca las mitades de albaricoque en almíbar con papel de cocina para eliminar el exceso de líquido. Coloca 1 en el centro de cada círculo de 7 cm refrigerado. Pincela con agua helada los bordes de la masa y cubre cada uno con uno de los círculos de 10 cm no refrigerados. Presiona suavemente los bordes para unirlos. Refrigera unos 30 minutos.

5. Precalienta el horno a 220 °C. Con un cuchillo de mondar, corta la superficie de cada pastelito formando rayas cruzadas. Pincela con agua y espolvorea generosamente con azúcar perla. Hornea 15 minutos. Reduce a 180 °C. Sigue horneando hasta que la masa esté bien dorada, 15-10 minutos más. Traslada los pasteles a una rejilla para que se enfríen un poco antes de servir. O bien déjalos enfriar por completo y guárdalos en un recipiente hermético a temperatura ambiente máximo 4 días.

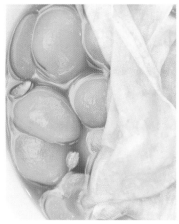

PREPARAR ALBARICOQUES EN ALMÍBAR

Tartaletas de limón con merengue

Estos dulces etéreos y ligeros como el aire se elaboran con unas galletas finas tipo teja que se disponen sobre pequeños moldes de brioche invertidos mientras aún están calientes. Una vez fría, cada base ondulada se rellena de un curd aterciopelado y se corona con espirales de merengue. Necesitarás una lámina de silicona antiadherente para los moldes.

UNAS 20 UNIDADES

60 g de mantequilla, fundida

67 g (⅔ de taza) de azúcar glas, tamizado

5 claras de huevo grandes a temperatura ambiente

60 g (½ taza) de harina normal tamizada

½ cdta de extracto de vainilla puro

100 g (½ de taza) de azúcar granulado

Curd de limón (página 339)

1. Precalienta el horno a 170 °C. Con una batidora eléctrica a velocidad media/alta, bate la mantequilla y el azúcar glas hasta formar una mezcla blanquecina y esponjosa. Incorpora 2 claras de huevo, de una en una. Incorpora la harina y la vainilla.

2. Vierte 1 cucharadita rasa de masa sobre una bandeja de horno con borde cubierta con una lámina de silicona para horno antiadherente. Con el dorso de una cuchara, extiéndela formando un círculo de 7 cm. Repítelo 3 veces. Hornea hasta que se dore, 10-12 minutos. Coloca inmediatamente las galletas sobre moldes pequeños de brioche invertidos, de una en una, presionando suavemente para darles forma. Déjalas reposar unos 30 segundos. Repite el proceso con la masa restante, horneando 4 cada vez. Si las galletas se enfrían demasiado para moldearse, devuélvelas al horno 20 segundos. Las bases se pueden guardar en un recipiente hermético a temperatura ambiente hasta 3 días. Reduce a 90 °C.

3. En el cuenco de una batidora eléctrica con base encima (no dentro) de una olla con agua hirviendo, bate las 3 claras de huevo restantes y el azúcar granulado hasta que las claras estén calientes al tacto y el azúcar se haya disuelto. Coloca el cuenco en la batidora de base y bate a velocidad media hasta que estén espumosas, luego sube a velocidad alta hasta formar picos firmes y el merengue esté frío, unos 10 minutos. Introdúcelo en una bolsa para manga pastelera con una boquilla de estrella de 1 cm (como Ateco n.º 825). Haz veinte espirales de 3 cm de diámetro y 5 cm de alto sobre unas bandejas de horno forradas de papel de hornear, dejando un espacio de 2,5 cm entre cada una. Hornea 20 minutos. Reduce a 65 °C. Hornea hasta que estén secas, pero no doradas, unas 2 horas más. Pásalas a una rejilla y déjalas enfriar por completo. Las espirales de merengue se pueden guardar en un recipiente hermético a temperatura ambiente máximo 3 días.

4. Para servir, vierte 2 cucharadas de curd de limón en cada base. Corona cada tartaleta con una espiral de merengue.

FORMAR MOLDES DE TEJA

Tartaletas de arándanos y almendras

Martha creó esta receta para un picnic en barco en Maine. Las tartaletas van rellenas de arándanos, tanto frescos como en conserva. La almendra aromatiza la consistente base y la masa de relleno tipo pastel. Utiliza arándanos silvestres si puedes, o si no, los arándanos cultivados servirán: cuanto más pequeños, mejor. PARA 1 DOCENA

PARA LA BASE

46 g (⅓ de taza) de almendras blanqueadas

180 g (1 ½ tazas) de harina normal, y un poco más para espolvorear

1 cda de azúcar

½ cdta de sal

115 g (½ taza) de mantequilla fría, cortada a trocitos

1 yema de huevo grande

1-2 cdas de agua helada

PARA EL RELLENO

2 huevos grandes

100 g (½ taza) de azúcar, y un poco más para espolvorear

30 g (¼ de taza) de harina normal

3 cdas de almendras blanqueadas, tostadas (véase pág. 343) y picadas finas, más 23 g (¼ de taza) de almendras blanqueadas fileteadas, para la cobertura

¼ de cdta de sal

80 g (¼ de taza) más 2 cdas de mermelada de arándanos

85 g (½ taza) de arándanos frescos pequeños, preferiblemente silvestres

1. Prepara la base: Procesa las avellanas en un procesador de alimentos hasta picarlas finas. Añade la harina, el azúcar y la sal; procesa todo para unirlo. Añade la mantequilla y procesa hasta que la mezcla parezca harina gruesa. Añade la yema y 1 cucharada de agua helada; procesa hasta que la masa empiece a unirse; añade hasta 1 cucharada más de agua helada, si es preciso. Moldea la masa en forma de disco y envuélvelo en film transparente. Refrigera hasta que esté firme, 1 hora o máximo 3 días. La masa se puede congelar máximo 1 mes; descongélala en la nevera antes de usarla.

2. Precalienta el horno a 190 °C. Sobre una superficie ligeramente enharinada, estira la masa hasta alcanzar 3 mm de grosor. Corta doce círculos de 11 cm. Vuelve a extender los restos de masa si es preciso. Forra 12 moldes de tartaleta de 7 u 8 cm con la masa, presionándola en las bases y las paredes; recorta la masa sobrante nivelando los bordes. Divide las bases entre las 2 bandejas de horno con borde. Pincha la superficie de las bases con un tenedor. Refrigera o congela hasta que estén firmes, unos 30 minutos.

3. Forra las bases con papel de hornear. Cúbrelas con pesos o legumbres secas. Hornea hasta que estén ligeramente doradas, de 20 a 22 minutos. Retira los pesos y el papel de hornear. Pásalas a unas rejillas para que se enfríen.

4. Prepara el relleno: Con una batidora eléctrica a velocidad media, bate los huevos y el azúcar hasta obtener una mezcla blanquecina y espesa, unos 5 minutos. Con la ayuda de una espátula flexible, incorpora con movimientos envolventes la harina, las almendras molidas y la sal.

5. Extiende con una espátula acodada más o menos 1 ½ cucharaditas de mermelada en cada base. Cúbrelas con los arándanos, repartiéndolos equitativamente. Cubre la fruta de cada tartaleta con 2 cucharadas de masa. Espolvorea la masa con azúcar y almendras fileteadas. Hornea hasta que la superficie suba y se dore, 18-20 minutos. Pásalas a una rejilla para que se enfríen por completo. Las tartaletas se pueden guardar en recipientes herméticos a temperatura ambiente máximo 1 día.

Tartaletas de coquitos

Tan deliciosos y fáciles de hacer como las galletas, los coquitos forman una base etérea si se presiona y se hornea en moldes de tartaleta. Aguantarán varios días, y son muy versátiles. Estas se rellenan de nata montada a la vainilla y jengibre confitado, pero la fruta fresca, como el curd de cítricos y la ganache de chocolate, son también excelentes opciones. PARA 1 DOCENA

PARA LA BASE

112 g (1 ½ tazas) de coco rallado
    sin azúcar

2 claras de huevo grandes

50 g (¼ de taza) de azúcar

PARA EL RELLENO

240 ml (1 taza) de nata para montar

1 vaina de vainilla, cortada
    longitudinalmente

2 cdas de jengibre cristalizado,
    picado fino

1. Prepara la base: Precalienta el horno a 180 °C. En un cuenco grande, mezcla el coco, las claras de huevo y el azúcar hasta que la mezcla se mantenga unida al presionarla.

1. Con 1 cucharada colmada de la mezcla de coco, forma una bola. Presiona la bola sobre un molde de brioche o tartaleta (o de mini muffin) de 5 cm, marcando una huella con el pulgar en el centro y presionando hacia fuera para que la mezcla forme una base de 6 mm de grosor. Repite el proceso con el resto de la mezcla de coco. Coloca los moldes sobre la bandeja de horno con borde.

3. Hornea las bases hasta que estén bien doradas, unos 25 minutos. Reserva las bases hasta que estén lo bastante frías como para manejarlas. Desmolda las bases sobre una rejilla para que se enfríen por completo.

4. Prepara el relleno: Vierte la nata en un cuenco mezclador refrigerado. Raspa las semillas de vainilla e incorpóralas a la nata; reserva la vaina para otro uso. Bate hasta formar picos blandos. Llena cada base con nata montada y decora con el jengibre cristalizado antes de servir.

RELLENAR Y CUBRIR TARTALETAS

Mini tartaletas de mermelada

Déjate guiar por tu imaginación para elaborar estas pequeñas tartas; darle a cada una un aspecto singular aumenta su atractivo y crea una tentadora imagen, pero siempre puedes repetir tus motivos favoritos. Utiliza cortadores para áspic (disponibles en tiendas de repostería) o cortadores de galleta pequeños para crear los diseños, o bien corta tiras de masa para formar celosías en miniatura. Puede que también quieras variar el sabor (y el color) de la mermelada de relleno. *16 UNIDADES*

PARA LA MASA

210 g (1 ¾ tazas) de harina normal, y un poco más para espolvorear

2 cdas de azúcar

¼ de cdta de sal

¾ de cdta de canela molida

172 g (¾ de taza) de mantequilla fría, cortada a trocitos

2 yemas de huevo grandes

2 cdas de agua helada

1 cda de nata montada, para el barniz de huevo

PARA EL RELLENO

325 g (1 taza) de mermelada de buena calidad, de diferentes sabores

1. Prepara la masa: en un procesador de alimentos, mezcla la harina, el azúcar, la sal y la canela. Añade la mantequilla y sigue procesando hasta que la mezcla parezca harina gruesa.

2. Mezcla 1 yema de huevo con el agua y rocíala uniformemente sobre la mezcla de harina. Procesa solo hasta que la masa empiece a unirse. Presiona la masa formando un disco y envuélvelo en film transparente. Refrigera hasta que esté firme, 1 hora o máximo 1 día.

3. Precalienta el horno a 190 °C. En una superficie ligeramente enharinada, estira la masa hasta un grosor de 6 mm. Recorta formas redondas o cuadradas y presiónalas en moldes de tartaleta de 5 a 7 cm. Recorta la masa sobrante nivelando los bordes; rellena cada base con 1 ½ o 2 cucharaditas de mermelada y decora las superficies con siluetas o tiras finas de masa. Las tartaletas montadas se pueden refrigerar algunas horas.

4. Mezcla la yema de huevo restante con la nata y pincela ligeramente la masa. Hornea hasta que la masa esté bien dorada, 20-15 minutos. Desmolda las tartaletas y déjalas enfriar por completo sobre una rejilla.

Pastelitos de frutas del bosque

Estos pastelitos causan sensación entre los niños por su riquísimo sabor; los padres atareados y otros cocineros caseros agradecerán lo fácil que resulta hornearlos por docenas. Una vez cortada la masa en círculos y presionada sobre moldes de mini muffins,
se rellenan con una mezcla de bayas que adquiere una maravillosa consistencia de mermelada durante el horneado. Corónalos con una gotita de nata montada. PARA 2 DOCENAS

PARA LA BASE

120 g (1 taza) más 2 cdas de harina normal, y un poco más para espolvorear

25 g (¼ de taza) de azúcar glas

Una pizca de sal

90 g de mantequilla fría, cortada a trocitos

2-3 cdas de agua helada

PARA EL RELLENO

50 g (¼ de taza) de azúcar granulado

1 cda de maicena

1 cda de ralladura de limón fina más 1 cda de zumo de limón recién exprimido

Una pizca de sal

300 g (2 tazas) de bayas frescas variadas, como moras, arándanos y frambuesas, y fresas limpias y cortadas en rodajas

PARA LA COBERTURA

Nata montada, para acompañar (página 340)

1. Prepara la base: Procesa la harina, el azúcar glas y la sal en un procesador de alimentos hasta mezclarlos. Añade la mantequilla y sigue procesando hasta que la mezcla parezca harina gruesa. Agrega el agua helada, en tandas de 1 cucharada, y procesa hasta que la masa empiece a unirse. Moldéala en forma de disco. Envuélvela en film transparente; refrigérala hasta que esté firme, de 1 hora a 1 día.

2. Corta la masa en 24 trozos; sobre una superficie ligeramente enharinada, aplana cada trozo formando un círculo de 7 cm. Presiona un círculo en la base y las paredes de cada dos huecos de un molde antiadherente para 12 mini muffins. Refrigera o congela hasta que esté firme, unos 30 minutos.

3. Precalienta el horno a 200 °C. Elabora el relleno: mezcla el azúcar granulado, la maicena, la ralladura, el zumo y la sal en un cuenco mediano. Agrega las bayas y revuelve suavemente para cubrirlas.

4. Llena las bases con la mezcla de bayas, repartiéndolas bien. Hornea hasta que las bases estén bien doradas y el relleno burbujee, unos 25 minutos. Déjalas enfriar un poco en los moldes, unos 10 minutos. Desliza un cuchillo alrededor de las tartaletas y retíralas de los moldes. Déjalas enfriar por completo sobre una rejilla. Cúbrelas con nata montada y sírvelas enseguida.

Tartaletas de zanahoria especiada

Aquí las zanahorias aportan un inesperado sabor a estas tartaletas individuales con una sorpresa añadida: las bases de masa van recubiertas de galletas de jengibre molidas. 8 UNIDADES

50 g (½ taza) de galletas de jengibre molidas finas

½ receta de pasta brisa (página 322)

6 vainas de cardamomo verde

30 g de mantequilla

120 ml (½ taza) de leche

120 ml (½ taza) de nata para montar

1 cdta de jengibre fresco pelado y rallado fino

5 zanahorias (340 g), peladas y cortadas en rodajas de 6 mm (de 2 ½ a 3 tazas)

200 g (1 taza) de azúcar

⅛ de cdta de sal gruesa

4 huevos grandes, ligeramente batidos

Nata montada, para acompañar (sin azúcar, página 340)

Cardamomo molido, para espolvorear

1. Espolvorea las galletas molidas sobre una superficie formando un círculo de unos 46 cm de diámetro. Estira la masa encima a un grosor de 3 mm, girándola de vez en cuando para cubrir ambos lados con migas de galleta.

2. Corta ocho círculos de masa de 13 cm. Presiona los círculos en moldes de tartaleta de 10 cm; recorta la masa sobrante y nivélala con los bordes. Pincha la superficie de las bases. Refrigera o congela hasta que esté firme (30 min).

3. Precalienta el horno a 190 °C. Forra cada base con papel de hornear y cúbrelo con pesos o legumbres secas. Hornea hasta que estén doradas, unos 30 minutos. Trasládalas a una rejilla. Retira los pesos y el papel de hornear. Déjalas enfriar por completo.

4. Machaca las vainas de cardamomo con el lado plano de un cuchillo grande para abrirlas. Funde 1 cucharada de mantequilla en una olla pequeña a fuego medio y añade el cardamomo machacado. Cuece hasta que esté fragante, unos 3 minutos. Añade la leche, la nata y el jengibre; llévalo a ebullición, removiendo para unirlo. Cuece 15 minutos a fuego medio/bajo, removiendo de vez en cuando. Retíralo del fuego y déjalo en infusión 30 minutos.

5. Funde los 15 g de mantequilla restante en una sartén grande a fuego medio. Añade las zanahorias y cuécelas, removiendo de vez en cuando, 2 minutos. Incorpora el azúcar y la sal. Cubre la sartén; cuece hasta que las zanahorias estén tiernas, unos 8 minutos. Vierte la mezcla de leche infusionada a través de un colador fino sobre la sartén con las zanahorias y descarta los sólidos. Retíralo del fuego; déjalo enfriar un poco, unos 5 minutos. Tritura la mezcla de zanahoria en un procesador de alimentos hasta que esté totalmente homogénea y pásala a un cuenco.

6. Templa los huevos batidos batiendo con ellos hasta 112 g (¾ de taza) de la mezcla de zanahoria, en tandas de 40 g (¼ de taza), hasta que los huevos estén calientes al tacto. Vierte la mezcla de huevo calentada sobre el resto de la mezcla de zanahoria; bate hasta que esté bien mezclado. Déjalo enfriar.

7. Coloca las bases sobre una bandeja de horno grande con borde. Divide equitativamente el relleno entre las bases. Hornea hasta que al insertar un probador de pasteles en los centros, este salga limpio, 30-35 minutos. Sirve las tartaletas calientes con un poco de nata montada y espolvoreadas ligeramente con el cardamomo molido.

Tartaletas de caqui con crema de caramelo

El secreto de la textura sedosa y el penetrante sabor a caramelo de este relleno es la leche condensada azucarada, llevada lentamente a ebullición hasta que se vuelve espesa y dorada, para luego integrarla en una mezcla de queso crema y *crème fraîche*. La masa especiada y dulce de galletas de harina Graham incorpora jengibre, canela y pimienta negra molidas; unas rodajas de caqui adornan la superficie. PARA 1 DOCENA

2 latas (de 400 g cada una) de leche condensada azucarada

1 caja (unos 450 g) de galletas de harina Graham

¼ de cdta de jengibre molido

½ cdta de canela molida

¼ de cdta de sal

¼ de cdta de pimienta negra recién molida

230 g (1 taza) más 60 g de mantequilla, fundida

225 g de queso crema a temperatura ambiente

360 ml (1 ½ tazas) de *crème fraîche*

1 cdta de extracto de vainilla puro

3 caquis maduros tipo Fuyu, en rodajas de 6 mm de grosor

1. Cuece la leche condensada en una olla pequeña a fuego bajo, removiendo constantemente, hasta que espese y se dore un poco, unos 30 minutos: deberías obtener unos 530 g (1 ¾ tazas). Deja enfriar un poco.

2. Mientras tanto, precalienta el horno a 180 °C. Procesa las galletas de harina Graham en un procesador de alimentos (por tandas) hasta picarlas finas, unos 2 minutos; pásalas a un cuenco mediano. Añade el jengibre, la canela, la sal y la pimienta; mézclalo bien. Incorpora la mantequilla. Presiona con firmeza 4-5 cucharadas poco compactas de la mezcla de galletas sobre la base y las paredes de cada uno de los doce moldes para tarta de 10 cm con bases desmontables. Coloca los moldes sobre bandejas de horno con borde y hornéalos hasta que cuajen, unos 10 minutos. Pásalos a una rejilla para que se enfríen por completo. Las bases se pueden guardar en recipientes herméticos a temperatura ambiente hasta 2 días.

3. Con una batidora eléctrica a velocidad media/alta, bate el queso crema hasta que esté esponjoso. Reduce a velocidad media. Añade la *crème fraîche*, la leche condensada reducida y la vainilla. Bate hasta que esté homogéneo.

4. Llena las bases enfriadas con el relleno y refrigéralas hasta que cuaje, 2 horas o máximo 1 día. Coloca una rodaja de caqui encima de cada una. Desmóldalas antes de servir.

Tartaletas de moras con nata

Con bordes festoneados de masa y un relleno cremoso y moteado de fruta, estas tartaletas son tan bonitas que casi da pena comerlas, pero son demasiado deliciosas como para no hacerlo. El relleno es similar a un postre de cuchara británico llamado *fruit fool*, que consiste en una salsa de fruta (en este caso, mora) mezclada con nata montada; con más salsa y fruta por encima. El licor de flor de saúco, otra especialidad inglesa, aromatiza la nata montada; también puedes omitir el licor de la receta. O puedes usarlo para aromatizar un helado casero para acompañar. 8 UNIDADES

Harina normal, para espolvorear

Pasta brisa (página 322)

450 g (unas 3 tazas) de moras frescas

50 g (¼ de taza) de azúcar

1 cdta de ralladura fina de limón

240 ml (1 taza) de nata para montar

2 cdas de licor de flor de saúco, como St. Germain

1. Sobre una superficie ligeramente enharinada, estira la masa a un grosor de 3 mm; corta ocho círculos de 13 cm y ajústalos en moldes de tartaleta festoneados de 9 cm. Recorta la masa sobrante y nivélala con los bordes. Pincha la superficie de las bases con un tenedor. Refrigera o congela hasta que esté firme, unos 30 minutos.

2. Precalienta el horno a 190 °C. Forra las bases con papel de hornear y llénalas con pesos o legumbres secas. Hornea hasta que estén doradas, de 15 a 20 minutos. Retira los pesos y el papel de hornear; hornea hasta que los fondos de las bases estén bien dorados, unos 5 minutos más. Colócalas sobre una rejilla para que se enfríen por completo.

3. Prepara un baño María inverso. Mezcla las moras, 2 cucharadas de azúcar y la ralladura de limón en una olla a fuego medio. Cuece hasta que las moras liberen el jugo, el azúcar se disuelva y la mezcla empiece a burbujear, unos 8 minutos. Retíralo del fuego y coloca la olla en el baño María inverso para que se enfríe.

4. Introduce la nata, las 2 cucharadas de azúcar restante y el licor de flor de saúco en un cuenco grande refrigerado; bate hasta formar picos blandos. Incorpora mediante movimientos suaves y envolventes 120 ml (½ taza) de la mezcla de moras en su jugo a la nata montada (deja algunas manchas). Rellena las bases de tartaleta con la mezcla; corónala con las moras y el jugo restante, y sírvelas.

FORMAR BASES DE TARTA

Tartaletas de merengue con curd de lima

En la cocina clásica francesa, una base de postre hecha enteramente de merengue se llama *vacherin*, por su similitud con un famoso queso del mismo nombre; y suele alternar capas de nata montada y fruta. Aquí, las bases de merengue a pequeña escala están rellenas de curd de lima, cuyo brillante color provoca un atractivo contraste con la base blanca y crujiente. 16 UNIDADES

4 yemas de huevo grandes más 2 huevos enteros grandes

150 g (¾ de taza) de azúcar

La ralladura fina de 2 limas más 120 ml (½ taza) de zumo de lima recién exprimido (de unas 4 limas)

60 g de mantequilla, cortada a trocitos

Merengue suizo (receta a continuación)

1. Bate las yemas y los huevos enteros. Mezcla el azúcar y el zumo de lima en una olla pequeña. Cuece a fuego medio/bajo, removiendo constantemente, 8-10 minutos, o hasta que la mezcla espese lo bastante como para cubrir el dorso de una cuchara.

2. Remueve para que se enfríe un poco. Cuélalo en un cuenco pequeño; añade la mantequilla a trozos, de uno en uno, removiendo hasta que esté homogéneo. Incorpora la ralladura y deja enfriar por completo. Cúbrelo con film transparente y refrigéralo hasta que se enfríe, de 30 minutos a 2 días.

3. Precalienta el horno a 90 °C. Dibuja con un lápiz dieciséis círculos de 5 cm en papel de hornear;

coloca el papel con el dibujo hacia abajo, sobre una bandeja de horno con borde de 30x46 cm.

4. Ajusta una bolsa de manga pastelera con una boquilla normal de 3 mm (n.° 12) y llénala de merengue; distribuye el merengue, empezando por el centro de cada círculo y moviéndolo en espiral hacia el borde del círculo. Crea una pared de picos de merengue de 2 cm de altura colocando el merengue a lo largo del exterior del círculo y usando la misma boquilla para crear picos suaves, o bien cambia la boquilla para crear un borde más decorativo.

5. Hornea 20 minutos. Reduce el fuego a 65 °C y hornea hasta que el merengue esté seco y crujiente, pero aún blanco, de 40 minutos a 1 hora más. Déjalo enfriar por completo sobre la bandeja. Las bases se pueden guardar en un recipiente hermético a temperatura ambiente varias semanas, siempre que el tiempo sea seco.

6. Rellena las bases de merengue frías con el curd de lima refrigerado y sírvelas de inmediato.

MERENGUE SUIZO

El mejor merengue para crear formas y hornearlas hasta que estén crujientes. Se puede guardar a temperatura ambiente y volverse a batir, si es necesario. Para 1 l (4 tazas)

4 claras de huevo grandes a temperatura ambiente

200 g (1 taza) de azúcar

Una pizca de cremor tártaro

½ cdta de extracto de vainilla puro

1. Llena un cuarto de olla mediana con agua y lleva a ebullición.

2. Mezcla las claras de huevo, el azúcar y el cremor tártaro en un cuenco resistente al fuego de una batidora eléctrica con base y colócalo encima (no dentro) de la olla. Bate sin cesar hasta que el azúcar se disuelva y las claras estén calientes al tacto, de 3 a 3½ minutos. Prueba a frotarlo entre los dedos: debe estar suave, no granuloso.

3. Con una batidora, bate la mezcla, empezando a baja velocidad, aumentándola gradualmente hasta formar picos firmes y brillantes (10 min). Añade la vainilla y mezcla solo hasta unirla. Úsalo de inmediato.

Tartaletas de higos al horno

Estas originales tartaletas son fáciles de preparar si preparas cada elemento con antelación. Los higos frescos los puedes asar y luego refrigerarlos en su aromático almíbar de cocción hasta una semana. El relleno de nata se puede hacer un día antes y guardarlo en la nevera; las bases de masa festoneada también pueden hornearse el día antes y guardarse toda la noche a temperatura ambiente. 8 UNIDADES

170 g de queso crema a temperatura ambiente

180 ml (¾ de taza) de *crème fraîche*

3 cdas de azúcar glas

240 ml (1 taza) de vino de Oporto ruby

3 semillas de anís estrellado

3 ramas de canela

1 cda de granos de pimienta enteros

2 tiras de piel de naranja (de 7 cm de largo y 2,5 cm de ancho), más rizos de ralladura para decorar

50 g (¼ de taza) de azúcar granulado

1 cda de miel

2 vainas de vainilla cortadas longitudinalmente

680 g de higos frescos variedad Black Mission (unos 24), cortados longitudinalmente

Harina normal, para espolvorear

½ receta de masa dulce (página 333)

1. Con una batidora eléctrica, bate el queso crema hasta que esté esponjoso. Agrega la *crème fraîche* y el azúcar glas hasta que esté homogéneo. El relleno se puede guardar en la nevera en un recipiente hermético máximo 1 día; llévalo a temperatura ambiente antes de usarlo.

2. Precalienta el horno a 180 °C. Mezcla el oporto, el anís estrellado, la canela, la pimienta, la ralladura, el azúcar granulado y la miel en un recipiente para asar. Usa la punta de un cuchillo de mondar para raspar las semillas de vainilla sobre la mezcla de oporto, luego añade las vainas. Añade los higos, y gíralos para que se impregnen. Asa los higos, embadurnándolos otra vez, hasta que estén blandos y el líquido parezca almíbar, unos 45 minutos. Déjalo enfriar. Los higos en almíbar se pueden refrigerar en un recipiente hermético máximo 1 semana.

3. Sobre una superficie ligeramente enharinada, estira la masa hasta alcanzar 3 mm de grosor. Corta ocho círculos de 13 cm. Ajusta la masa en moldes de tartaleta de 10 cm y recorta la masa sobrante nivelando los bordes. Pincha la superficie de las bases con un tenedor. Coloca las bases sobre una bandeja de horno con borde; refrigera o congela hasta que estén firmes, unos 30 minutos.

4. Hornea hasta que estén bien doradas, de 12 a 15 minutos. Trasládalas a una rejilla. Déjalas enfriar por completo.

5. Vierte 2 cucharadas del relleno sobre cada base. Corónalas con los higos, y rocíalas con un poco de almíbar. Decora con rizos de ralladura de naranja. Las tartaletas se pueden refrigerar máximo 1 hora. Desmóldalas y sírvelas de inmediato.

artísticas

Cuando ya te sientes a gusto trabajando con la masa, las posibilidades de elaborar coberturas decorativas son prácticamente ilimitadas. En este capítulo encontrarás tiras tejidas como celosías de formas tradicionales o inesperadas, piezas a modo de tejas solapadas, así como lunares y otros estampados formados con trozos de masa. Siguiendo unas cuantas instrucciones muy simples, y acompañadas del mantra triple de paciencia, práctica y refrigeración correcta, tendrás el éxito asegurado. No puedes correr para hacer estas pastas de elaboración artística, pero es muy gratificante crearlas. Así que arremángate, respira hondo, y sobre todo, acuérdate de refrigerar.

TARTA DE MANZANA AL BRANDI CON TECHO DE HOJAS, RECETA PÁGINA 223

Tarta de mermelada de uva negra

Un racimo de uvas recortado sobre la masa de cobertura de esta tarta sugiere la fruta que contiene. Necesitarás una olla no reactiva y un termómetro de dulces para hacer la mermelada. PARA UNA TARTA DE 23 CM

PARA LA MASA

240 g (2 tazas) de harina normal, y un poco más para espolvorear

50 g (¼ de taza) de azúcar granulado

¾ de cdta de sal gruesa

223 g (1 taza) de mantequilla fría, cortada a trocitos de 1 cm

60 ml (¼ de taza) de agua helada

1 huevo grande, ligeramente batido, para el barniz de huevo

Azúcar perla grueso, para espolvorear

PARA EL RELLENO

680 g de uvas negras tipo Concord, sin semillas

3 cdas de zumo de limón recién exprimido

200 g (1 taza) de azúcar granulado

Una pizca de sal

Crème fraîche, para acompañar

CREAR EL DIBUJO CON BOQUILLAS

1. Prepara la masa: procesa la harina, el azúcar granulado y la sal en un procesador de alimentos. Añade la mantequilla y procesa hasta que la mezcla parezca harina gruesa. Rocíalo con el agua helada y procesa hasta que la mezcla justo empiece a unirse. Moldea la masa en forma de 2 discos. Envuélvelos en film transparente y refrigéralos de 1 hora a 1 día.

2. Prepara la mermelada: mezcla las uvas y el zumo de limón en una olla mediana no reactiva a fuego alto. Cuece, removiendo de vez en cuando, hasta que las uvas suelten sus jugos, unos 7 minutos. Pásalo por un colador fino. Deberías obtener aproximadamente 360-480 ml (de 1 ½ a 2 tazas) de zumo. Devuelve el zumo a la olla a fuego alto, incorpora el azúcar granulado y la sal y llévalo a ebullición. Reduce el fuego y déjalo hervir a fuego lento hasta que la temperatura indique 100 °C en un termómetro de dulces, unos 8 minutos. Pasa la mermelada a un cuenco y déjala enfriar, removiendo de vez en cuando. (La mermelada aguantará, cubierta, máximo 2 semanas en la nevera.)

3. Sobre una superficie ligeramente enharinada, estira cada disco de masa a un grosor de 3 mm. Traslada 1 círculo a una bandeja de horno forrada con papel de hornear y ajusta el otro sobre un molde de tarta de 23 cm con base desmontable. Recorta la masa sobrante nivelándola con el borde. Refrigera o congela hasta que esté firme, unos 30 minutos.

4. Usa la base ancha de 2 boquillas de repostería de metal (una de 7 mm y la otra de 2,5 cm de diámetro) y corta grupos de agujeros de masa sobre la bandeja de horno para formar un racimo de uvas. Con un cuchillo de mondar, corta un tallo encima. Congela la masa hasta que esté firme, unos 20 minutos.

5. Precalienta el horno a 190 °C. Extiende 325 g (1 taza) de mermelada de uva sobre la base de la tarta. Reserva la mermelada restante para otro uso. Pincela el borde de masa con el barniz de huevo. Desliza la masa restante encima, colocando el dibujo en el centro. Presiona los bordes para sellarlos, y recorta la masa sobrante. Pincela la superficie con el barniz de huevo y espolvorea con azúcar perla. Refrigera la tarta unos 30 minutos.

6. Traslada la tarta a una bandeja de horno con borde. Hornea 15 minutos, luego golpea suavemente el molde sobre la encimera para eliminar burbujas de aire. Hornea hasta que esté dorada y burbujeante, 15-20 minutos más. Trasládala a una rejilla y déjala enfriar por completo. Desmóldala y pásala a una fuente. Sírvela con *crème fraîche*.

Tarta de pera y arándanos rojos con falsa celosía

El diseño de este pastel imita la celosía. Los recortes se disponen alrededor del borde del molde de la tarta, creando un atractivo marco.

PARA UNA TARTA DE 23 CM

Harina normal, para espolvorear

Pasta brisa (página 322)

4 peras firmes, tipo Bartlett, Bosc, o Anjou (unos 800 g)

450 g (4 ⅓ tazas) de arándanos rojos frescos o congelados (ya descongelados)

120 g (⅔ de taza) de azúcar moreno oscuro compacto

2 cdas de maicena

1 cdta de sal gruesa

30 g de mantequilla fría, cortada a trocitos

1 yema de huevo grande, para el barniz de huevo

1 cda de nata para montar, para el barniz de huevo

160 g (½ taza) de confitura de albaricoque

1. Sobre una superficie enharinada, estira 1 círculo de masa de 33 cm de diámetro y 3 mm de grosor. Reviste con él un molde hondo de 23 cm; recorta nivelando el borde. Refrigera o congela hasta que esté firme (30 min).

2. Sobre un trozo de papel de hornear ligeramente enharinado, estira el disco de masa restante como en el paso 1. Cúbrelo con un molde de 23 cm invertido y presiona un poco para dejar una marca leve. Con un cortador cuadrado de 2,5 cm, corta el disco de masa formando el dibujo, dejando por lo menos 1 cm entre los recortes y el borde del círculo marcado. Traslada los cuadrados a una bandeja con borde forrada de papel de hornear. Para los cuadrados parciales donde la celosía limita con el borde, haz una marca muy leve con el cortador y luego corta la pieza de dentro del círculo con un cuchillo de mondar.

3. Con un cuchillo, corta el círculo dejando 1 cm de margen. Vuelve a extender los restos de masa, corta todos los cuadrados que puedas y pásalos a una bandeja de horno. Pasa el papel de hornear con la cobertura recortada a otra bandeja de horno. Refrigera ambas 30 minutos.

4. Precalienta el horno a 190 °C, con la rejilla en la parte baja. Pela y descorazona las peras. Corta 2 en rodajas longitudinales muy finas y 2 en 8 gajos.

5. Revuelve en un cuenco las peras, los arándanos, el azúcar, la maicena y la sal. Vierte sobre la base y nivélala. Salpícala con mantequilla. Bate la yema y la nata; pincela el borde de la base. Coloca otra bandeja de horno encima de la celosía refrigerada (aún sobre el papel) y dale la vuelta con cuidado. Ponla centrada sobre el relleno y retira el papel. Presiona los bordes para sellarlos; recorta si es preciso.

6. Pincela ligeramente la celosía con barniz de huevo. Coloca los cuadrados de masa sobre el borde de la tarta, ligeramente solapados. Pincela ligeramente la superficie de cada cuadrado con el barniz de huevo a medida que avanzas. Refrigera 15 minutos. Hornea la tarta sobre una bandeja forrada con papel de hornear hasta que la masa esté bien dorada y los jugos burbujeen, unos 90 minutos. Cúbrela con papel de aluminio si la base se dora demasiado rápido. Déjala enfriar sobre una rejilla 5 minutos.

7. Mientras tanto, calienta la mermelada en una olla a fuego medio hasta que esté líquida. Pásala a un cuenco a través de un colador fino. Pincela toda la tarta caliente con el glaseado. Deja enfriar la tarta por completo sobre la rejilla.

CREAR EL DIBUJO DE LA COBERTURA

Tarta de manzana al brandi con techo de hojas

El acabado de tejas que cubre esta tarta de manzana se crea superponiendo las hojas. **PARA UNA TARTA DE 23 CM**

30 g (¼ de taza) de harina normal, y un poco más para espolvorear

1 ½ recetas de pasta brisa (página 322)

1,6 kg de manzanas ácidas y firmes, como Granny Smith, peladas, sin corazón y en láminas de 6 mm

3 cdas de brandi

2 cdtas de extracto de vainilla puro

50 g (¼ de taza) de azúcar granulado

45 g (¼ de taza) de azúcar moreno oscuro compacto

1 cdta de canela molida

¼ de cdta de nuez moscada recién rallada

⅛ de cdta de pimienta de Jamaica

Una pizca de sal

15 g de mantequilla, a trocitos

1 yema de huevo grande, para el barniz de huevo

1 cda de nata para montar, para el barniz de huevo

Azúcar perla fino, para espolvorear

1. Sobre una superficie ligeramente enharinada, estira 1 disco de masa formando un círculo de 33 cm de diámetro y 3 mm de grosor. Ajústalo a un molde de tarta de 23 cm. Recorta la masa sobrante nivelándola con el borde. Refrigera o congela hasta que esté firme, unos 30 minutos.

2. Estira los 2 discos de masa restantes a unos 3 mm de grosor. Colócalos sobre una bandeja de horno forrada con papel de hornear y refrigera o congela hasta que esté firme unos 30 minutos. Con un cortador en forma de hoja de 6 cm, corta unas 65 hojas y colócalas sobre la bandeja en una sola capa. Refrigera hasta que esté firme.

3. Precalienta el horno a 200 °C. En un cuenco grande, revuelve las manzanas con la harina, el brandi, los azúcares, la canela, la nuez moscada, la pimienta de Jamaica y la sal. Llena la base con la mezcla de manzana. Salpica el relleno con mantequilla.

4. Marca las hojas con un cuchillo de mondar para dibujar las venas. Pincela ligeramente el borde de la base con agua. Pincela ligeramente el dorso de cada hoja con agua y empezando por el borde exterior, coloca las hojas formando un anillo ligeramente solapado. Repite el proceso formando otro anillo ligeramente solapado al primero. Sigue adelante hasta que solo quede un pequeño círculo de relleno sin cubrir en el centro.

5. En un cuenco pequeño, bate la yema de huevo y la nata. Pincela con cuidado la superficie de las hojas y el borde de la tarta con el barniz de huevo, y espolvorea generosamente con azúcar perla. Refrigera o congela hasta que esté firme, unos 30 minutos.

6. Coloca la tarta sobre una bandeja de horno forrada con papel de hornear y hornéala hasta que la masa empiece a dorarse, unos 20 minutos. Reduce a 180 °C y sigue horneando hasta que la masa esté bien dorada y los jugos burbujeen, 85 minutos. Traslada la masa a una rejilla para que se enfríe por completo.

COLOCAR LAS HOJAS DE MASA

Crostata de calabaza y Ricotta

En esta tarta de calabaza de sabor italiano, los retales de pastaflora se acomodan holgadamente sobre el relleno para evocar un diseño de celosía sin necesidad de tejer. Los piñones, agrupados de tres en tres, realzan la cuadrícula. PARA UNA CROSTATA DE 25 CM

PARA LA MASA

270 g (2 ¼ tazas) de harina normal, y un poco más para espolvorear

100 g (½ taza) de azúcar

⅛ de cdta de sal

173 g (¾ de taza) más 30 g de mantequilla fría, cortada a trocitos, y un poco más para el molde

1 huevo entero grande, ligeramente batido, más 1 yema grande, ligeramente batida

1 cdta de extracto de vainilla puro

1 cda de ralladura fina de limón

1 clara de huevo grande, ligeramente batida, para el barniz de huevo

PARA EL RELLENO

250 g (1 taza) de queso Ricotta, escurrido 30 minutos en un colador forrado con un paño de muselina sobre un cuenco

112 g (¾ de taza) de queso *mascarpone*

1 lata (425 g) de puré de calabaza sin azúcar

50 g (¼ de taza) más 1 cda de azúcar

¼ de cdta de sal gruesa

¼ de cdta colmada de nuez moscada recién rallada

½ cdta de extracto de vainilla puro

2 yemas de huevo grandes, ligeramente batidas

2 cdas de piñones

1. Prepara la base: Procesa la harina, el azúcar y la sal en un procesador de alimentos hasta mezclarlos. Añade la mantequilla; procesa hasta que la mezcla parezca harina gruesa.

2. Bate en un cuenco el huevo entero, la yema de huevo, la vainilla y la ralladura. Añade la mezcla de huevo al cuenco del procesador y procesa hasta que la masa empiece a unirse. Divide la masa en 2 trozos y presiónalos suavemente formando discos planos. Envuélvelos bien ajustados en film transparente. Refrigéralos 1 hora o máximo 1 día, o congélalos máximo 1 mes (descongélalos en la nevera antes de usarlos).

3. Precalienta el horno a 180 °C. Lleva la masa a temperatura ambiente. Sobre una superficie ligeramente enharinada, estira 1 disco de masa a un grosor de 6 mm. Pásalo a un molde de tarta untado con un poco de mantequilla de 25 cm. Presiona la masa uniformemente sobre la base y las paredes del molde. Pincha la superficie de la base con un tenedor. Recorta la masa sobrante nivelándola con el borde; refrigera los restos en film transparente.

4. Hornea hasta que esté ligeramente dorada, unos 15 minutos. Déjala enfriar sobre una rejilla. Sube a 190 °C.

5. Prepara el relleno: procesa el queso Ricotta en un procesador hasta que esté homogéneo. Añade el *mascarpone*, la calabaza, el azúcar, la sal, la nuez moscada y la vainilla; procesa hasta mezclarlo bien, unos 30 segundos. Añade las yemas de huevo; procesa hasta unirlo unos 10 segundos. Vierte la mezcla sobre la base.

6. Sobre una superficie ligeramente enharinada, estira el disco de masa restante y divídelo en trocitos. Estira suavemente los trozos con las manos formando cuerdas de 6 mm de grosor. Presiona con cuidado 1 cuerda larga alrededor del borde superior de la masa (une 2 cuerdas si es preciso). Coloca con cuidado otras cuerdas de masa sobre el relleno formando una celosía. Coloca 3 piñones en cada cuadrado de la celosía. Pincela los trozos de masa con clara de huevo batido.

7. Hornea la *crostata* hasta que esté bien dorada y el relleno cuaje, unos 40 minutos. Déjala enfriar sobre una rejilla. La crostata se puede refrigerar, envuelta en film transparente, máximo 1 día.

Tarta de uvas pasas

Este postre es una especialidad de los «holandeses de Pensilvania». Repleta de pasas negras y sultanas, y aromatizada con canela, la tarta se ha convertido en una de las predilectas de los lectores de Martha Stewart Living desde que la receta se publicó por primera vez en la revista. PARA UNA TARTA DE 23 CM

Harina normal, para espolvorear

Pasta brisa (página 322)

375 g (2 ½ tazas colmadas) de pasas negras y pasas sultanas mezcladas

480 ml (2 tazas) de agua helada

2 cdas de maicena

150 g (¾ de taza) de azúcar

3 cdas de vinagre de manzana

½ cdta de sal, más una pizca

1 ½ cdtas de canela molida

30 g de mantequilla

1 yema de huevo grande, para el barniz de huevo

1 cda de leche, para el barniz de huevo

Helado de vainilla, para acompañar (opcional)

1. Sobre una superficie ligeramente enharinada, estira 1 disco de masa formando un círculo de 30 cm. Ajústalo a un molde de tarta de 23 cm. Refrigera o congela hasta que esté firme, unos 30 minutos.

2. En una olla mediana, mezcla las uvas pasas, el agua helada, la maicena, el azúcar, el vinagre, ½ cucharadita de sal, la canela y la mantequilla. Llévalo a ebullición suave. Déjalo hervir hasta que esté muy espeso, removiendo constantemente, 2-3 minutos. Retíralo del fuego y déjalo enfriar un poco.

3. Precalienta el horno a 220 °C. Vierte la mezcla de pasas sobre la base. Sobre una superficie enharinada, estira el disco de masa restante como en el paso 1. Con una boquilla de repostería pequeña y redonda, practica orificios de estilo de punto de ojal alrededor del borde del disco de masa. Coloca el disco sobre la mezcla de pasas. Recorta la masa, dejando que sobresalga 2,5 cm, presiona ligeramente para sellar, luego dóblala hacia abajo y vuelve a presionar. Puedes rizar el borde. Refrigera o congela hasta que esté firme, unos 30 minutos.

4. En un cuenco pequeño, bate la yema, la leche y la pizca de sal restante. Pincela sobre la masa y coloca la tarta sobre una bandeja de horno con borde forrada con papel de hornear. Hornea hasta que la masa esté dorada, 20 minutos. Reduce a 190 °C. Hornea hasta que la masa esté dorada y el relleno burbujee, 35-40 minutos más. Trasládala a una rejilla para que se enfríe. Sírvela con helado de vainilla, si quieres.

Tarta de piña y vainas de vainilla

El espacio entre las tiras se ha variado para crear un diseño complejo que en realidad no es más difícil que una celosía estándar. Los trozos de piña en almíbar de ron asoman entre las aberturas. PARA UNA TARTA DE 28x20 CM

PARA LA MASA

240 g (2 tazas) de harina normal, y un poco más para espolvorear

50 g (¼ de taza) de azúcar granulado

¾ de cdta de sal gruesa

223 g (1 taza) de mantequilla fría, cortada a trocitos de 1 cm

60 ml (¼ de taza) de agua helada

1 yema de huevo grande, para el barniz de huevo

2 cdas de nata para montar, para el barniz de huevo

PARA EL RELLENO

1 piña grande (2 kg), pelada, a cuartos y descorazonada

45 g (¼ de taza) de azúcar moreno claro compacto

50 g (¼ de taza) de azúcar granulado

1 vaina de vainilla, cortada longitudinalmente y raspada

2 cdas de zumo de limón recién exprimido

120 ml (½ taza) de ron oscuro

TEJER LA CELOSÍA SOBRE EL PAPEL

1. Prepara la base: Mezcla la harina, el azúcar y la sal en un procesador. Añade la mantequilla y procesa hasta que parezca harina gruesa. Rocía con el agua helada y procesa solo hasta que la masa empiece a unirse. Amasa 2 discos. Envuelve en film y refrigera de 1 hora a 3 días.

2. Sobre una superficie enharinada, estira cada disco formando un rectángulo de 30 x 23 cm y 3 mm de grosor. Coloca uno sobre una bandeja con borde forrada con papel de hornear y refrigera o congela hasta que esté firme (30 min). Ajusta el otro rectángulo sobre un molde de 28x20 cm con base desmontable. Recorta la masa y nivélala con el borde. Refrigera.

3. Prepara la celosía: Con una regla como guía, corta el rectángulo refrigerado en 18 tiras de 1 cm de ancho con un cuchillo o una rueda de repostería. Coloca 9 tiras de masa sobre otra bandeja forrada con papel de hornear en pares de líneas paralelas ligeramente más largas que el molde. Empezando por el centro, haz pasar 1 nueva tira por debajo y por arriba de las tiras que hay en la bandeja. Teje una segunda tira a 0,5 cm de distancia, pasando por arriba y luego por abajo. Repite el proceso, tejiendo pares de tiras a lo largo de media tarta, dejando 2,5 cm entre los pares. Si las tiras se ablandan, devuélvelas al congelador hasta que estén firmes. Vuelve al centro y repite el proceso de la celosía con las tiras restantes. Congela hasta usar.

4. Prepara el relleno: Corta cada cuarto de piña en rodajas de 8 mm de grosor. Mezcla los azúcares, las semillas y la vaina de vainilla y el zumo de limón en una sartén. Añade la piña y cuece a fuego medio, removiendo hasta que el azúcar se disuelva y se forme una salsa (30 min). Añade el ron, y hierve a fuego lento hasta que la piña se ablande y casi todo el líquido se haya evaporado (20 min). Déjalo enfriar. Desecha la vaina.

5. Reparte la mezcla de piña sobre la base. Mezcla la yema y la nata y pincela el borde superior de la tarta. Coloca con cuidado y centrada la celosía congelada sobre la tarta; presiona los bordes para sellarla. Recorta el sobrante. Pincela la celosía con el barniz de huevo. Refrigera o congela, sin taparla, hasta que esté firme, unos 30 minutos.

6. Precalienta el horno a 200 °C. Traslada la tarta a una bandeja de horno con borde. Hornea 15 minutos. Reduce a 190 °C y hornea hasta que la masa esté dorada y el relleno burbujee, 40-45 minutos más. (Si la masa se dora demasiado, rápido, cúbrela con papel de aluminio). Déjala enfriar por completo en el molde sobre una rejilla.

Tarta de guindas

Una combinación ganadora en dulzura y acidez, esta tarta destaca por su base de celosía de tejido tupido. La temporada de las guindas es muy breve, así que aprovecha a comprarlas en cuanto las veas, y congela las que sobren: forra una bandeja con papel de hornear y congela las cerezas deshuesadas en una sola capa. Traslada las cerezas congeladas a una bolsa con cierre zip; deberían aguantar en el congelador máximo un año.

PARA UNA TARTA DE 23 CM

Harina normal, para espolvorear

Pasta brisa (página 322)

200 g (1 taza) de azúcar granulado

3 cdas de maicena

¼ de cdta de sal

⅛ de cdta de canela molida

900 g (unas 6 tazas) de guindas frescas, deshuesadas, o bien 800 g de guindas congeladas, parcialmente descongeladas

1 cdta de extracto de vainilla puro

30 g de mantequilla, cortada a trocitos

1 huevo grande, ligeramente batido, para el barniz de huevo

Azúcar perla grueso, para espolvorear

1. Sobre una superficie ligeramente enharinada, estira 1 disco de masa formando un círculo de 33 cm de diámetro y 3 mm de grosor. Ajústalo a un molde de tarta de 23 cm, recorta la masa, dejando que sobresalga 1 cm; refrigera o congela hasta que esté firme, unos 30 minutos.

2. Sobre un trozo de papel de hornear ligeramente enharinado, estira el segundo disco de masa a un grosor de 3 mm. Con una regla limpia como guía, corta 14 tiras (de 1 cm de anchura) con una rueda de repostería o un cuchillo afilado. Coloca las tiras y el papel de hornear sobre una bandeja de horno y refrigera hasta que esté firme, unos 10 minutos.

3. Mezcla el azúcar granulado, la maicena, la sal y la canela en un cuenco grande. Añade las guindas y la vainilla, y revuélvelo. Vierte la mezcla de guindas sobre el molde. Salpica la mezcla con la mantequilla. Pincela ligeramente con huevo batido el borde expuesto de la masa.

4. Teje la celosía (véase pág. 328): Ccoloca 7 tiras de masa a través de la tarta. Dobla las tiras alternas. Coloca otra tira perpendicular en el centro de la tarta. Desdobla las tiras sobre la tira perpendicular. Dobla las tiras bajo la tira perpendicular. Coloca la segunda tira perpendicular junto a la primera. Desdobla las tiras sobre la segunda tira perpendicular. Repite el proceso, tejiendo las tiras a lo largo de media tarta. Vuelve al centro, coloca una tira perpendicular en el lado no tejido de la tarta, y repite el proceso. Recorta las tiras dejando que sobresalgan 2,5 cm. Dobla el saliente bajo el borde de la base y pellízcalo para sellarlo. Pincela la celosía con el barniz de huevo y espolvoréala con azúcar perla. Refrigera o congela 30 minutos.

5. Precalienta el horno a 190 °C. Traslada el molde a una bandeja de horno con borde forrada con papel de hornear. Hornea hasta que la masa esté dorada y los jugos burbujeen. Si usas guindas frescas, empieza a vigilar transcurrida 1 hora; si son congeladas, unos 95 minutos. Si la cobertura se dora demasiado rápido, cúbrela con papel de aluminio.

6. Traslada la tarta a una rejilla y deja enfriar por completo. Se puede guardar a temperatura ambiente, cubierta con papel de aluminio, máximo 1 día.

Tarta Linzer de mermelada de arándanos rojos

Para este postre de inspiración escandinava, la masa enriquecida con chocolate semiamargo se presiona sobre el molde, y otra parte se estira en forma de largas cuerdas que se presionan para formar un dibujo de espina de pez en la cobertura. PARA UNA TARTA DE 23 CM

PARA LA MASA

85 g de chocolate semiamargo (mejor con 61% de cacao)

150 g (¾ de taza) de azúcar granulado

140 g (1 taza) de almendras blanqueadas enteras

180 g (1 ½ tazas) de harina normal, y un poco más para espolvorear

½ cdta de canela molida

Una pizca de sal

115 g (½ taza) más 15 g de mantequilla fría, a trocitos

1 huevo grande

1 cda más 1 ½ cdtas de zumo de limón recién exprimido

Azúcar glas, para espolvorear

PARA EL RELLENO

325 g (1 taza) de mermelada de arándanos rojos o frambuesa

HACER LA FORMA DE ESPINA

1. Precalienta el horno a 180 °C. Prepara la masa: corta el chocolate a trozos. En un procesador de alimentos, mezcla el chocolate, el azúcar granulado y las almendras; procesa hasta que esté picado fino, unos 45 segundos.

2. Añade la harina, la canela y la sal, procesa 3 o 4 veces hasta unirlo. Añade la mantequilla, procesando hasta que la mezcla parezca harina gruesa. Pásalo a un cuenco.

3. En un cuenco pequeño, mezcla el huevo y el zumo de limón. Añade a la mezcla de harina, removiendo con un tenedor hasta que la mezcla se una.

4. Coloca un molde de 23 cm desmontable o un anillo de tarta sin base sobre una bandeja de horno con borde forrada con papel de hornear. Presiona aproximadamente ⅔ de masa dentro del anillo, formando una base de 1 cm de grosor. La base debería ser más gruesa que el borde y subir hasta 2,5 cm de la pared del anillo.

5. Con la ayuda de una espátula acodada, extiende bien la mermelada sobre la base.

6. Divide la masa restante en cuartos. Enharina bien la superficie y las manos, y estira con las manos la masa formando cuerdas largas de unos 8 mm de diámetro. Aplánalas un poco. Colócalas decorativamente en forma de espina de pez sobre la mermelada, recortando la masa si es preciso.

7. Hornea la tarta hasta que empiece a estar bien dorada, unos 50 minutos. Trasládala a una rejilla y déjala enfriar a temperatura ambiente. Refrigérala máximo 1 día, envuelta en film transparente, y espolvoréala un poco con azúcar glas antes de servir.

Tarta de fresa estampada

Un estampado familiar puede inspirar la repostería artística: aquí, esta tarta de fresa de doble masa está adornada con el elegante estampado de los pañuelos tipo bandana. Los cortadores para áspic, disponibles en tiendas de repostería, se usan aquí para crear la cuadrícula perforada con óvalos y puntos. PARA UNA TARTA CUADRADA DE 23 CM

1,4 kg (8 tazas) de fresas, limpias y en rodajas de 6 mm de grosor

200 g (1 taza) de azúcar granulado

36 g (⅓ de taza) de maicena

Harina normal, para espolvorear

Pasta brisa (página 322)

1 huevo grande, para el barniz de huevo

1 cda de agua, para el barniz de huevo

Azúcar perla fino, para espolvorear

1. Mezcla las fresas y el azúcar granulado y déjalo macerar 1 hora. Escurre, desechando el líquido. Añade la maicena a las fresas, y remueve para mezclarlo.

2. Precalienta el horno a 230 °C. Sobre una superficie ligeramente enharinada, estira 1 disco de masa formando un cuadrado de 28 cm. Ajústalo en un molde de tarta cuadrado de 23 cm de base desmontable, presionando suavemente la masa sobre las paredes. Recorta la masa nivelándola con el borde. Refrigera o congela hasta que esté firme, unos 30 minutos. Estira el disco de masa restante formando un cuadrado de 28 cm. Con los cortadores para áspic, corta los dibujos del estampado, dejando un borde de por lo menos 5 cm. Refrigera o congela hasta que esté firme, unos 30 minutos.

3. Extiende la mezcla de fresas sobre la base. Coloca con cuidado la masa refrigerada sobre el relleno. Corta la masa si sobresale.

4. Mezcla el huevo y el agua y pincela la masa de cobertura. Espolvorea con azúcar perla. Refrigera o congela la tarta hasta que esté firme, unos 30 minutos.

5. Coloca la tarta sobre una bandeja de horno con borde forrada con papel de hornear y hornea 25 minutos. Reduce a 200 °C. Hornea hasta que el relleno burbujee, 30-35 minutos más. (Si la masa se dora demasiado rápido, cúbrela con papel de aluminio). Traslada la tarta a una rejilla para que se enfríe por completo antes de desmoldar. Córtala en cuadrados y sírvela.

Tarta Linzer

En Austria, donde se originó este hermoso postre, se disfruta de la tarta Linzer durante todo el año, pero su festiva paleta de tonos rojos y dorados la hace especialmente habitual en las fiestas. La masa estilo galleta, enriquecida con almendras molidas, lleva una capa de mermelada de frambuesa y la atraviesa un dibujo que asemeja una ventana.

PARA UNA TARTA DE 23 CM

180 g (1 ½ tazas) de harina normal, y un poco más para espolvorear

70 g (½ taza) de almendras tostadas y picadas finas

½ cdta de canela molida

½ cdta de polvo de hornear

½ cdta de sal

115 g (½ taza) de mantequilla

120 g (⅔ de taza) de azúcar moreno claro compacto

1 huevo grande

400 g (1 ¼ tazas) de mermelada de frambuesa sin semillas

Azúcar glas, para espolvorear

1. Precalienta el horno a 180 °C. En un cuenco mediano, mezcla la harina, las almendras, la canela, el polvo de hornear y la sal.

2. Con una batidora eléctrica, bate la mantequilla y el azúcar moreno hasta que esté homogéneo. Incorpora el huevo. Añade gradualmente la mezcla de harina, batiendo a velocidad baja solo hasta que la mezcla se una.

3. Separa ⅓ de masa. Sobre una superficie ligeramente enharinada, estira la masa restante a un grosor de 3 mm. Ajústala en un molde de tarta cuadrado o redondo de 23 cm, presionando las esquinas y las paredes. Recorta la masa sobrante nivelándola con el borde, y usa los restos para cubrir agujeros o grietas.

4. Estira la masa reservada formando un rectángulo de por lo menos 33 cm de longitud y 3 mm de grosor. Con una rueda de repostería, corta a lo largo tiras de 1 cm. Traslada las tiras a una bandeja con borde forrada con papel de hornear; refrigera o congela, junto con la base, hasta que esté firme, unos 30 minutos.

5. Calienta la mermelada en una olla pequeña a fuego medio, removiendo de vez en cuando, hasta que esté líquida. Cuélala con un colador fino y déjala enfriar un poco.

6. Vierte la mermelada sobre la base. Coloca las tiras de masa sobre la mermelada formando un dibujo de celosía (no necesitas entretejerlas arriba y abajo). Recorta la masa sobrante y presiona los extremos en el borde de la base para que se adhieran. Hornea hasta que la masa esté bien dorada y la mermelada burbujee, 30-35 minutos. Traslada la tarta a una rejilla para que se enfríe por completo. Justo antes de servir, espolvoréala ligeramente con azúcar glas. La tarta se puede guardar a temperatura ambiente, envuelta en film transparente, máximo 1 día.

Pastel relleno de melocotón y frambuesa

Una tarta rectangular fina y de masa doble, horneada en una bandeja con borde, resulta perfecta para los amantes de los pasteles con un elevado contenido en masa en relación con el relleno. La pasta brisa está salpicada con recortes de lunares efectuados con una boquilla redonda; puedes probar esta técnica en tartas de masa doble de cualquier forma, tamaño o sabor. Para desmoldarla fácilmente, forra la bandeja de horno con papel de hornear que sobresalga 2,5 cm por los lados más largos antes de hornear el pastel. PARA UNA TARTA DE 38X25 CM

1 kg de melocotones (unos 9), pelados (véase pág. 343), deshuesados y cortados en gajos finos

170 g (alrededor de 1 taza) de frambuesas

200 g (1 taza) de azúcar granulado

27 g (¼ de taza) de maicena

1 cdas de zumo de limón recién exprimido

⅛ de cdta de sal

Harina normal, para espolvorear

2 recetas de pasta brisa (página 322; no dividir en discos)

1 yema de huevo grande, para el barniz de huevo

1 cda de nata para montar, para el barniz de huevo

Azúcar perla fino, para espolvorear

1. Precalienta el horno a 190 °C, con la rejilla en el tercio inferior. Revuelve con cuidado los melocotones, las frambuesas, el azúcar granulado, la maicena, el zumo de limón y la sal en un cuenco grande.

2. Sobre una superficie ligeramente enharinada, estira cada disco de masa formando un rectángulo de 40 x 30 cm y 3 mm de grosor. Traslada un rectángulo a una fuente de horno con borde de 38 x 25 cm. Recorta la masa sobrante dejando que sobresalga 1 cm. Traslada el rectángulo sobrante a una bandeja de horno forrada con papel de hornear. Refrigera o congela hasta que esté firme, unos 30 minutos.

3. Vierte la mezcla de fruta sobre la bandeja de horno forrada con masa y extiéndela formando una capa uniforme. Cubre con el rectángulo restante de masa. Recorta los bordes de la pieza de masa superior dejando que sobresalga 1 cm. Dobla los bordes de la capa superior sobre los bordes de la capa inferior y pellizca la masa para sellarla.

4. Trabajando por tandas, corta unos 60 agujeros de la cobertura con una boquilla de 1 cm (como Ateco n.° 807), dejando un espacio uniforme. Bate la yema y la nata en un cuenco pequeño. Pincela la masa con el barniz de huevo. Espolvorea con azúcar perla.

5. Hornea hasta que la masa esté dorada y el relleno burbujee, unos 90 minutos. Cúbrela con papel de aluminio si la base se dora demasiado rápido. Déjala enfriar por completo sobre una rejilla, unas 3 horas, antes de cortar y servir.

Tarta de fruta seca y celosía de estrellas

Una tarta con un espectacular diseño de estrella y un relleno también poco común: una mezcla de fruta desecada cocida en un almíbar especiado.

PARA UNA TARTA DE 28 CM

Harina normal, para espolvorear

Pasta brisa (pág. 322; sin azúcar)

960 ml (4 tazas) de agua

180 ml (¾ de taza) de brandy

200 g (1 taza) de azúcar

1 vaina de vainilla, cortada longitudinalmente y raspada

1 rama de canela

3 tiras (de 2,5 cm) de piel de naranja

5 clavos enteros

310 g de albaricoques secos (1 ½ tazas)

175 g (1 taza) de ciruelas pasas deshuesadas

90 g (¾ tazas) de arándanos rojos secos

1 yema de huevo grande, para el barniz de huevo

2 cdas de nata para montar, para el barniz de huevo

Crème fraîche, para acompañar

1. Sobre una superficie enharinada, estira la masa: forma círculos de 35 cm. Coloca uno sobre una bandeja de horno forrada; refrigera hasta que esté firme (30 min). Pon el otro en un molde acanalado de 28 cm. Recorta y nivela con el borde. Refrigera hasta que esté firme (30 min).

2. Prepara la celosía: Con una regla, corta el círculo refrigerado en 16 tiras de 1 cm de ancho con un cuchillo o una rueda de repostería. Sobre otra bandeja de horno con borde forrada, coloca 6 tiras en líneas paralelas un poco más largas que el diámetro de la tarta. Coloca 6 tiras más encima, casi perpendiculares a las anteriores. Empezando por el centro, teje 1 nueva tira en diagonal a través de la cuadrícula existente, por debajo de la capa inferior y por encima de la capa superior de tiras. Desplaza la tira diagonal hacia la esquina de cada cuadrado (donde las tiras coinciden). Teje una segunda tira a 2,5 cm de distancia, en orden alterno. Repite el tejido a lo largo de media tarta. Si las tiras se ablandan, congela hasta que estén firmes. Continúa el tejido para formar un dibujo de estrella de 6 puntas. Congela.

3. Lleva a ebullición el agua, el coñac, el azúcar, las semillas y la vaina de vainilla, la canela, la ralladura y los clavos en una olla mediana, removiendo hasta que el azúcar se disuelva. Añade los albaricoques, las ciruelas y los arándanos; reduce el fuego y cuece a fuego lento hasta que la fruta se ablande, pero no se rompa, unos 20 minutos. Pásalo con un colador a una taza medidora; reserva la fruta y el líquido por separado. Déjalos enfriar. Desecha la vaina de vainilla, la rama de canela, la piel de naranja y los clavos. (Si has obtenido más de 480 ml (2 tazas) de líquido, hazlo hervir en una olla pequeña hasta que reduzca; no pasa nada si has obtenido un poco menos de esa cantidad.)

4. Esparce las frutas enfriadas sobre la base de tarta y pincela con 120 ml (½ taza) del líquido de cocción. Mezcla la yema y la nata, y pincela el borde superior de la tarta. Desliza con cuidado la celosía congelada sobre la tarta, centrándola sobre el relleno, y presiona los bordes para sellarla. Recorta la masa sobrante. Pincela la celosía con el barniz de huevo. Refrigera, descubierta, hasta que esté firme, alrededor de 1 hora.

5. Precalienta el horno a 200 °C. Traslada la tarta a una bandeja de horno con borde. Hornea 15 minutos. Reduce a 190 °C y hornea hasta que esté bien dorada y el relleno burbujee (40 min). Si la masa se dora demasiado, cúbrela con papel de aluminio. Pincela la tarta con 120 ml más del líquido de cocción. Deja enfriar sobre rejilla. Desmolda y sirve con *crème fraîche*.

TEJER LA CELOSÍA SOBRE EL PAPEL

festivas

Esta colección de tartas ha sido creada para celebrar determinadas fiestas con entusiasmo, desde Año Nuevo hasta Navidad, y prácticamente todas las que hay entre esas dos. A veces la celebración se anuncia por sí misma mediante un motivo conocido, como los corazones para el Día de San Valentín. O quizás es el sabor: piensa en la tarta de *mousse* de calabaza del Día de Acción de Gracias. Otras veces el estilo del postre denota la fiesta, como la tarta de suero de leche coronada con un hermoso «ramo» de rosas de manzanas en almíbar, perfecto para presentarlo el Día de la Madre. Todos los ejemplos que aparecen aquí demuestran que has tenido que esforzarte más, y ¿por qué no? Cada fiesta solo se celebra una vez al año.

TARTALETA DE CHOCOLATE Y CORAZONES, RECETA PÁGINA 249

Mini tartaletas de chocolate blanco y negro

Perfecto para una noche de Año Nuevo, estos estilosos bocaditos se pueden comer con una mano mientras sostienes una copa de champán con la otra.

TARTALETAS DE *MOUSSE* DE CHOCOLATE BLANCO

Para 2 docenas

Harina normal, para espolvorear

Masa dulce para tarta, variante de chocolate (página 333)

¾ de cdta de gelatina en polvo sin sabor

2 cdas de agua helada

300 ml (1 ¼ tazas) de nata para montar

170 g de chocolate blanco, picado muy fino

1. Sobre una superficie enharinada, estira la masa hasta alcanzar 3 mm de grosor. Forra 24 moldes de 9x4 cm; vuelve a estirar los restos de masa si es preciso. Pincha las bases con un tenedor. Traslada los moldes a una bandeja de horno con borde forrada con papel; refrigera o congela hasta que estén firmes, unos 30 minutos.

2. Mientras tanto, precalienta el horno a 180 °C. Hornea las bases, de 15 a 18 minutos. Déjalas enfriar por completo sobre una rejilla.

3. En un cuenco pequeño, espolvorea la gelatina sobre el agua helada. Déjala ablandar 5 minutos. Mientras, en una olla pequeña, lleva a ebullición 120 ml (½ taza) de nata. Retírala del fuego. Añade la gelatina ablandada, removiendo 30 segundos para disolverla por completo.

4. Introduce el chocolate blanco en el cuenco de un procesador de alimentos. Con la máquina en marcha, vierte la mezcla de gelatina ablandada y procesa hasta que esté homogénea. Pásala a un cuenco mediano. Cubre y refrigera hasta que tenga la consistencia de flan, unos 15 minutos; remueve hasta que esté homogénea, máximo 2 horas.

5. En un cuenco mediano refrigerado, bate los 180 ml (¾ de taza) de nata restante hasta formar picos firmes. Incorpora a la mezcla de chocolate con movimientos envolventes hasta unirla.

6. Introduce la *mousse* en una manga pastelera con boquilla de estrella de 3 mm (n.º 22). Reparte sobre las bases.

....

TARTALETAS MARMOLADAS DE TRUFA DE CHOCOLATE

Para 2 docenas

Harina normal, para espolvorear

Masa dulce para tarta, variante de chocolate (pág. 333)

425 g de chocolate semiamargo (mejor 61% de cacao) picado fino

240 ml (1 taza) de nata para montar

1 cda de café expreso instantáneo en polvo

55 g de chocolate blanco, picado grueso

1. Precalienta el horno a 180 °C. Sobre una superficie enharinada, estira la masa hasta alcanzar 3 mm de grosor. Coloca la masa sobre 24 moldes acanalados de 7 cm, o los huecos de un molde de muffins. Pon los moldes sobre una bandeja de horno con borde; refrigera o congela hasta que estén firmes (30 min). Hornea hasta que estén fuertes (18-20 min). Deja enfriar por completo y desmolda las bases.

2. Echa el chocolate semiamargo picado en un cuenco resistente al fuego. En una olla pequeña a fuego medio, lleva a ebullición la nata y el café en polvo. Viértelo sobre el chocolate y déjalo reposar 5 minutos. Remueve hasta que esté homogéneo. Llena con esta mezcla las bases horneadas y enfriadas.

3. Mientras, en un cuenco situado encima (no dentro) de una olla de agua hirviendo, derrite el chocolate blanco, removiendo. Introdúcelo en una bolsa de plástico y corta una pequeña abertura en la esquina. Trabajando deprisa, dispensa 6 puntos de chocolate fundido sobre cada tartaleta. Con un palillo, dibuja remolinos con los puntos para crear un efecto marmolado. Golpea suavemente las tartaletas sobre la superficie de trabajo para que el relleno se asiente. Refrigéralas hasta que cuajen, de 1 hora a 1 día.

Tarta rellena de pera y frambuesa

Puedes elegir entre dos coberturas diferentes: con ventanas en forma de corazón o con un elegante techo de corazones. PARA UNA TARTA DE 23 CM

Harina normal, para espolvorear

Pasta brisa (página 322)

100 g (½ taza) de azúcar granulado

3 cdas de maicena

¼ de cdta de sal

¼ de cdta de canela molida

6 peras maduras y firmes tipo Bartlett (1,4 kg más o menos), peladas, descorazonadas y cortadas en rodajas de 6 mm de grosor

225 g (unas 1 ½ tazas) de frambuesas frescas

2 cdas de zumo de limón recién exprimido

30 g de mantequilla, cortada a trocitos

1 yema de huevo grande, para el barniz de huevo

1 cda de agua, para el barniz de huevo

Azúcar perla fino, para espolvorear

1. Para hacer la tarta con techo de corazones: sobre una superficie enharinada, estira 1 disco de masa formando un círculo de 33 cm. Coloca la masa en un molde de tarta de 23 cm y recorta dejando que sobresalga 6 mm (reserva el sobrante). Refrigera o congela hasta que esté firme, unos 30 minutos. Estira el segundo disco a un grosor de 3 mm. Con un cortador de galletas de 5 cm en forma de corazón corta 48 corazones. Usa los sobrantes de masa si es preciso. Colócalos sobre una bandeja de forrada con papel de hornear; refrigera o congela hasta que estén firmes unos 30 minutos.

2. En un cuenco grande, mezcla el azúcar granulado, la maicena, la sal y la canela. Añade las peras, las frambuesas y el zumo de limón, y remueve con cuidado. Vierte la mezcla sobre la base de tarta, apilando la fruta en el centro. Salpica con mantequilla. Dobla el saliente hacia dentro y nivélalo con el borde. Pincela ligeramente el borde con agua. Coloca 22 corazones sobre el borde de la tarta; presiona suavemente sobre el borde, en direcciones alternas y ligeramente solapados. Para ayudar a que se peguen, pincela cada corazón con un poco de agua. Repite el proceso, solapando 16 corazones para el segundo círculo. Repite, solapando 10 corazones, con las puntas hacia dentro, para formar el círculo final. Las puntas formarán un orificio en forma de estrella de unos 4 cm de anchura. Mezcla la yema y el agua en un cuenco pequeño. Pincela la cobertura con el barniz de huevo y luego espolvoréala con azúcar perla. Refrigera hasta que esté firme, unos 30 minutos.

Para hacer la tarta de ventanas de corazones, sigue las instrucciones del paso 1 y deja el segundo disco de masa entero; recorta corazones en el centro utilizando cortadores en forma de corazón de varios tamaños. Coloca la masa recortada sobre una bandeja forrada; refrigera hasta que esté firme (30 min). Prepara el relleno como en el paso 2, pero sin doblar debajo la masa que sobresale. Pincela el borde de la base con agua y luego cúbrela con la masa de cobertura, centrando el dibujo sobre el relleno. Recorta la masa, dejando 1 cm. Dobla el saliente bajo la masa de la base, nivélalo con el borde y riza los bordes. Bate la yema y el agua en un cuenco. Pincela un poco toda la cobertura con el barniz de huevo y luego espolvorea con azúcar perla. Refrigera hasta que esté firme, (20-25 min).

3. Precalienta el horno a 200 °C, con la rejilla en el tercio inferior. Coloca la tarta sobre una bandeja forrada y hornéala hasta que esté ligeramente dorada (20-25 min). Reduce a 190 °C. Hornea hasta que la masa esté bien dorada y los jugos burbujeen, unos 85 minutos más. Trasládala a una rejilla y deja que se enfríe por completo antes de servir.

Tartaletas de ganache de chocolate y corazones

Estas tartaletas de chocolate aúnan la sofisticación de las trufas con la gracia de los dulces de vivos colores típicos de San Valentín. Cada tartaleta tiene el tamaño para compartirla en pareja; también puedes hacer una tarta grande en un molde de 26 cm (como el de la página 242). El tiempo de horneado será el mismo. 5 UNIDADES

PARA LA MASA

120 g (1 taza) de harina normal, y un poco más para espolvorear

25 g (¼ de taza) de cacao holandés en polvo sin azúcar

⅛ de cdta de sal

115 g (½ taza) de mantequilla, a temperatura ambiente

50 g (¼ de taza) de azúcar

½ cdta de extracto de vainilla puro

Espray de aceite vegetal para cocinar

PARA EL RELLENO

284 g de chocolate semiamargo (mejor con 61% de cacao), picado grueso

240 ml (1 taza) de nata para montar

120 ml (½ taza) de leche

1 huevo grande, ligeramente batido

Corazones de merengue (receta a continuación)

1. Prepara la masa: En un cuenco, mezcla la harina, el cacao y la sal.

2. Con una batidora eléctrica de varillas a velocidad media, bate la mantequilla hasta que esté esponjosa (3 min). Añade el azúcar y sigue batiendo hasta obtener una mezcla pálida y esponjosa (unos 2 min). Reduce a velocidad baja. Añade la vainilla y la mezcla de harina, y mezcla antes de que la masa empiece a unirse (1-2 min). Vierte la masa sobre un trozo de film y dale forma de bola. Aplánala en forma de disco y refrigérala hasta que esté firme (1 h).

3. Rocía con espray para cocinar cinco moldes de tarta de 13 cm. Sobre una superficie enharinada, estira la masa a un grosor de 6 mm. Corta círculos de 13 cm y ajústalos a las bases y las paredes de los moldes. Recorta la masa sobrante a nivel de los bordes. Tapa las grietas. Refrigera o congela hasta que esté firme, unos 30 minutos.

4. Precalienta el horno a 170 °C. Coloca los moldes en una bandeja y hornea hasta que se sequen (unos 25 min). Déjalos enfriar por completo sobre rejillas.

5. Prepara el relleno: Pon el chocolate en un cuenco. En una olla pequeña, lleva casi a ebullición la nata y la leche; vierte encima del chocolate. Deja reposar 2 minutos. Bate lentamente hasta que esté homogéneo. Deja reposar 10 minutos más. Incorpora el huevo. Devuelve las bases a la bandeja, y vierte el relleno. Hornea hasta que cuaje, unos 25 minutos. Traslada a una rejilla y deja que se enfríen antes de desmoldarlas. Decóralas con los corazones de merengue.

CORAZONES DE MERENGUE

Para 6 docenas aprox.

2 claras de huevo grandes a temperatura ambiente

100 g (½ taza) de azúcar

Una pizca de cremor tártaro

Colorante alimentario en gel/pasta, de colores surtidos

Precalienta el horno a 80 °C. Coloca las claras de huevo, el azúcar y el cremor tártaro en un cuenco resistente al calor situado encima (no dentro) de una olla de agua hirviendo. Bate hasta que el azúcar se disuelva, unos 2 minutos. Pásalo a una batidora eléctrica y bate a velocidad media/alta hasta formar picos firmes y brillantes, unos 7 minutos. Divide el merengue en porciones y tiñe cada porción con el colorante alimentario que quieras. Introduce el merengue teñido en bolsas de manga pastelera con boquillas de estrella de 6 mm (n.º 18). Forma los corazones (de 1 a 2,5 cm cada uno) sobre bandejas forradas de papel de hornear. Hornea 2 horas. Apaga el horno y deja reposar en el horno 8 horas, o bien toda la noche. Los merengues se pueden guardar en un recipiente hermético, en un lugar fresco y seco, máximo 2 semanas.

Tarta Grasshopper

Un refrescante cóctel de chocolate y menta fue la inspiración de esta tarta. Su gama de verdes la convierte en una divertida y festiva elección para el Día de San Patricio. Para elaborar la tarta, se bate un brebaje de licor de menta formando una nube de relleno prácticamente etéreo y fresco, sobre una base de galletas de barquillo de chocolate. Cada porción va coronada de nata montada y rizos de chocolate. Esta receta es una actualización de la original, con menta fresca en el relleno y coco rallado azucarado en la base. PARA UNA TARTA DE 23 CM

PARA LA BASE

90 g de mantequilla fundida, y un poco más para el molde

55 g (¾ de taza) de coco rallado azucarado

240 g (1 ½ tazas) de migas de galleta de barquillo de chocolate (unas 25 galletas)

50 g (¼ de taza) de azúcar

PARA EL RELLENO

360 ml (1 ½ tazas) de leche

25 g (1 taza) de hojas de menta fresca sueltas

240 ml (1 taza) de nata para montar fría

3 cdas de licor de menta

2 ¼ cdtas de gelatina en polvo sin sabor (1 sobre)

5 yemas de huevo grandes

100 g (½ taza) de azúcar

PARA LA COBERTURA

Nata montada (página 340)

Rizos de chocolate (véase pág. 343)

1. Prepara la masa: Precalienta el horno a 180 °C. Unta con un poco de mantequilla un molde de tarta de 23 cm. En un cuenco, mezcla el coco, las migas de chocolate y el azúcar. Añade la mantequilla fundida y remueve hasta unirlo bien. Presiona la mezcla de migas sobre el molde. Hornea hasta que esté firme, 10-12 minutos. Trasládala a una rejilla y déjala enfriar por completo.

2. Elabora el relleno: Prepara un baño María inverso. Lleva la leche y la menta casi a ebullición en una olla. Retira del fuego y cúbrelo. Déjalo infusionar 15 minutos. Cuela la mezcla con un colador fino sobre vaso medidor de cristal. Desecha la menta y reserva la leche. Bate la nata en un cuenco mediano refrigerado hasta formar picos firmes; cúbrela y guárdala en la nevera.

3. Vierte el licor de menta en un cuenco mediano resistente al fuego y espolvorea la gelatina encima. Déjalo reposar 5 minutos para que se ablande. En otro cuenco mediano, bate las yemas de huevo y el azúcar. Añade la leche infusionada a la gelatina ablandada, batiendo hasta que estén bien mezcladas.

4. Coloca el cuenco de leche y gelatina encima (no dentro) de una olla de agua hirviendo. Cuece, removiendo sin cesar, hasta que la gelatina se disuelva, alrededor de 1 minuto. Sin dejar de batir, vierte la mezcla de leche caliente mediante un flujo lento y continuado sobre la mezcla de yema. Devuelve la mezcla al cuenco resistente al calor y colócalo encima del agua hirviendo. Cuece, batiendo sin cesar, hasta que espese un poco e indique 65 °C en un termómetro de dulces, unos 8 minutos.

5. Coloca el cuenco sobre el baño María inverso; bate hasta que la mezcla tenga la consistencia de un flan, unos 2 minutos. Retira el cuenco. Incorpora un tercio de la nata montada reservada, batiendo hasta que se mezcle. Incorpora mediante movimientos suaves y envolventes con una espátula flexible el resto de la nata montada. Vierte la mezcla sobre la base de tarta; refrigera hasta que cuaje, 6 horas o máximo 1 día.

6. Corona la tarta: Córtala en trozos; vierte cucharadas de nata montada sobre cada porción y corónalas con rizos de chocolate.

Tarta napolitana de Pascua

John Barricelli, un excelente repostero, aprendió a hacer esta tarta italiana de granos de trigo, conocida como *pastiera*, de su abuelo. Los granos de trigo de primavera son perfectos para las fiestas de Pascua, pues simbolizan el renacimiento y la renovación. Los granos se mezclan con queso Ricotta y crema pastelera para formar un relleno delicioso y excepcional. PARA UNA TARTA DE 25 CM

PARA EL RELLENO

113 g (½ taza) más 2 cdas de granos de trigo de primavera

480 ml (2 tazas) de leche

240 ml (1 taza) de agua

30 g de mantequilla

Una pizca de sal

330 g (1 ⅓ tazas) de queso Ricotta fresco

150 g (¾ de taza) de azúcar

Crema pastelera de vainilla (página 338)

PARA LA MASA

600 g (5 tazas) de harina normal, y un poco más para espolvorear

2 cdtas de polvo de hornear

Una pizca de sal

230 g (1 taza) de mantequilla a temperatura ambiente

200 g (1 taza) de azúcar

Ralladura fina de 1 naranja

3 huevos grandes, más 1 yema de huevo grande, para el barniz de huevo

1. Pon los granos de trigo de primavera en un cuenco mediano. Añade agua suficiente para cubrirlos 5 cm. Refrigéralos toda la noche.

2. Prepara la masa: En un cuenco mediano, mezcla la harina, el polvo de hornear y la sal. Con una batidora eléctrica a velocidad media, bate la mantequilla y el azúcar hasta obtener una mezcla blanquecina y esponjosa, unos 3 minutos. Incorpora la ralladura de naranja. Añade 3 huevos, de uno en uno, batiendo hasta que cada uno esté totalmente incorporado. Reduce a velocidad baja e incorpora a la mezcla de harina.

3. Divide la masa en 2 discos, uno más grande (aproximadamente dos tercios de la masa) y el otro más pequeño. Presiona cada trozo formando un disco; envuélvelos en film transparente y refrigera de 1 hora a 1 día.

4. Prepara el relleno: Escurre los granos de trigo de primavera e introdúcelos en una olla mediana con la leche, el agua, la mantequilla y la sal. Llévalo a ebullición y luego reduce a fuego lento y cuece hasta que esté tierno, alrededor de 1 hora. Escúrrelo y extiéndelo sobre una bandeja de horno. Déjalo enfriar unos 30 minutos.

5. Precalienta el horno a 190 °C. En un cuenco mediano, mezcla el queso Ricotta y el azúcar. Añade el trigo enfriado y la crema pastelera. Remueve para mezclarlo.

6. Sobre una superficie ligeramente enharinada, estira el trozo más grande de masa formando un círculo de 35 cm y 3 mm de grosor. Ajústalo a un molde desmontable de 25x5 cm. Vierte el relleno sobre la base. Recorta la masa sobrante 1 cm por encima del relleno. Estira la pieza de masa restante a un grosor de 3 mm. Con una rueda de repostería, corta doce tiras de 2 cm. Teje las tiras formando una celosía (véase pág. 328) sobre el relleno: recorta la celosía y nivélala con el borde de la masa.

7. Bate un poco el huevo restante y pincela uniformemente la superficie de la tarta. Hornea hasta que la masa esté dorada y el relleno burbujee, de 60 a 90 minutos. Trasládala a una rejilla y déjala enfriar 20 minutos. Desliza un cuchillo alrededor del borde para soltar suavemente la tarta. Retira el anillo exterior del monde desmontable. Deja enfriar la tarta por completo. Sírvela.

Tarta de la Pascua Judía con coco y bayas

Esta tarta de bayas frescas desafía la noción de que los postres de la Pascua Judía son menos permisivos que los que contienen harina y lácteos. Los ingredientes «ausentes» los sustituyen con creces la jugosa base de coco, el suave relleno de vainilla y almendra, y la sabrosa fruta de la cobertura. Es perfecta para la Pascua Judía, o para cualquier otro día del año. PARA UNA TARTA DE 23 CM

PARA LA MASA

150 g (2 tazas) de coco rallado sin azúcar

100 g (½ taza) de azúcar

2 claras de huevo grandes

1 cda de extracto de vainilla puro

¼ de cdta de sal

PARA EL RELLENO

½ vaina de vainilla cortada longitudinalmente

120 ml (½ taza) de leche de soja de vainilla

50 g (¼ de taza) de azúcar

2 yemas de huevo grandes

2 cdtas de arrurruz o maicena

2 cdas de pasta de almendra

150 g (1 taza) de harina de almendra

120 g (½ taza) de queso crema de soja, mejor Tofutti

80 g (¼ de taza) más 1 cda de mermelada de albaricoque

600 g (4 tazas) de frutas del bosque variadas, como fresas en rodajas, arándanos negros y frambuesas

1. Prepara la masa: Precalienta el horno a 180 °C. Mezcla en un cuenco el coco, el azúcar, las claras de huevo, la vainilla y la sal. Presiona la mezcla en la base y las paredes de un molde de tarta redondo y acanalado de 23 cm.

2. Elabora el relleno: Raspa las semillas de vainilla sobre una olla pequeña y añade la vaina. Incorpora la leche de soja y 2 cucharadas de azúcar, y llévalo a ebullición. Mezcla en un cuenco las yemas de huevo, el arrurruz y las 2 cucharadas de azúcar restantes. Añade la mezcla de leche de soja mediante un flujo lento y constante, batiendo hasta unirlo. Devuélvelo a la olla y bate a fuego medio hasta que espese, unos 2 minutos. Desecha la vaina de vainilla.

3. Con una batidora eléctrica a velocidad media, bate la mezcla de leche de soja y la pasta de almendra 5 minutos. Añade batiendo la harina de almendra y el queso crema de soja. Esparce bien la mezcla sobre la base con una espátula acodada. Hornea 15 minutos. Cubre los bordes con un anillo de papel de aluminio (véase pág. 324). Hornea hasta que cuaje, de 15 a 25 minutos. Deja enfriar la tarta por completo en el molde sobre una rejilla. Desmolda. En una olla pequeña, calienta la mermelada hasta que esté líquida. Extiende bien la mermelada sobre la tarta con una espátula acodada. Coloca las bayas encima y sírvela.

Tarta de crema de suero de leche

Un regalo para el Día de la Madre tan hermoso como un ramo de flores, pero aún más dulce: las delicadas rosas de manzana en almíbar forman un hermoso arreglo floral sobre un lecho de crema de suero de leche en una base de masa hojaldrada. 6 RACIONES

Harina normal, para espolvorear

1 caja de masa de hojaldre comprada, preferentemente de solo mantequilla, descongelada, o ¼ de receta de masa de hojaldre (página 334)

1 huevo grande, ligeramente batido

1 cda más 50 g (¼ de taza) de azúcar

160 ml (⅔ de taza) de nata para montar

2 ¼ cdtas de gelatina en polvo sin sabor (1 sobre)

300 ml (1 ¼ tazas) de suero de leche bajo en grasa (pero no magro)

Una pizca de sal

Rosas de manzana en almíbar (página 342)

1. Sobre una superficie enharinada, estira y recorta la masa formando un rectángulo de 23x30 cm. Si es necesario, solapa los bordes de 2 trozos más pequeños para formar un rectángulo más grande; pincela la parte solapada con agua para sellarla y luego estira la masa. Corta 4 tiras de 2,5 cm de anchura, 2 del extremo corto y 2 del extremo largo. Resérvalas. (El rectángulo debería ser de 18x25 cm.) Coloca el rectángulo sobre una bandeja de horno forrada con papel de hornear. Pincha toda la masa con un tenedor; pincélala con huevo batido. Coloca las tiras sobre los bordes para crear un borde. Recórtalas para ajustarlas, solapándolas en las esquinas. Pincela el huevo sobre las tiras y por debajo de los extremos para sellarlos. Cubre con film transparente; refrigera o congela hasta que esté firme, unos 30 minutos.

2. Precalienta el horno a 200 °C. Espolvorea uniformemente la masa con 1 cucharada de azúcar. Métela en el horno y reduce a 180 °C. Hornea la base hasta que empiece a dorarse y esté bien hinchada, unos 15 minutos. Con la ayuda de una espátula acodada, presiona el centro de la base (dejando el borde hinchado). Devuelve la base al horno; hornea hasta que esté bien dorada, unos 15 minutos más. Pásala a una rejilla; presiona otra vez el centro de la base. Déjala enfriar por completo. La base se puede guardar a temperatura ambiente, envuelta en film transparente, máximo 1 día.

3. Con una batidora eléctrica a velocidad media, bate 80 ml (⅓ de taza) de nata hasta formar picos blandos. Espolvorea la gelatina sobre 60 ml (¼ de taza) de suero de leche en un cuenco mediano y déjala reposar hasta que se ablande, unos 5 minutos.

4. En una olla pequeña a fuego medio, lleva a ebullición los 80 ml (⅓ de taza) de nata y los 50 g (¼ de taza) de azúcar restantes. Cuece la mezcla, removiendo hasta que el azúcar se disuelva. Vierte la mezcla de nata caliente sobre la gelatina ablandada y remueve hasta que la gelatina se disuelva. Incorpora los 240 ml (1 taza) de suero de leche restantes y la sal. Pásalo a un cuenco mediano a través de un colador forrado con un paño de muselina. Con la ayuda de una espátula flexible, incorpora con movimientos envolventes la nata montada. Refrigera 30 minutos.

5. Vierte el relleno en la base. Extiéndelo hasta el borde. Refrigera hasta que cuaje (30 min). Coloca las rosas encima. Forma volantes con las rodajas de manzana restantes y rellena los huecos. Refrigera, cubierta, hasta el momento de servir (máximo 6 horas).

Tarta Rocky Road

Obsequia a papá con algo especial para el Día del Padre: un postre de chocolate insuperable e inolvidable. Al igual que la variedad de ganache y de helado del mismo nombre, nuestra tarta Rocky Road está repleta de mini malvaviscos (nubes), almendras saladas y trozos de chocolate, todo ello en una sencilla base de galletas de harina Graham. Seguro que se convertirá en una tradición anual. PARA UNA TARTA DE 23 CM

PARA LA BASE

11 láminas de galleta de harina Graham (unos 170 g)

1 cda de azúcar

⅛ de cdta de sal

75 g de mantequilla fundida

PARA LA GANACHE Y EL RELLENO

425 g de chocolate semiamargo (mejor 55% de cacao)

420 ml (1 ¾ tazas) de nata para montar

2 huevos grandes, ligeramente batidos

120 g (2 tazas) de mini malvaviscos (nubes)

140 g (1 taza) de almendras tostadas y saladas enteras

PARA LA COBERTURA

45 g (¾ de taza) de mini malvaviscos (nubes)

35 g (¼ de taza) de almendras tostadas y saladas enteras, picadas gruesas

56 g de chocolate semiamargo (mejor con 51% de cacao), picado grueso

1. Prepara la base: Precalienta el horno a 180 °C. Procesa las galletas de harina Graham, el azúcar y la sal en un procesador de alimentos hasta que esté bien molido. Pásalo a un cuenco y mezcla la mantequilla hasta unirla.

2. Presiona la mezcla en un molde desmontable o un anillo de pastel de 23 cm sobre una bandeja de horno forrada con papel de hornear. Presiona uniformemente la mezcla en la base y las paredes del molde. Hornea hasta que la base empiece a dorarse, unos 15 minutos. Déjala enfriar por completo sobre una rejilla.

3. Prepara la ganache: Pica a trozos gruesos unos 280 g de chocolate semiamargo. En un cuenco resistente al fuego situado encima (no dentro) de una olla de agua hirviendo, funde el chocolate. Mantenlo caliente. Mientras tanto, lleva a punto de ebullición la nata en una olla pequeña y retírala del fuego. Bate más o menos 60 ml (¼ de taza) de la nata caliente con las yemas batidas, luego incorpora la mezcla de yema a la nata restante de la olla. Incorpora batiendo la mezcla de nata al chocolate fundido y retíralo del fuego.

4. Pica los 142 g de chocolate semiamargo restante a trozos gruesos y pásalo a un cuenco grande. Agrega 120 g (2 tazas) de mini malvaviscos y 140 g (1 taza) de almendras tostadas enteras. Esparce la mezcla sobre la base de masa enfriada. Reserva 240 ml (1 taza) de la mezcla de huevo y chocolate para la cobertura, y reparte bien el resto sobre la base (no la llenes en exceso). Refrigera la tarta, descubierta, hasta que esté firme, alrededor de 1 hora. Mientras tanto, cubre la mezcla de huevo y chocolate reservada con film transparente y deja que se ponga a temperatura ambiente.

5. Prepara la cobertura: Mezcla los mini malvaviscos, las almendras picadas y el chocolate; espolvoréalo sobre el relleno. Rocía los 240 ml (1 taza) de la mezcla de huevo y chocolate sobre la tarta y refrigera 10 minutos más antes de desmoldar y cortar. La tarta puede guardarse en la nevera, cubierta, máximo 3 días.

Nota: Los huevos en esta receta no están totalmente cocidos, por lo que no debería cocinarse para mujeres embarazadas, bebés, niños pequeños, gente mayor o cualquiera que pueda correr riesgos de salud.

Tartitas de barras y estrellas

Tartas individuales y patrióticas, todas ellas un poco distintas entre sí, adornadas con multitud de siluetas y aplicaciones de diversas formas. Utiliza cortadores de galletas para hacer las estrellas de masa de diferentes tamaños, y la rueda de repostería para cortar tiras que harán de barras; colócalas del modo que más te guste. Aquí, una cobertura va espolvoreada de diminutas siluetas de estrellas; un anillo de estrellas enmarca un lecho de arándanos negros; y las barras con las estrellas sugieren la bandera americana. Frambuesas rojas, fresas en rodajas, arándanos negros o moras son los rellenos que lucen los colores del 4 de Julio. 6 UNIDADES

Harina normal, para espolvorear

2 recetas de pasta brisa (pág. 322; sin dividirla en discos)

1 kg (7 ½ tazas) de frutas del bosque mezcladas, como moras, arándanos, frambuesas o fresas en rodajas

60 ml (¼ de taza) de zumo de limón recién exprimido (de 2 limones)

27 g (¼ de taza) de maicena

200 g (1 taza) más 2 cdas de azúcar granulado

Una pizca de sal

2 yemas de huevo grandes, para el barniz de huevo

2 cdas de nata para montar, para el barniz de huevo

Azúcar perla grueso, para espolvorear

1. Sobre una superficie ligeramente enharinada, estira la mitad de la masa a un grosor de 3 mm. Corta seis círculos de 15 cm y ajústalos a las bases y los laterales de seis moldes de tarta de 13 cm. Refrigera o congela hasta que estén firmes, unos 30 minutos.

2. Mezcla las frutas, el zumo de limón, la maicena, el azúcar granulado y la sal. Divide equitativamente la mezcla entre las bases.

3. Bate las yemas y la nata en un cuenco pequeño. Estira la masa restante a un grosor de 3 mm. Utiliza cortadores de galletas mini y una rueda de repostería para cortar estrellas y barras. Decora las superficies de las tartas a tu gusto (pincela un poco el dorso de los recortes con barniz de huevo para que se adhieran bien). Pincela las tartas con el barniz de huevo; espolvorea con azúcar perla. Congela las tartas hasta que estén firmes, 1 hora.

4. Precalienta el horno a 190 °C. Hornea las tartas sobre una bandeja de horno con borde forrada de papel de hornear hasta que la masa esté bien dorada y los jugos burbujeen, 45-50 minutos. Cúbrelas con papel de aluminio si la masa se dora demasiado rápido. Déjalas enfriar por completo sobre una rejilla. Las tartas se pueden guardar a temperatura ambiente toda la noche, cubiertas firmemente con papel de aluminio.

Tartas de bandera de frutas

Las frambuesas alineadas, unas glaseadas con mermelada y otras espolvoreadas con azúcar glas, forman las barras rojas y blancas de la bandera de Estados Unidos; los arándanos representan el campo estrellado y azul. Una tarta tiene siete filas de bayas y la otra, seis. Utiliza bayas más pequeñas para la de siete filas. Si solo tienes un molde, puedes hornear una base y después la otra; deja enfriar por completo la primera base en el molde antes de desmoldarla. El interior de cada base se pincela con chocolate fundido antes de rellenarla; es un paso opcional que aporta más sabor. Una variación sencilla (en las páginas siguientes) presenta tres tartas de un solo color cada una: azul, blanco y rojo, es decir, los colores de la bandera francesa, perfectas para celebrar el Día de la Bastilla.

PARA DOS TARTAS DE 35x10 CM

Harina normal, para espolvorear

Masa dulce para tarta (página 333)

226 g de queso crema a temperatura ambiente

½ cdta de extracto de vainilla puro

120 ml (½ taza) de *crème fraîche*

50 g (½ taza) de azúcar glas, y un poco más para espolvorear

113 g de chocolate semiamargo (mejor con 51% de cacao; opcional), picado

400 g (1 ¼ tazas) de mermelada de frambuesa

2 cdas de agua

162 g (½ taza) de mermelada de albaricoque

560 g (unas 4 tazas) de frambuesas rojas frescas

340 g (unas 2 tazas) de arándanos frescos

1. Sobre una superficie un poco enharinada, estira 1 disco de masa y forma un rectángulo de 46 x 20 cm y 3 mm de grosor. Ajusta la masa sobre un molde acanalado de 35 x 10 cm; recórtala nivelándola con el borde. Pincha la superficie de la base. Refrigera o congela hasta que esté firme (30 min). Repite el proceso con un segundo disco de masa.

2. Precalienta el horno a 190 °C. Coloca los moldes sobre una bandeja de horno grande con borde. Forra las bases con papel de hornear, dejando que sobresalga 5 cm. Llena las bases con pesos o legumbres secas. Hornea hasta que los bordes empiecen a tomar color, unos 25 minutos. Retira el papel y los pesos; sigue horneando hasta que las bases estén secas y doradas por todos lados, 10-15 minutos. Trasládalas a una rejilla y deja que se enfríen por completo antes de desmoldar.

3. Con una batidora eléctrica a velocidad media, bate el queso crema y la vainilla hasta que esté suave. En otro cuenco, bate la *crème fraîche* hasta formar picos blandos. Agrega un tercio de la *crème fraîche* a la mezcla de queso crema para aligerarla. Incorpora mediante movimientos envolventes la *crème fraîche* restante mientras tamizas gradualmente el azúcar glas encima; incorpora solo hasta unirlo. Cubre con film transparente y refrigera hasta el momento de usar, máximo 2 horas.

4. En un cuenco situado encima (no dentro) de una olla de agua hirviendo, calienta el chocolate, si lo usas, solo hasta que se funda, más o menos 1 ½ minutos; remueve hasta que esté homogéneo. Extiende con el dorso de una cuchara la mitad del chocolate sobre la masa; refrigera hasta que cuaje, mínimo 5 minutos. Mientras, calienta la mermelada de frambuesa en un cazo con 1 cucharada de agua y cuélala en un cuenco. Calienta la mermelada de albaricoque en un cazo pequeña con la cucharada de agua restante y cuélala en un cuenco. (Continúa en la página 264) >

Tartas de bandera de frutas (CONTINUACIÓN)

5. Extiende el relleno de *crème fraîche* sobre la capa de chocolate de cada base. Prepara la tarta superior: empezando por la derecha, coloca 3 filas de frambuesas sin glasear en ⅔ de la tarta, dejando espacio entre fila y fila a ambos lados (abajo, izquierda). Espolvoréalas con azúcar glas hasta que queden recubiertas de una capa blanca (abajo, centro). Revuelve los arándanos con la mermelada de albaricoque; rellena el tercio libre de la tarta con capas de arándanos en filas bien apretadas. Pincela suavemente más frambuesas con la mermelada de frambuesa colada (hasta llenar las filas vacías) y colócalas con cuidado (abajo, derecha).

6. Prepara la tarta inferior: Empezando por arriba y la izquierda, coloca 3 filas de frambuesas sin glasear a lo largo de la tarta, dejando espacio entre filas y en la parte inferior. Espolvoréalas con azúcar glas hasta recubrirlas de una capa blanca. Pincela suavemente las frambuesas restantes con la mermelada de frambuesa colada y colócalas con cuidado en las filas vacías. Las tartas acabadas aguantarán a temperatura ambiente algunas horas; no las refrigeres más de 30 minutos, o el azúcar podría empezar a licuarse.

Variante para bandera francesa: empieza con 2 recetas de masa dulce para tarta. Hornea 3 bases tal como se describe en la página 262 (reserva 1 disco para otro uso). Si usas chocolate, aumenta la cantidad a 170 g. Caliéntalo hasta fundirlo. Recubre las bases con este chocolate. Bate 340 g de queso crema y ¾ de cdta de vainilla hasta que esté suave. En otro cuenco, bate 170 ml de *crème fraîche* hasta formar picos blandos. Incorpórala a la mezcla de queso crema como se describe en la página 262, y añade mediante movimientos envolventes 75 g (¾ de taza) de azúcar glas. Extiende un tercio de la mezcla de *crème fraîche* en cada tarta forrada de chocolate. Calienta 240 g (¾ de taza) de mermelada de frambuesa con 1 ½ cucharadas de agua hasta que esté líquida. Cuélala. Coloca 2 capas de frambuesas rojas (340 g) en una base de tarta. Pincela cada capa con la mermelada de frambuesa colada. Llena la segunda base con 340 g de frambuesas doradas y espolvoréalas con azúcar glas hasta recubrirlas por completo. Calienta 240 g (¾ de taza) de mermelada de albaricoque con 1 ½ cucharadas de agua hasta que esté líquida. Cuélala. Revuelve 430 g de arándanos con la mermelada colada y vuélcalos sobre la tercera base. Sirve las tartas sobre una bandeja formando la bandera.

COLOCAR FRAMBUESAS EN FILA

AZUCARAR FRAMBUESAS PARA HACER BARRAS BLANCAS

COLOCAR FRAMBUESAS GLASEADAS ENTRE LAS FILAS AZUCARADAS

Tarta de tela de araña de chocolate y calabaza

Sirve esta tarta en una fiesta de Halloween y observa como los invitados desprevenidos caen en sus redes de chocolate. La base de chocolate ligeramente especiado está recubierta de chocolate fundido y luego rellena de un cremoso puré de calabaza. Más chocolate semiamargo fundido se extiende formando un dibujo de tela de araña para darle un acabado terrorífico. PARA UNA TARTA DE 25 CM

PARA LA BASE

120 g (1 taza) de harina normal, y un poco más para espolvorear

50 g (¼ de taza) más 1 cda de azúcar granulado

25 g (¼ de taza) de cacao en polvo sin azúcar

½ cdta de sal

½ cdta de canela molida

¼ de cdta de clavo molido

115 g (½ taza) de mantequilla fría, cortada a trocitos

1 huevo grande

113 g de chocolate semiamargo (mejor 55% de cacao) picado fino

PARA EL RELLENO

1 lata (425 g) de puré de calabaza sin azúcar

135 g (¾ de taza) de azúcar moreno claro compacto

240 ml (1 taza) de *crème fraîche* o crema agria

3 huevos grandes

1 cdta de canela molida

1 cdta de jengibre molido

¼ de cdta de nuez moscada recién rallada

¼ de cdta de sal

⅛ de cdta de clavo molido

PARA LA COBERTURA

56 g de chocolate semiamargo (mejor 55% de cacao) picado fino

1. Prepara la base: Mezcla la harina, el azúcar, el cacao, la sal, la canela y los clavos en un cuenco. Añade la mantequilla; con una batidora a velocidad baja, bate hasta que tenga el tamaño de guisantes pequeños (5 min). Añade el huevo; mezcla solo hasta que los ingredientes formen una masa. Envuelve la masa en film transparente y refrigérala 1 h 2 días.

2. Precalienta el horno a 180 °C. Sobre una superficie ligeramente enharinada, estira la masa hasta un grosor algo superior a 3 mm. Presiona la masa sobre la base y los lados de un molde de tarta de 25 cm con base desmontable. Recorta la masa sobrante y nivélala con el borde. Pincha la superficie de la base con un tenedor. Refrigera o congela hasta que esté firme, unos 30 minutos o máximo 1 día.

3. Hornea la base sobre una bandeja de horno con borde forrada con papel de hornear, unos 15 minutos. Espolvorea de inmediato 113 g de chocolate repartiéndolo bien sobre la base; deja que empiece a fundirse y luego alísalo con una espátula acodada.

4. Prepara el relleno: En un cuenco mediano, bate la calabaza, el azúcar moreno, la *crème fraîche*, los huevos, la canela, el jengibre, la nuez moscada, la sal y los clavos hasta que esté homogéneo. Tamiza la mezcla con un colador fino sobre un cuenco limpio (desecha los sólidos). Vierte el relleno sobre la base preparada, solo hasta alcanzar el borde.

5. Hornea hasta que el relleno cuaje, unos 40 minutos. Trasládala a una rejilla y déjala enfriar mínimo 30 minutos.

6. Prepara la cobertura: Coloca 56 g de chocolate en un cuenco resistente al fuego situado encima (no dentro) de una olla de agua hirviendo; caliéntalo hasta que se funda, removiendo de vez en cuando. Introduce el chocolate en un cono de papel de hornear o una bolsa de cierre zip con un agujerito cortado en una esquina. Dibuja unas 15 líneas distribuidas uniformemente de forma radial desde el centro de la tarta. Dibuja líneas curvas alrededor del perímetro de la tarta, conectando cada radio. Sigue dibujando líneas curvas, colocándolas cada vez más juntas a medida que te acercas al centro. Refrigera la tarta hasta que cuaje, 1 hora o máximo 1 día.

Pastelitos de calabaza de Halloween

Las típicas caras de las calabazas sonrientes de Halloween se elaboran tallando masa de tarta en lugar de piel de calabaza. Si refrigeras los recortes de masa obtendrás unos bordes crujientes y limpios, y si los horneas por separado, evitarás que se encojan sobre el relleno de calabaza especiada. PARA 1 DOCENA

Harina normal, para espolvorear

Masa dulce para tarta (página 333)

1 lata (425 g) de puré de calabaza sin azúcar

3 huevos enteros grandes

150 g (½ taza) de miel

45 g (¼ de taza) de azúcar moreno claro compacto

240 ml (1 taza) de nata para montar, más 2 cdas para el barniz de huevo

1 cdta de canela molida

½ cdta de jengibre molido

¼ de cdta de clavo molido

1 cdta de sal gruesa

1 yema de huevo grande, para el barniz de huevo

1. Sobre una superficie ligeramente enharinada, estira 1 disco de masa a un grosor de 3 mm. Corta seis círculos de 15 cm. Ajusta los círculos en las bases y las paredes de seis moldes de tarta acanalados de 9 cm. Recorta la masa sobrante y nivela con los bordes (reserva los restos de masa). Traslada los moldes a una bandeja de horno con borde. Refrigera o congela hasta que estén firmes, unos 30 minutos.

2. Repite el proceso con el segundo disco de masa, forrando 6 moldes más. Trasládalos a una bandeja de horno forrada con papel de hornear. Refrigera o congela hasta que estén firmes, unos 30 minutos.

3. Precalienta el horno a 190 °C. Bate la calabaza, los huevos enteros, el azúcar moreno, 240 ml (1 taza) de nata, la canela, el jengibre, los clavos y la sal en un cuenco grande.

4. Divide el relleno entre las bases de tarta. Hornea las tartas hasta que los bordes estén bien dorados y el relleno cuaje, unos 30 minutos. Déjalas enfriar en las bandejas sobre unas rejillas.

5. Sobre una superficie ligeramente enharinada, estira los restos de masa a unos 3 mm de grosor. Con un cuchillo de mondar o cortadores para áspic, corta ojos, narices y bocas de calabazas de Halloween. Colócalos sobre una bandeja de horno forrada con papel de hornear. Congela unos 15 minutos.

6. Bate ligeramente la yema de huevo y las 2 cucharadas restantes de nata en un cuenco pequeño, y pincela los trozos de masa. Hornéalos hasta que estén bien dorados, unos 12 minutos. Pásalos a una rejilla y déjalos enfriar por completo. Coloca los trozos de cara sobre las tartas antes de servir.

Tarta de *mousse* de calabaza

Elegantes rizos de nata montada y una masa acanalada conforman una versión mucho más distinguida de este clásico de las fiestas. El aterciopelado relleno de *mousse* de calabaza está aromatizado con todas las especias tradicionales del Día Acción de Gracias: jengibre, canela, nuez moscada y pimienta de Jamaica, además de llevar una buena dosis de brandi, para redondear su sabor. Las migas de galletas de harina Graham se mezclan con cacao en polvo en la masa. PARA UNA TARTA DE 25 CM

PARA LA BASE

18 láminas de galleta de harina Graham (unos 255 g), o bien 225 g (2 ¼ tazas) de migas de galletas de harina Graham

66 g (⅓ de taza) más 2 cdas de azúcar granulado

3 cdas de cacao holandés en polvo sin azúcar

¼ de cdta de canela molida

Una pizca de nuez moscada rallada

172 g (¾ de taza) de mantequilla, fundida

PARA EL RELLENO

60 ml (¼ de taza) de brandi

2 cdas más 60 ml (¼ de taza) de agua

2 cdas de gelatina en polvo sin sabor (3 sobres)

3 huevos grandes a temperatura ambiente

150 g (¾ de taza) de azúcar granulado

340 g (1 ½ tazas) de puré de calabaza sin azúcar

60 ml (¼ de taza) de crema agria

¼ de cdta de pimienta de Jamaica

¼ de cdta de jengibre molido

½ cdta de canela molida

¼ de cdta de nuez moscada rallada

½ cdta de sal

PARA LA COBERTURA

360 ml (1 ½ tazas) de nata para montar

2 cdas de azúcar glas

½ cdta de extracto de vainilla puro

1. Prepara la base: Precalienta el horno a 180 °C. En un procesador de alimentos, mezcla las láminas de galleta de harina Graham, el azúcar, el cacao, la canela y la nuez moscada; procesa hasta que esté bien picado. Trasládalo a un cuenco mediano e incorpora la mantequilla.

2. Presiona la mezcla sobre la base y las paredes de un molde de tarta acanalado de 25 cm con base desmontable. Coloca la tarta sobre una bandeja de horno con borde forrada con papel de hornear; hornea hasta que esté seca, 12-15 minutos. Deja enfriar por completo sobre una rejilla.

3. Prepara el relleno: En un cuenco pequeño resistente al fuego, mezcla el brandi y 2 cucharadas de agua. Espolvorea la gelatina sobre el líquido y deja que se ablande 10 minutos.

4. Con una batidora eléctrica con base a velocidad media/baja, bate los huevos. Mientras se baten los huevos, mezcla los 60 ml (¼ de taza) de agua restantes y el azúcar granulado en una olla pequeña a fuego medio/alto. Cuece, removiendo de vez en cuando, hasta que la temperatura indique 120 °C en un termómetro de dulces, unos 5 minutos.

5. Sube inmediatamente a velocidad alta. Vierte la mezcla de azúcar por un lateral del cuenco mezclador en un hilillo fino; bate hasta que la mezcla aumente en volumen y adquiera un tono amarillo pálido, 5 minutos más.

6. Coloca el cuenco con la gelatina ablandada encima (no dentro) de una olla de agua hirviendo; remueve hasta que la gelatina se disuelva. Reduce la mezcladora a velocidad baja; agrega batiendo la mezcla de gelatina, la calabaza, la crema agria, la pimienta de Jamaica, el jengibre, la canela, la nuez moscada y la sal. Vierte sobre la masa de tarta y refrigera hasta que cuaje, de 4 horas a 1 día.

7. Prepara la cobertura: bate la nata, el azúcar glas y la vainilla en un cuenco mediano refrigerado hasta formar picos firmes. Con una bolsa de manga pastelera con una boquilla de estrella de 1 cm (como Ateco n.° 825), dispensa la nata sobre la tarta.

Tarta de arce y frutos secos

Considera esta tarta como una alternativa bienvenida (o una nueva incorporación) a la tarta de nueces pacanas de Acción de Gracias. La receta es virtualmente la misma, en el relleno las nueces sustituyen a la mitad de las nueces pacanas, y con sirope de arce en lugar de sirope de maíz. Puedes incorporar otros frutos secos, como almendras y avellanas, mientras el volumen total siga siendo el mismo. PARA UNA TARTA DE 23 CM

Harina normal, para espolvorear

½ receta de pasta brisa (página 322)

2 huevos grandes

45 g (¼ de taza) de azúcar moreno claro compacto

¼ de cdta de sal

240 ml (1 taza) de sirope de arce puro de grado A

225 g (1 ½ tazas) de nueces pacanas picadas gruesas

225 g (1 ½ tazas) de nueces picadas gruesas

1. Precalienta el horno a 180 °C. Sobre una superficie ligeramente enharinada, estira la masa formando un círculo de 28 cm. Ajústalo sobre la base y las paredes de un molde de tarta de 23 cm con base desmontable. Recorta la masa sobrante y nivélala con el borde.

2. En un cuenco mediano, bate los huevos, el azúcar y la sal; incorpora el sirope de arce. Añade los frutos secos y mezcla cuidadosamente para unirlos. Coloca el molde de tarta sobre una bandeja de horno con borde forrada de papel de hornear y vierte encima el relleno. Hornea hasta que el relleno cuaje y la masa esté ligeramente dorada, de 55 minutos a 1 hora. Pásala a una rejilla y deja que se enfríe por completo en el molde. Desmolda antes de servir.

Tarta de arándanos rojos

En una estación llena de todo tipo de bocados extraordinariamente dulces, esta tarta destaca por poseer una acidez que te hará fruncir la boca. Sírvela para Acción de Gracias o Navidad, pues resulta igual de adecuada para ambas fiestas. Para evitar que la masa se ponga pastosa al añadir los arándanos rojos, pincela ligeramente con clara de huevo la base parcialmente horneada. PARA UNA TARTA DE 23 CM

120 ml (½ taza) de agua

450 g (una 4 tazas) de arándanos rojos frescos

300 g (1 ½ tazas) de azúcar

1 rama entera de canela

Harina normal, para espolvorear

½ receta de masa dulce (página 333)

1 clara de huevo grande, ligeramente batida

240 ml (1 taza) de nata para montar

120 ml (½ taza) de *crème fraîche*

1. Lleva a ebullición el agua, los arándanos, el azúcar y la canela en una olla mediana. Cuece a fuego medio/alto, removiendo, hasta que las bayas empiecen a reventar, unos 5 minutos. Pásalo a un cuenco a través de un colador. Devuelve el líquido colado y la rama de canela a la olla y reserva las bayas en el cuenco. Hierve a fuego lento el líquido hasta que espese, unos 15 minutos. Vierte el almíbar sobre los arándanos y déjalo enfriar. Desecha la rama de canela.

2. Sobre una superficie ligeramente enharinada, estira la masa hasta alcanzar 3 mm de grosor. Ajústala en un molde de tarta cuadrado de 23 cm con base desmontable. Recorta la masa, dejando que sobresalga 1 cm. Dobla el saliente hacia dentro para crear un doble grosor, y presiónalo con firmeza contra las paredes del molde. Refrigera o congela hasta que esté firme, unos 30 minutos.

3. Precalienta el horno a 200 °C. Forra la base con papel de hornear y cúbrelo con pesos o legumbres secas. Hornea hasta que esté bien dorada, unos 25 minutos. Colócala sobre una rejilla. Retira los pesos y el papel de hornear. Déjala enfriar por completo. Reduce a 180 °C.

4. Pincela la masa con la clara de huevo. Rellénala con la mezcla de arándanos y almíbar. Hornea hasta que el almíbar solo esté ligeramente líquido y los arándanos empiecen a dorarse, de 45 minutos a 1 hora. Si los bordes se doran demasiado rápido, cúbrelos con papel de aluminio.

5. Mientras tanto, bate la nata en un cuenco refrigerado hasta formar picos blandos. Incorpora la *crème fraîche*; refrigera, cubierta, hasta el momento de usar.

6. Deja reposar la tarta sobre una rejilla hasta que esté lo bastante fría como para desmoldarla. Sírvela caliente, con la nata montada con *crème fraîche*.

Tarta de copos de nieve de frambuesa y jengibre

Esta variante navideña de la popular tarta Linzer austríaca (página 236) aporta una innovadora base de pan de especias que acoge un relleno de mermelada de frambuesa casera. Espolvorea los recortes de los copos de nieve y otros recortes de masa con azúcar y hornéalos para servirlos como galletas de acompañamiento. PARA UNA TARTA DE 25 CM

270 g (2 ¼ tazas) de harina normal, y un poco más para espolvorear

1 ½ cdtas de polvo de hornear

1 cdta de jengibre molido

1 cdta de canela molida

½ cdta de clavo molido

¼ de cdta de pimienta negra recién molida

½ cdta de sal

90 g (½ taza) de azúcar moreno oscuro compacto

115 g (½ taza) de mantequilla a temperatura ambiente

80 ml (⅓ de taza) de melaza sin clarificar

2 yemas de huevo grandes más 1 clara de huevo grande, para el barniz de huevo

400 g (1 ¼ tazas) de mermelada de frambuesa (receta a continuación), o si es comprada, de la mejor calidad

1. Tamiza la harina, el polvo de hornear, el jengibre, la canela, el clavo, la pimienta y la sal en el cuenco de una batidora eléctrica con base. Añade el azúcar; mezcla a velocidad media/baja hasta unirlo. Añade la mantequilla y mezcla hasta unirla, unos 2 minutos. Añade la melaza y las yemas de huevo; mezcla solo hasta que la masa empiece a unirse, unos 30 segundos.

2. Sobre una superficie enharinada, estira ⅔ de la masa formando un círculo de 30 cm de diámetro y 6 mm de grosor. Ajústalo sobre un molde de 25 cm con base desmontable. Extiende la mermelada y refrigera unos 30 minutos.

3. Estira la masa restante entre 2 trozos de papel de hornear enharinados formando un círculo de 25 cm de diámetro y 6 mm de grosor. Pásalo a una bandeja de horno; refrigéralo o congélalo hasta que esté firme, unos 30 minutos. Corta puntos con boquillas de repostería de metal, y formas de copos de nieve con cortadores de galletas. Puedes reservar los recortes de copos de nieve, espolvorear la superficie con azúcar y hornearlos 10 minutos a 180 °C. Refrigera el círculo sobre la bandeja de horno hasta que esté firme, unos 30 minutos.

4. Bate ligeramente la clara y pincela el borde de la base de la tarta. Pon con cuidado el círculo de masa sobre la base y presiona los bordes para que se adhieran. Refrigera o congela hasta que esté firme, unos 30 minutos.

5. Precalienta el horno a 190 °C. Traslada la tarta a una bandeja de horno. Hornea hasta que la masa esté bien dorada y el relleno burbujee, de 50 minutos a 1 hora. Deja enfriar por completo la tarta sobre una rejilla.

....

MERMELADA DE FRAMBUESA
Para unos 650 g (2 tazas)

510 g (unas 4 tazas) de frambuesas frescas

400 g (2 tazas) de azúcar

1. Mezcla 380 g (3 tazas) de frambuesas y el azúcar en una olla mediana (fuera del fuego). Déjalo reposar 15 minutos, removiendo de vez en cuando, hasta que las frambuesas empiecen a soltar su jugo.

2. Lleva a ebullición la mezcla a fuego medio/alto, removiendo de vez en cuando. Retira la espuma. Reduce el fuego y deja hervir a fuego lento, retirando la espuma de vez en cuando, hasta que espese un poco, unos 5 minutos.

3. Incorpora las frambuesas restantes y cuece a fuego lento solo hasta que las bayas se rompan, alrededor de 1½ minutos. Deja enfriar por completo. Refrigera hasta que cuaje, mínimo 4 horas, o máximo 1 semana.

Tartaletas de chocolate con plantillas

Las tartaletas de chocolate con chocolate negro se prestan bien para enmarcar motivos decorativos elaborados con plantillas y azúcar glas. Las plantillas en forma de copo de nieve resultan apropiadas para las fiestas de invierno, pero puedes usar cualquier dibujo en función de la ocasión. También puedes usar esta receta y aplicar la técnica con plantillas de letras para deletrear un mensaje festivo o de cumpleaños. PARA SIETE TARTALETAS DE 11 CM

Harina normal, para espolvorear

½ receta de masa dulce para tarta, variante de chocolate (página 333)

340 ml (1 taza) de nata para montar

60 ml (¼ de taza) de leche

2 cdas de azúcar granulado

255 g de chocolate semiamargo (mejor con 51% de cacao), picado grueso

2 huevos grandes, ligeramente batidos

1 ½ cdtas de extracto de vainilla puro

Cacao holandés en polvo sin azúcar, para espolvorear

Azúcar glas, para espolvorear

1. Precalienta el horno a 190 °C. Sobre una superficie ligeramente enharinada, estira la masa a un grosor de 6 mm. Corta siete círculos de 15 cm y ajusta cada círculo en un molde de tartaleta de 11 cm de base desmontable. Recorta la masa sobrante nivelándola con los bordes y pincha las superficies de las bases con un tenedor. Refrigera o congela hasta que estén firmes, unos 30 minutos.

2. Forra las bases con papel de hornear y llénalas con pesos o legumbres secas. Hornea 15 minutos: retira los pesos y el papel de hornear y sigue horneando 10 minutos más. Coloca los moldes sobre una rejilla para que se enfríen por completo.

3. En una olla pequeña a fuego medio/alto, cuece la nata, la leche y el azúcar granulado hasta que la nata y la crema se escalden; remueve para disolver el azúcar. Introduce el chocolate en un cuenco resistente al fuego. Vierte la mezcla escaldada sobre el chocolate; déjalo reposar 1 minuto y bate para unirlo. Añade los huevos y bate suavemente para unirlo. Agrega la vainilla.

4. Coloca las bases sobre una bandeja de horno con borde. Reparte el relleno de chocolate entre las bases. Hornea hasta que el relleno cuaje, unos 25 minutos. Deja enfriar en los moldes sobre una rejilla. Desmolda las tartaletas. Las tartaletas se pueden refrigerar, envueltas en film transparente, máximo 2 días.

5. Antes de servir, tamiza el cacao sobre las tartaletas con un colador pequeño. Aplica la plantilla en las tartaletas, una por una: coloca la plantilla sobre la tartaleta y tamiza encima azúcar glas; retira con cuidado la plantilla. Sírvelas de inmediato.

saladas

No todas las tartas están destinadas a ser un postre. Algunas de ellas, como las que vienen a continuación, pueden constituir un excelente plato principal en un *brunch*, almuerzo o cena. En algunos casos, son unos estupendos entrantes para comer de un solo bocado. Se basan en las mismas técnicas y emplean muchas de las mismas masas utilizadas para elaborar sus equivalentes dulces, pero con deliciosos rellenos salados. Cada receta es versátil a su manera y promueve la experimentación. Por ejemplo, las tartaletas de verduras: una vez hayas hecho la receta con las verduras propuestas aquí, seguro que empezarás a desarrollar tus propias combinaciones de sabores de temporada.

TARTALETAS DE VERDURAS, RECETA PÁGINA 303

Tarta de puerros y aceitunas

Unos puerros jóvenes salteados hasta quedar tiernos y cremosos, dispuestos en fila, cubren este espectacular primer plato. Otros ingredientes son las aceitunas tipo Niçoise y dos tipos de queso, uno fresco (Pavé d'Affinois, un suave queso de leche de vaca similar al Brie), y el otro viejo (Parmigiano-Reggiano). Si no puedes encontrar puerros jóvenes, puedes usar puerros normales, o si es primavera, busca puerros silvestres en el mercado local. PARA UNA TARTA DE 35X15 CM

De 15 a 20 puerros jóvenes o 3 puerros grandes, solo la parte blanca y verde pálido

15 g de mantequilla

2 cdas de aceite de oliva virgen extra

¼ de cdta de sal gruesa

1 cdta de hojas de tomillo fresco picadas finas

1 caja de masa de hojaldre comprada, preferentemente de solo mantequilla, descongelada, o ¼ de receta de masa de hojaldre (página 334)

1 huevo grande, ligeramente batido con 1 cda de agua, para el barniz de huevo

25 g (¼ de taza) de queso Parmigiano-Reggiano rallado

62 g (¼ de taza escasa) de aceitunas Niçoise, sin hueso

113 g de queso Pave d'Affinois u otro queso de maduración suave (como Camembert), en rodajas finas

1. Si usas puerros jóvenes, córtalos a lo largo y recórtalos a unos 7 cm de longitud. Si usas puerros grandes, córtalos transversalmente en trozos de 7 cm; corta cada mitad longitudinalmente y luego en tiras de 1 cm de grosor, aproximadamente 1 kg (unas 5 tazas). Lávalos bien para eliminar la arenilla, y escúrrelos.

2. Funde la mantequilla con el aceite en una sartén mediana a fuego medio. Añade los puerros y la sal; cuece 5 minutos, removiendo de vez en cuando. Reduce el fuego a medio-bajo; cúbrelo y cuece, removiendo de vez en cuando, hasta que los puerros estén tiernos, pero no dorados, unos 15 minutos. Agrega el tomillo. Los puerros se pueden enfriar por completo y guardar en la nevera en un recipiente hermético máximo 1 día; llévalos a temperatura ambiente antes de montar la tarta.

3. Estira o recorta la masa formando un rectángulo de 35 x 15 cm. Si es necesario, solapa los bordes de 2 trozos más pequeños para formar un rectángulo más grande; pincela la parte solapada con agua para sellarla y luego estira la masa. Traslada la masa a una bandeja forrada con papel de hornear (reserva la masa sobrante para otro uso). Marca un borde de 2 cm en todos los lados (no cortes del todo la masa). Pincela el borde con barniz de huevo y espolvoréalo con queso rallado. Refrigera 30 minutos.

4. Precalienta el horno a 190 °C. Hornea hasta que se dore, 10-15 minutos. Con la ayuda de una espátula acodada, presiona hacia abajo el centro de la base (dejando los bordes hinchados). Coloca los puerros en filas de un extremo al otro dentro del borde de la masa. Esparce las aceitunas encima de los puerros. Hornea hasta que la masa estén bien dorada, unos 10 minutos más. Usa una espátula grande para levantar y comprobar la base de la masa; si aún está blanda, hornea 3-5 minutos más.

5. Coloca el queso suave sobre la superficie. Con la ayuda de una espátula, traslada la tarta a una rejilla para que se enfríe un poco. Córtala en trozos transversales y sírvela caliente o a temperatura ambiente. La tarta se puede guardar a temperatura ambiente máximo 1 hora antes de servir.

Hojaldres de espinacas y feta

La masa de hojaldre sustituye a la masa filo para elaborar raciones individuales de *spanakopita*, una tarta griega de espinacas y queso feta. Los hojaldres son más rápidos de montar (no es necesario untar de mantequilla ni apilar las láminas), pero al hornearlos también se obtiene un acabado crujiente, dorado y hojaldrado. Puedes preparar y congelar los hojaldres con dos meses de antelación, y luego hornearlos directamente del congelador. Como el queso feta es bastante salado, prueba el relleno antes de sazonarlo. 8 UNIDADES

2 cdas de aceite de oliva

2 cebollas picadas finas

2 dientes de ajo picados

4 cajas (de 280 g cada una) de espinacas congeladas picadas, descongeladas y bien escurridas

226 g (2 tazas) de queso 2 feta desmigajado

2-4 cdas de zumo de limón recién exprimido

⅛ de cdta de pimienta de Cayena

Sal gruesa y pimienta negra recién molida

Harina normal, para espolvorear

1 caja de 480 g de masa de hojaldre comprada, preferentemente de solo mantequilla, descongelada, o bien ½ receta de masa de hojaldre (página 334)

1 huevo grande, para el barniz de huevo

2 cdas de agua, para el barniz de huevo

1. Calienta el aceite en una sartén a fuego medio; añade las cebollas y el ajo. Cuece, removiendo de vez en cuando, hasta que estén tiernos, 5-7 minutos. Pásalo a un cuenco grande; mezcla las espinacas, el feta, el zumo de limón y la Cayena. Sazona el relleno con sal y pimienta negra.

2. Precalienta el horno a 190 °C. Sobre una superficie ligeramente enharinada, estira cada trozo de masa formando un cuadrado de 30 cm, luego corta la masa en cuartos formando un total de 6 cuadrados de 15 cm.

3. Divide equitativamente el relleno y colócalo en el centro de cada cuadrado. Bate el huevo y el agua; pincela ligeramente 2 bordes contiguos de cada cuadrado con el barniz de huevo. Dobla dichos bordes sobre el relleno formando un triángulo; presiona con firmeza para sellarlos (la masa debería quedar firmemente presionada alrededor del relleno). Riza los bordes con un tenedor enharinado.

4. Coloca los hojaldres sobre 2 bandejas de horno con borde forradas de papel de hornear; pincela las superficies con el barniz de huevo restante. Hornea hasta que estén dorados e hinchados, 35-40 minutos. Sírvelos calientes o a temperatura ambiente.

Para congelar: Congela los hojaldres no horneados sobre una bandeja de horno forrada de papel de hornear. Envuelve individualmente los hojaldres congelados con film transparente; guárdalos en una bolsa con cierre zip en el congelador máximo 2 meses. Desenvuelve los hojaldres congelados y hornéalos como se indica en el paso 4, añadiendo 5-10 minutos al tiempo de horneado.

Tarta de tomates cherry, mozzarella y calabacín

Esta tarta combina la facilidad de la *galette* (no es necesario colocar una masa de cobertura ni rizar los bordes) con la comodidad de un plato que va directamente del horno a la mesa. Antes de colocar la masa tierna en el molde, se corta en solapas alrededor del borde para doblarla limpiamente y de modo uniforme sobre el relleno. Cuando la tarta emerge del horno, los tomates estarán casi a punto de reventar, y su jugo se mezclará con los quesos, el calabacín y la albahaca. Puede que te recuerde otra deliciosa tarta salada: la pizza. PARA UNA TARTA DE 23 CM

PARA LA MASA

270 g (2 ¼ tazas) de harina normal, y un poco más para espolvorear

50 g (½ taza) de queso parmesano rallado fino

1 cdta de sal gruesa

172 g (¾ de taza) de mantequilla fría, cortada a trocitos

1 yema de huevo grande, más 1 yema de huevo grande, para el barniz de huevo

60-120 ml (¼-½ taza) de agua helada

1 cda de nata para montar, para el barniz de huevo

PARA EL RELLENO

2 cdas de aceite de oliva virgen extra

1 chalota picada fina

1 calabacín pequeño, cortado por la mitad longitudinalmente y luego transversalmente en medias lunas de 1 cm de grosor

680 g de tomates *cherry*

50 g (½ taza) de queso parmesano rallado fino

113 g de *bocconcini* (bolas de mozzarella fresca) o mozzarella fresca (en trozos de 2,5 cm)

3 cdas de hojas de albahaca fresca, picadas

30 g (¼ de taza) más 2 cdas de harina normal

Sal gruesa y pimienta recién molida

1. Prepara la masa: Procesa la harina, el queso, la sal y la mantequilla en un procesador de alimentos hasta que la mezcla parezca harina gruesa. Añade 1 yema de huevo y procesa para unirla. Rocía encima 60 ml (¼ de taza) de agua helada y procesa solo hasta que la masa se una. (Si la masa sigue desmigajada, añade 60 ml (¼ de taza) más de agua helada, en tandas de 1 cda.) Moldea la masa en forma de disco y envuélvela en film transparente. Refrigera o congela hasta que esté firme, unos 30 minutos.

2. Prepara el relleno: Calienta 1 cucharada de aceite en una sartén a fuego medio. Añade la chalota; cuece, removiendo de vez en cuando, hasta que se ablande, unos 3 minutos. Añade el calabacín; cuece, removiendo de vez en cuando, hasta que esté ligeramente dorado y haya expulsado el líquido, unos 5 minutos. Pásalo a un cuenco grande.

3. Corta por la mitad un tercio de los tomates. Agrega los tomates cortados y los enteros, ambos quesos, la albahaca y la harina a la mezcla de calabacín y chalota. Sazona con sal y pimienta.

4. Sobre una superficie ligeramente enharinada, estira el disco de masa formando un círculo de 33 cm de diámetro y 6 mm de grosor. Practica siete cortes de 7 cm alrededor del borde de masa, a una distancia uniforme. Trasládala a un molde de tarta de 23 cm. Rocía la masa con la cucharada de aceite restante. Coloca el relleno sobre la masa. Dobla encima las solapas de masa, solapándolas ligeramente. Refrigera hasta que la masa esté firme, unos 30 minutos.

5. Precalienta el horno a 190 °C. Bate la nata y la yema de huevo restante en un cuenco pequeño, y pincela la masa. Hornea la tarta sobre una bandeja de horno con borde forrada con papel de hornear hasta que la masa esté bien dorada y los jugos burbujeen, 70-80 minutos. Pásala a una rejilla para que se enfríe un poco. Sírvela caliente.

Tarta de manzana y crema de queso *Brie*

Una porción de esta exquisita tarta saciará incluso a los más ávidos comensales. Lleva una crema rápida infusionada con hierbas, compuesta por una mezcla de Brie ablandado, huevos y nata en un procesador de alimentos, y luego vertido sobre manzanas Granny Smith salteadas y depositadas sobre una base honda de pasta brisa. PARA UNA TARTA DE 23 CM

Harina normal, para espolvorear

½ receta de pasta brisa (página 322)

1 cda de aceite de oliva

2 manzanas ácidas y firmes, como Granny Smith, peladas y descorazonadas, cada una cortada en 6 gajos

170 g de queso Brie muy maduro, a temperatura ambiente

1 huevo grande más 2 yemas de huevo grande

120 ml (½ taza) de nata para montar

120 ml (½ taza) de leche

2 cdtas de hojas de tomillo fresco picadas gruesas

Sal gruesa y pimienta negra recién molida

1. Precalienta el horno a 200 °C. Sobre una superficie ligeramente enharinada, estira la masa formando un círculo de 28 cm. Ajusta la masa sobre un molde desmontable o un anillo de tarta de 23 cm sobre una bandeja de horno forrada con papel de hornear, extendiendo ligeramente la masa verticalmente por las paredes. Pincha la superficie de la base con un tenedor. Refrigera o congela hasta que esté firme, unos 30 minutos.

2. Forra la base con papel de hornear, extendiéndolo por los lados unos 2,5 cm. Llena la base con pesos o legumbres secas. Hornea 20 minutos. Retira con cuidado los pesos y el papel de hornear. Hornea hasta que la masa esté dorada por todos lados, 10-20 minutos más. Trasládala a una rejilla para que se enfríe un poco antes de rellenarla. Reduce a 170 °C.

3. Calienta el aceite sobre una olla mediana a fuego medio/alto. Añade las manzanas y cuece hasta que se doren de ambos lados, 2-3 minutos en total. Retíralas del fuego.

4. En un procesador de alimentos con una pala de plástico, procesa el Brie 15 segundos. Añade el huevo entero y las yemas, de uno en uno; procesa después de cada uno hasta que esté bien mezclado. Añade la nata y procesa hasta que esté homogéneo. Vierte la mezcla en un cuenco mezclador grande; agrega lentamente la leche hasta que esté homogénea. Agrega el tomillo y sazona con sal y pimienta.

5. Coloca las manzanas salteadas sobre la base de masa. Vierte la crema sobre las manzanas. Hornea hasta que la crema empiece a cuajar al tocarla suavemente con el dedo, unos 35 minutos. Pásala a una rejilla para que se enfríe un poco. Sírvela caliente o a temperatura ambiente.

Galette de acelgas y queso de cabra

Las tartas rellenas con acelgas, piñones y uvas son muy comunes en el sur de Francia e Italia, donde pueden servirse como postre, espolvoreadas con azúcar glas o almendras tostadas. El queso de cabra y las anchoas hacen de esta *galette* un plato decididamente salado, mientras que la base se aleja del estándar con una saludable harina de avena y trigo integral. 6 RACIONES

PARA LA MASA

60 g (½ taza) de harina normal, y un poco más para espolvorear

65 g (½ taza) de harina integral

50 g (½ taza) de copos de avena tradicionales

1 cdta de sal

115 g (½ taza) de mantequilla fría, cortada a trocitos

85 g de queso crema

1 yema de huevo grande más 1 yema de huevo grande, para el barniz de huevo

1 cda de nata para montar, para el barniz de huevo

PARA EL RELLENO

340 g de acelgas, lavadas, con los tallos cortados y reservados

2 cdas de aceite de oliva virgen extra

1 cebolla grande, en rodajas longitudinales de 6 mm de grosor

3 cdas de vinagre balsámico

Sal gruesa y pimienta recién molida

3 filetes de anchoa, picados gruesos (opcional)

2 cdas de hojas de tomillo fresco

170 g de queso de cabra fresco, a temperatura ambiente

2 cdas de nata para montar

½ cdta de nuez moscada rallada

2 cdas de piñones, tostados (véase pág. 343)

2 cdas de pasas sultanas

1. Prepara la masa: En un procesador de alimentos, procesa las harinas, los copos de avena y la sal hasta unirlo. Añade la mantequilla, el queso crema y 1 yema de huevo, y procesa solo hasta que la masa se una, 15-20 segundos. Presiona la masa formando un disco. Envuélvelo en film transparente y refrigéralo 1 hora o máximo 1 día.

2. Prepara el relleno: Corta los tallos de acelga en trozos de 6 mm. En una sartén grande, calienta 1 cda de aceite de oliva a fuego medio. Añade los tallos y las rodajas de cebolla y cuece, removiendo, hasta que esté ligeramente dorado, de 8 a 10 minutos.

3. Cubre la sartén y reduce a fuego bajo. Cuece, removiendo de vez en cuando, hasta que los tallos estén muy blandos, unos 15 minutos. Añade el vinagre y cuece, removiendo, hasta que el líquido se reduzca a la mitad, unos 2 minutos. Sazona con sal y pimienta. Retira del fuego y pasa la mezcla de cebolla a un cuenco no reactivo.

4. Calienta la cucharada de aceite restante en la misma sartén a fuego medio/alto. Añade las anchoas, si las usas; saltéalas, removiendo con frecuencia, 1 minuto. Añade las hojas de acelga y saltéalas hasta que estén ligeramente lacias, alrededor de 1 minuto. Agrega el tomillo; sazona con sal y pimienta.

5. Con una batidora eléctrica a velocidad media, mezcla el queso de cabra y la nata. Bate hasta que esté homogéneo, alrededor de 1 minuto. Agrega la nuez moscada y sazona con sal y pimienta.

6. Sobre una superficie ligeramente enharinada, estira la masa formando un círculo de 30 cm de diámetro y 6 mm de grosor. Distribuye la mezcla de cebolla sobre la masa, dejando un margen de 7 cm alrededor del borde. Extiende la mezcla de queso de cabra sobre la mezcla de cebolla, y corónala con la mezcla de hojas de acelga. Espolvorea con piñones y pasas sultanas. Dobla los bordes de masa y presiona ligeramente para sellar. Traslada la tarta, sobre el papel de hornear, a una bandeja de horno con borde. En un cuenco pequeño, bate la yema de huevo con la cucharada de nata restante y pincela la masa expuesta. Refrigera hasta que la masa esté firme, unos 30 minutos.

7. Precalienta el horno a 190 °C. Hornea hasta que la masa esté dorada, 40-45 minutos. Trasládala a una rejilla para que se enfríe un poco. Sírvela caliente o a temperatura ambiente.

Pasteles de pollo individuales con masa a las hierbas

Resulta difícil mejorar una receta de toda la vida, pero precisamente esto es lo que pretende esta receta de pastel de pollo. Cada ración individual va coronada de un círculo rizado de masa moteada de hierbas. 8 UNIDADES

1 pollo entero (1,8 kg), enjuagado y secado

960 ml (4 tazas) de caldo de pollo casero o comprado, bajo en sodio

1 cebolla grande, cortada por la mitad

2 hojas de laurel

½ cda de granos de pimienta

3 ramitos de tomillo fresco, más 2 cdas de hojas de tomillo

1 tallo de apio, cortado en tercios

75 g de mantequilla

255 g de patatas rojas, cortadas en dados de 1 cm

12 cebollitas blancas, rojas o amarillas, peladas (cortadas por la mitad si son grandes)

1 puerro, solo la parte blanca y verde pálido, cortado en círculos de 6 mm de grosor y bien lavado

2 zanahorias, peladas y cortadas en círculos de 6 mm de grosor

170 g de champiñones blancos, limpios y cortados por la mitad (a cuartos si son grandes)

30 g (¼ de taza) más 1 cda de harina normal, y un poco más para espolvorear

240 ml (1 taza) de leche

2 cdas de perejil de hoja plana fresco y picado

Ralladura fina de 1 limón

2 cdtas de sal gruesa

½ cdta de pimienta recién molida

Pasta brisa (página 322; sin azúcar)

2 cdas de mezcla de hierbas frescas, como perejil de hoja plana, salvia, cebollino, tomillo, eneldo, romero y orégano

1 huevo grande, ligeramente batido con 1 cda de agua, para el barniz de huevo

1. Pon el pollo, el caldo, la cebolla, el laurel, los granos de pimienta, el tomillo y el apio en una olla de 7,5 l. Cubre con agua. Tapa la olla y llévala a ebullición. Destapa y reduce el fuego. Hierve a fuego lento 1 hora.

2. Coloca el pollo sobre una tabla. Cuando esté lo bastante frío como para manipularlo, quítale la piel. Deséchala. Deshuesa y desecha los huesos. Con un tenedor, deshaz la carne en tiritas.

3. Cuela el caldo con un colador fino sobre un cuenco grande. Reserva 480 ml (2 tazas) de caldo. Reserva el caldo restante para otro uso.

4. Derrite la mantequilla en una sartén grande a fuego medio/alto. Añade las patatas y cebollitas. Cuece, removiendo de vez en cuando, hasta que las patatas empiecen a dorarse, unos 5 minutos. Añade puerro, zanahorias y champiñones; cuece, removiendo ocasionalmente, hasta que se ablanden, unos 5 minutos más. Añade la mantequilla y cuece, removiendo, 1 minuto.

5. Incorpora los 480 ml (2 tazas) de caldo y la leche. Haz hervir a fuego suave la mezcla y cuece, removiendo sin cesar, hasta que espese y burbujee (2-3 min). Agrega el pollo, el perejil picado, las hojas de tomillo, la ralladura, la sal y la pimienta. Distribuye la mezcla en 8 ramequines de 10x5 cm, llenándolos casi hasta el borde. Déjalos enfriar un poco.

6. Precalienta el horno a 190 °C. Sobre una superficie enharinada, estira la masa a un grosor de 6 mm. Esparce las hierbas encima y estira la masa a un grosor de 3 mm, presionando suavemente las hierbas.

7. Con un cortador acanalado de 11 cm, corta 8 círculos de masa. Pincela los bordes de los ramequines con el barniz de huevo. Coloca los círculos sobre el relleno. Presiona para sellarlos. Congela hasta que la masa esté firme, unos 10 minutos.

8. Coloca los ramequines en una bandeja de horno. Pincela la masa con el barniz de huevo. Con un cuchillo, haz 4 orificios de ventilación en cada círculo. Hornea hasta que estén dorados y el relleno burbujee (35-40 min). Colócalos sobre una rejilla. Deja enfriar 10-15 minutos y sírvelos.

Gallettes saladas de manzana

Romero fresco picado, chirivía rallada y queso dan sabor a la masa de estas sensacionales tartitas. El relleno de manzana y cebolla también se espolvorea con más queso. Las tartitas son perfectas para un picnic otoñal, una fiesta de la cosecha u otros eventos al aire libre. 6 UNIDADES

PARA LA MASA

1 chirivía pequeña (unos 113 g), pelada

240 g (2 tazas) de harina normal, y un poco más para espolvorear

1 cdta de sal

1 cdta de azúcar

¼ de cdta de pimienta negra recién molida

172 g (¾ de taza) de mantequilla fría, cortada a trocitos

42 g (½ taza) de queso manchego rallado fino

2 ½ cdas de romero fresco picado fino

1 yema de huevo grande

60 ml (¼ de taza) de agua helada

PARA EL RELLENO

1 cda de aceite de oliva virgen extra

15 g de mantequilla

3 manzanas Gala peladas, descorazonadas, cortadas por la mitad y en rodajas de 6 mm de grosor

8 cebollas amarillas medianas, cortadas por la mitad y en rodajas finas

3 cdas de vinagre de manzana

½ cdta de sal gruesa

116 g (1 taza) de queso manchego rallado grueso

Pimienta recién molida, al gusto

1. Prepara la masa: Ralla fina la chirivía; necesitarás unos 80 g (½ taza). Colócala sobre un paño de cocina limpio (no utilices papel de cocina) y aplástala para extraer todo el líquido posible.

2. Procesa la chirivía, la harina, la sal, el azúcar, la pimienta, la mantequilla, el queso y el romero en un procesador de alimentos. Añade la yema de huevo y procesa hasta unirla. Rocía uniformemente el agua helada sobre la mezcla; procesa solo hasta que la masa empiece a unirse. Moldéala en forma de disco y envuélvela en film transparente. Refrigera de 1 hora a 2 días.

3. Prepara el relleno: Calienta aceite y mantequilla en una sartén grande a fuego medio/alto. Agrega las manzanas y las cebollas y cuece hasta que esté bien dorado, unos 15 minutos. Cubre, reduce a fuego bajo y cuece hasta que esté muy blando y caramelizado, unos 35 minutos. Añade el vinagre y la sal y cuece 5 minutos. Retíralo del fuego y deja enfriar por completo el relleno.

4. Sobre una superficie ligeramente enharinada, estira la masa a 3 mm de grosor. Corta seis círculos de 18 cm, amasando de nuevo los trozos si es necesario. Colócalos sobre una bandeja de horno grande forrada con papel de hornear.

5. Tritura la mitad de la mezcla de manzana y cebolla en un procesador de alimentos hasta que esté homogénea. Con la ayuda de una espátula acodada, extiende 3 cucharadas del puré de manzana y cebolla, dejando un margen de 2,5 cm alrededor de los bordes. Espolvorea cada círculo con 2 cucharadas de queso. Sazona con pimienta. Corona cada círculo con una cucharada generosa de la mezcla de manzana y cebolla restante, y espolvorea con 2 cucharaditas de queso. Dobla hacia dentro los bordes de masa, pellizcándolos con los dedos. Refrigera hasta que la masa esté firme, unos 30 minutos. Mientras tanto, precalienta el horno a 180 °C.

6. Hornea hasta que los bordes estén bien dorados, de 40 a 45 minutos. Sírvelas calientes o a temperatura ambiente.

Tarta de queso y remolacha roja y amarilla

Unas finas rodajas de remolacha asada roja, dorada y a rayas se solapan sobre una mezcla de queso Ricotta y queso de cabra para constituir una asombrosa tarta de tejas. Las remolachas se espolvorean con queso Fontina rallado antes de hornear. Usa remolachas de diferentes colores si puedes encontrarlas. PARA UNA TARTA DE 33X23 CM

Harina normal, para espolvorear

Pasta brisa (pág. 322; sin dividirla en 2 discos)

680 g de remolacha (sin la parte verde), preferentemente una mezcla de remolacha roja, dorada y tipo Chioggia

2 cdas de aceite de oliva virgen extra, y un poco más para rociar

Sal gruesa y pimienta recién molida

450 g de queso de cabra fresco, a temperatura ambiente

113 g (½ taza escasa) de queso Ricotta fresco

2 cdtas de tomillo fresco picado fino, más 1 cdta de hojas enteras

56 g (½ taza) de queso Fontina rallado

1. Precalienta el horno a 190 °C. Sobre una superficie ligeramente enharinada, estira la masa hasta alcanzar 3 mm de grosor. Presiona firmemente la masa sobre una bandeja de horno con borde de 33x23 cm, dejando que sobresalga 2,5 cm por todos los lados. Dobla el saliente hacia dentro para crear un doble grosor y presiónalo firmemente contra la bandeja. Pincha la superficie de la base con un tenedor. Refrigera o congela hasta que esté firme, unos 30 minutos.

2. Forra la base con papel de hornear y cúbrelo con pesos o legumbres secas. Hornea hasta que esté bien dorada, unos 30 minutos. Retira los pesos y el papel de hornear. Trasládala a una rejilla para que se enfríe por completo. Mantén encendido el horno.

3. Recorta los tallos de las remolachas dejando 1 cm y lávalas bien. Revuelve con aceite y 1 cucharadita de sal. Colócalas en una bandeja de horno con borde; cúbrelas con papel de hornear y luego con papel de aluminio bien apretado. Asa las remolachas hasta que estén tiernas, de 45 minutos a 1 hora. Cuando estén lo bastante frías como para manejarlas, pélalas con un cuchillo de mondar. Córtalas en círculos. Sube a 220 °C.

4. Revuelve el queso de cabra, el queso Ricotta y el tomillo picado hasta que estén bien mezclados; sazona con pimienta. Extiende la mezcla sobre la base de tarta, llegando hasta los bordes.

5. Coloca las remolachas sobre la mezcla de queso, solapando ligeramente las rodajas y alternando colores, si es posible. Sazona ligeramente con sal. Espolvorea con el queso Fontina y las hojas de tomillo. Rocía ligeramente con aceite y sazona con pimienta. Hornea hasta que esté bien dorada, unos 25 minutos. Sírvela caliente.

Mini empanadas de coliflor asada

Una pasta brisa salada aromatizada con queso manchego envuelve estos pastelitos de inspiración española, rellenos con coliflor asada, pasta de avellana tostada, romero picado y un poco más de queso rallado. Sírvelos como entrantes, con rodajas de membrillo y una copa de un buen vino de Jerez. 8 UNIDADES

PARA LA MASA

270 g (2 ¼ tazas) de harina normal, y un poco más para espolvorear

42 g (½ taza) de queso manchego rallado fino

Una pizca de azúcar

1 cdta de sal gruesa

172 g (¾ de taza) de mantequilla fría, cortada a trocitos

1 yema de huevo grande, más 1 yema de huevo grande, para el barniz de huevo

60-120 ml (¼-½ taza) de agua helada

1 cda de nata para montar, para el barniz de huevo

PARA EL RELLENO

1 cabeza de coliflor pequeña, con los cogollos separados y a rodajas finas (unas 4 tazas)

3 cdas más 60 ml (¼ de taza) de aceite de oliva virgen extra

Sal gruesa y pimienta recién molida

100 g (⅔ de taza) de avellanas, tostadas y sin piel (véase pág. 343)

1 diente de ajo

1 cdta de ralladura fina de limón

2 cdtas de romero fresco picado fino

142 g de queso manchego, en rodajas finas

1. Prepara la masa: Procesa la harina, el queso, el azúcar, la sal y la mantequilla en un procesador de alimentos hasta que parezca harina gruesa. Añade 1 yema y procesa hasta unirla. Rocía encima 60 ml (¼ de taza) de agua helada y procesa hasta que la masa empiece a unirse. Si la masa sigue desmigajada, añade 60 ml (¼ de taza) más de agua helada, en tandas de 1 cucharada. Divide la masa en dos y dales forma de disco. Envuélvelos en film transparente. Refrigera hasta que estén firmes (1 h).

2. Prepara el relleno: Precalienta el horno a 190 °C. Revuelve la coliflor con 3 cucharadas de aceite en un cuenco mediano; sazona con sal y pimienta. Extiéndela sobre una bandeja de horno grande y con borde. Ásala hasta que esté bien dorada, unos 7 minutos. Gira la coliflor y ásala 5 minutos más. Déjala enfriar.

3. Introduce los frutos secos y el ajo en un procesador de alimentos. Con la máquina en marcha, añade lentamente los 60 ml (¼ de taza) de aceite hasta que la mezcla esté picada fina. Añade la ralladura y 1 cucharadita de romero; sazona con sal y pimienta. Procesa hasta que la mezcla forme una pasta.

4. Sobre una superficie enharinada, estira 1 disco de masa a un grosor de 6 mm. Corta 8 círculos de 10 cm. Pásalos a una bandeja forrada con papel de hornear. Extiende 2 cucharaditas de la mezcla de avellanas sobre cada círculo, dejando un borde de 6 mm. Reparte la coliflor sobre los círculos. Corónala con el queso y la cucharadita de romero restante, repartiéndolo equitativamente; espolvorea con pimienta. Bate la nata y la yema de huevo restante en un cuenco pequeño, y pincela los bordes de masa. Si la masa está demasiado blanda para manipularla, refrigérala hasta que esté firme.

5. Sobre una superficie enharinada, estira el disco de masa restante a un grosor de 6 mm. Corta ocho círculos de 10 cm. Con un cortador de galletas pequeño en forma de flor, corta 8 flores de los restos de masa. Coloca un círculo de masa encima de cada pastelito; presiona ligeramente los bordes con un tenedor para sellarlos. Pincela la masa con barniz de huevo y coloca una flor sobre cada pastelito. Pincela las flores con huevo batido. Refrigera hasta que estén firmes, unos 30 minutos. Hornea hasta que la masa esté bien dorada, 30-32 minutos. Sírvelos calientes o a temperatura ambiente.

Tartaletas de cebolleta

Mezclada con ajo, chile fresco, nueces, aceitunas y queso parmesano, la humilde cebolleta es la base de una deliciosa mezcla de cobertura con sabor campestre para estos cuadrados de masa de hojaldre. Al hornearse las tartaletas, las cebolletas se caramelizan, se vuelven doradas, dulces y desprenden un intenso aroma. En lugar de tartaletas individuales, puedes unir la masa y el relleno en dos tartas grandes: estira y corta la masa formando dos cuadrados de 20 cm, divide bien el relleno entre las masas y hornea 30 minutos. 8 UNIDADES

Harina normal, para espolvorear

1 caja de masa de hojaldre comprada, preferentemente de solo mantequilla, descongelada, o ¼ de receta de masa de hojaldre (página 334)

8 manojos de cebolletas (1 kg), limpias y cortadas en tiras

1 diente de ajo picado

1 chile thai rojo, sin nervaduras ni semillas, picado

75 g (½ taza) de nueces, picadas finas

100 g (½ taza) de aceitunas tipo Kalamata, sin hueso y picadas finas

2 cdas de aceite de oliva virgen extra

Sal gruesa y pimienta recién molida

1 yema de huevo grande, para el barniz de huevo

1 cdta de agua helada, para el barniz de huevo

50 g (½ taza) de queso parmesano rallado fino

1. Precalienta el horno a 200 °C. Sobre una superficie ligeramente enharinada, estira y corta la masa formando dos cuadrados de 23 cm. Corta cada trozo en 4 cuadrados; colócalos sobre una bandeja de horno forrada con papel de hornear a una distancia de 5 cm entre sí. Refrigera o congela hasta que estén firmes, unos 30 minutos.

2. Mezcla las cebolletas, el ajo, el chile, las nueces, las aceitunas y el aceite en un cuenco mediano. Sazona con sal y pimienta.

3. En un cuenco pequeño, bate la yema de huevo y el agua helada. Pincela 1 cm del borde de los cuadrados de masa. Divide la mezcla de cebolleta entre los cuadrados, dejando un borde de 6 mm; espolvorea uniformemente los cuadrados con queso.

4. Hornea hasta que la masa esté bien dorada, unos 20 minutos. Pásalas a una rejilla para que se enfríen. Sírvelas calientes o a temperatura ambiente.

Tartaletas de verduras

Lo más importante no es qué verduras utilices en estas coloridas y nutritivas tartaletas, sino que sean de temporada. Aquí, la berenjena, la cebolla roja, el calabacín verde y amarillo, los tomates cherry, la col rizada y los pimientos morrones llenan estas bases de harina de maíz, pero también podrías utilizar sin problemas judías verdes, maíz o champiñones. La masa es ligera y crujiente, con menos mantequilla que otras masas. Para elaborar versiones eclécticas, vierte el relleno en el centro de cada círculo de masa y dobla los bordes hacia dentro. Puedes servir cada tartaleta con una cucharada de queso Ricotta fresco. Añade una ensalada verde para equilibrar este saludable almuerzo. 6 UNIDADES

PARA LA MASA

240 g (2 tazas) de harina normal, y un poco más para espolvorear

80 g (½ taza) de harina de maíz amarilla, preferiblemente molida a la piedra

1cdta de azúcar

1 cdta de sal gruesa

115 g (½ taza) de mantequilla fría, cortada a trocitos

120 ml (½ taza) de agua helada

PARA EL RELLENO

3 cdas de aceite de oliva virgen extra

2 pimientos morrones, sin tallos ni semillas, cortados en tiras de 6 mm

1 calabacín en rodajas finas

1 calabacín amarillo en rodajas finas

1 berenjena italiana en rodajas finas

1 cebolla roja pequeña a cuartos

240 ml (1 taza) de vino blanco seco

¼ de cdta de sal gruesa

Pimienta negra recién molida

226 g (2 tazas) de col rizada picada gruesa

275 g (2 tazas) de tomates cherry

15 g (⅓ de taza) de hojas de albahaca fresca, picadas gruesas

Una pizca de copos de pimiento rojo

1. Prepara la masa: Procesa la harina de trigo, la harina de maíz, el azúcar y la sal en un procesador de alimentos. Añade la mantequilla; procesa hasta que la mezcla parezca harina gruesa. Rocía uniformemente el agua helada sobre la mezcla; procesa solo hasta que la masa empiece a unirse. Divide la masa en dos y haz un disco con cada trozo. Envuélvelos en film transparente. Refrigera hasta que estén firmes, alrededor de 1 hora.

2. Sobre una superficie ligeramente enharinada, estira cada disco de masa a un grosor de 3 mm. Corta seis círculos de 20 cm, amasando y extendiendo de nuevo los trozos. Ajusta los círculos en moldes de tarta desmontables de 10 cm, doblando la masa alrededor del borde. Recorta la masa sobrante nivelándola con los bordes. Refrigera o congela hasta que estén firmes, unos 30 minutos.

3. Precalienta el horno a 180 °C. Prepara el relleno: Calienta el aceite en una sartén grande a fuego medio. Añade los pimientos morrones y cuece hasta que estén tiernos, 4-5 minutos. Añade el calabacín verde y amarillo, la berenjena y la cebolla; cuece, removiendo, 2 minutos. Añade el vino y la sal; sazona con pimienta negra. Cuece, removiendo, hasta que el líquido se haya evaporado. Añade la col rizada y cuece hasta que se marchite, 2-3 minutos. Retira del fuego. Agrega los tomates, la albahaca y los copos de pimiento rojo.

4. Coloca las bases sobre una bandeja de horno con borde. Vierte 225 g (1 ¼ tazas) de la mezcla de verduras en cada base de tarta. Hornea hasta que la masa esté bien dorada, 40-45 minutos. Pásalas a una rejilla para que se enfríen un poco. Sírvelas calientes o a temperatura ambiente.

Tarta de celosía de calabacín

La tarta es una buena excusa para darte un paseo por el mercado local (o si tienes esa suerte, por tu propio huerto) para buscar calabacines verdes y amarillos. Usa una mandolina u otro cortador de hoja ajustable para cortar longitudinalmente los calabacines. PARA UNA TARTA DE 35x10 CM

Harina normal, para espolvorear

½ receta de pasta brisa (pág. 322; omitir azúcar)

2 calabacines verdes medianos (unos 280 g)

2 calabacines amarillos medianos (unos 280 g)

Sal gruesa y pimienta recién molida

2 cdas de aceite de oliva virgen extra, y un poco más para pincelar

2 puerros grandes (unos 340 g), solo la parte blanca, bien lavados y cortados a dados de 8 mm

50 g (½ taza) de queso gruyer rallado

1 huevo entero más 1 yema grande

60 ml (¼ de taza) de nata para montar

1. Precalienta el horno a 190 °C. Sobre una superficie ligeramente enharinada, estira la masa hasta formar un rectángulo de 40x15 cm. Ajusta la masa en un molde de tarta rectangular con base desmontable de 35x10 cm (o un molde de tarta sin fondo) sobre una bandeja de horno con borde forrada con papel de hornear y recorta la masa sobrante nivelándola con el borde. Pincha la superficie de la base con un tenedor. Refrigera o congela hasta que esté firme, unos 30 minutos.

2. Forra la base con papel de hornear. Llénala con pesos o legumbres secas. Hornea hasta que la masa empiece a dorarse, unos 15 minutos. Retira los pesos y el papel de hornear. Hornéala hasta que esté bien dorada, unos 10 minutos más. Deja enfriar por completo sobre una rejilla. Mantén el horno encendido.

3. Con una mandolina o un cuchillo afilado, corta en rodajas muy finas y longitudinalmente 1 calabacín verde y 1 amarillo. Coloca las rodajas en una sola capa sobre una rejilla sobre una bandeja de horno con borde y espolvorea ligeramente con sal. Deja que se escurran 30 minutos.

4. Corta los dos calabacines restantes en dados de 8 mm. Calienta el aceite de oliva en una sartén grande a fuego medio/alto. Añade el calabacín verde y amarillo a dados y los puerros y sazona con sal y pimienta. Cuece hasta que estén bien dorados, pero aún firmes, 8-10 minutos. Deja enfriar un poco las verduras. Extiéndelas formando una capa uniforme sobre la masa preparada; reparte bien el queso por encima.

5. En un cuenco, bate el huevo entero, la yema de huevo y la nata, y sazona con sal y pimienta. Vierte con cuidado la mezcla de huevo sobre el queso y las verduras.

6. Coloca las rodajas de calabacín amarillo entre una doble capa de papel de cocina. Presiona suavemente para extraer todo el líquido posible. Alternando los dos colores de calabacín, teje un dibujo de celosía sobre el relleno, cubriendo toda la superficie. Recorta o dobla los extremos para ajustarlos.

7. Con un pincel de repostería, unta la celosía con aceite de oliva. Hornea, cubierto holgadamente con papel de aluminio, hasta que la crema cuaje, 30-35 minutos. Destápalo y déjalo enfriar un poco sobre una rejilla antes de desmoldar y servir.

TEJER LA CELOSÍA DE CALABACÍN

Tarta alsaciana de patata

Inspirada en la sustanciosa cocina de la Alsacia, una región del noreste de Francia que linda con Alemania, esta tarta hojaldrada lleva un jugoso relleno de patatas, queso Comté (o gruyer), puerros y nata infusionada con ajo. En lugar de añadir la nata al relleno al principio, se vierte a través de los orificios de ventilación de la parte superior de la tarta cuando la masa ya está bien dorada, y luego la tarta se hornea diez minutos más. Esto permite que la masa sea bien crujiente y evita que las patatas absorban toda la nata antes de que el pastel se haya acabado de hacer. 6 RACIONES

3 patatas tipo Yukon Gold (unos 450 g), peladas y cortadas en círculos de 6 mm de grosor

Sal gruesa y pimienta recién molida

240 ml (1 taza) de nata para montar

5 dientes de ajo, machacados con el lado plano de un cuchillo grande

½ cdta de nuez moscada recién rallada

30 g de mantequilla

1 puerro, solo la parte blanca y verde pálido, cortado longitudinalmente y en rodajas finas transversales, bien lavado

6 g (¼ de taza) de perejil de hoja plana fresco picado

1 yema de huevo grande, para el barniz de huevo

Harina normal, para espolvorear

1 caja de masa de hojaldre comprada, preferentemente de solo mantequilla, descongelada, o ¼ de receta de masa de hojaldre (página 334)

140 g (1 ½ tazas) de queso rallado Comté o gruyer

1. Cubre las patatas con agua en una olla mediana. Llévalas a ebullición. Sazona el agua con sal; cuece hasta que estén tiernas, 13-15 minutos. Escúrrelas y déjalas enfriar.

2. Lleva a ebullición 180 ml (¾ de taza) más 3 cucharadas de nata, el ajo y la nuez moscada en una olla pequeña. Cuece la mezcla hasta reducirla a la mitad. Sazona con sal y pimienta.

3. Funde la mantequilla en una sartén a fuego medio. Añade el puerro; cuece, removiendo de vez en cuando, hasta que se ablande, unos 5 minutos. Retíralo del fuego. Agrega el perejil y sazona con sal y pimienta.

4. Bate la yema de huevo y la cucharada de nata restante en un cuenco pequeño. Sobre una superficie ligeramente enharinada, estira y corta la masa formando dos rectángulos de 33 x 15 cm. Si es necesario, solapa los bordes de 2 trozos más pequeños para formar un rectángulo más grande; pincela la parte solapada con agua para sellarla y luego estira la masa. Coloca 1 rectángulo sobre una bandeja forrada con papel de hornear. Coloca encima la mitad de las patatas, dejando un borde de 1 cm alrededor y solapando ligeramente las patatas. Coloca encima la mitad de la mezcla de puerros y la mitad de la mezcla de queso; sazona con sal y pimienta. Repite las capas con las patatas, los puerros y el queso restantes. Pincela los bordes de la masa con el barniz de huevo. Cubre con el rectángulo de masa restante; presiona suavemente los bordes con un tenedor para sellarlos. Corta orificios transversales de 5 cm en el centro de la masa, separados entre sí 5 cm, para dejar que salga el vapor. Pincela con el barniz de huevo. Refrigera hasta que la tarta esté firme, unos 30 minutos.

5. Precalienta el horno a 200 °C. Hornea hasta que esté bien dorada e hinchada, unos 35 minutos. Sácala del horno. Vierte la mezcla de nata por los orificios de ventilación de la tarta con un embudo de metal. Hornea 10 minutos más. Traslada la tarta a una rejilla y déjala enfriar 15 minutos antes de servirla.

Quiche

Básicamente una crema de huevos, nata y relleno salado horneada en una pasta brisa, la quiche es fácil de preparar y casa con una gran variedad de sabores. Por ejemplo, puedes utilizar los rellenos propuestos, o bien sustituirlos por cualquier otro ingrediente que prefieras. Puedes hornear la quiche en un molde de tarta normal, pero los bordes afilados de un molde de tarta de metal sustentará mejor las paredes de masa. Además, al hornear la base sin relleno, evitarás que la masa se quede a medio cocer y se ablande. Una quiche perfectamente cocida debe estar totalmente cuajada (no debería bambolearse en el centro), un poco hinchada y tener la superficie ligeramente dorada. PARA UNA TARTA DE 25 CM

Harina normal, para espolvorear

½ receta de pasta brisa (página 322)

Relleno de champiñones y chalota (página 310), Relleno de beicon y cebolla caramelizada (página 310), o Relleno de puerro y maíz (página 310)

120 ml (½ taza) de leche

120 ml (½ taza) de nata para montar

2 huevos grandes más 1 yema grande

Una pizca de nuez moscada recién rallada

Sal gruesa y pimienta recién molida

150 g (1 ½ tazas) de queso gruyer rallado

1. Sobre una superficie enharinada, estira la masa formando un círculo de 35 cm de diámetro y 3 mm de grosor. Ajústalo sobre un molde acanalado de 25 cm con base desmontable, y presiona suavemente la masa para ajustarla. Con un cuchillo pequeño o un rodillo, recorta la masa sobrante y nivélala con el borde. Pincha la superficie de la base con un tenedor. Refrigera o congela hasta que esté firme, unos 30 minutos.

2. Precalienta el horno a 190 °C. Forra la base con papel de hornear y llénala con pesos o legumbres secas. Hornea hasta que la masa empiece a dorarse por los bordes, unos 30 minutos. Retira el papel y los pesos; sigue horneando hasta que la parte inferior de la masa esté seca pero no bien dorada, de 5 a 10 minutos más. Coloca la base sobre una rejilla para que se enfríe un poco.

3. Mientras tanto, prepara el relleno de tu elección, y luego prepara la crema: en un cuenco pequeño, bate la leche, la nata, los huevos y la yema hasta unirlo, luego añade la nuez moscada y sazona con sal y pimienta.

4. Coloca el molde sobre una bandeja de horno con borde. Espolvorea la mitad del queso sobre la base, repartiéndolo bien. Esparce el relleno y cúbrelo con el queso restante. Vierte con cuidado la crema sobre el queso. Hornea hasta que cuaje en el centro, 30-35 minutos. Pásala a una rejilla para que se enfríe mínimo 10 minutos antes de servir. Sírvela caliente o a temperatura ambiente.

Variación de mini quiche: Para hacer quiches individuales en lugar de una grande, estira la masa como se describe en el paso 1, cortando cinco círculos de 15 cm y ajústalos en moldes de tarta de 10 cm. Refrigera las bases. Forra las bases con papel de hornear y llénalas con pesos o legumbres secas; hornea hasta que estén doradas, 15-20 minutos. Retira el papel de hornear y los pesos, y traslada las bases a una rejilla para que se enfríen por completo. Continúa tal como indica la receta, y una vez montadas, hornea las quiches individuales 20-25 minutos.

Rellenos de quiche

RELLENO DE CHAMPIÑONES Y CHALOTA

2 cdas de aceite de oliva virgen extra

2 chalotas, en rodajas finas

450 g de champiñones blancos, a cuartos

Sal gruesa y pimienta recién molida

Calienta el aceite en una sartén grande a fuego alto. Cuece las chalotas, removiendo constantemente, hasta que estén traslúcidas, alrededor de 1 minuto. Añade los champiñones y sazona con sal y pimienta. Cuece, removiendo con frecuencia, hasta que los champiñones adquieran un tono dorado oscuro, 8-10 minutos. Los champiñones soltarán líquido primero; cuece hasta que se haya evaporado, ajustando el fuego si es preciso. Pásalo a un cuenco y déjalo enfriar un poco.

RELLENO DE BEICON Y CEBOLLA CARAMELIZADA

1 cda de aceite de oliva virgen extra o 15 g de mantequilla

6 lonchas de beicon, cortadas en trozos de 2,5 cm

2 cebollas cortadas a daditos

Calienta el aceite en una sartén grande a fuego medio. Cuece el beicon hasta que la grasa se derrita y el beicon esté crujiente y dorado, unos 8 minutos. Con una cuchara ranurada, colócalo sobre papel de cocina para que se escurra, dejando la grasa derretida en la sartén. Añade las cebollas y cuece a fuego medio/bajo, removiendo con frecuencia, hasta que adquieran un tono dorado oscuro y se caramelicen, 30-45 minutos. Mezcla las cebollas y el beicon en un cuenco pequeño y déjalo enfriar un poco.

RELLENO DE PUERRO Y MAÍZ

2 cdas de aceite de oliva virgen extra o 30 g de mantequilla

1 puerro, solo la parte blanca y verde pálido, cortado en trozos de 1 cm de grosor y bien lavado

2 mazorcas de maíz, los granos retirados de la mazorca, unos 350 g (2 tazas)

1 cdta de hojas de tomillo fresco (de 2 ramitos)

Sal gruesa y pimienta recién molida

Calienta el aceite en una sartén grande a fuego fuerte. Cuece el puerro hasta que esté traslúcido, alrededor de 1 minuto, removiendo constantemente para evitar que se dore. Añade el maíz y el tomillo, y sazona con sal y pimienta. Cuece, removiendo con frecuencia, hasta que el maíz esté muy tierno, unos 5 minutos. Pásalo a un cuenco y déjalo enfriar un poco.

técnicas básicas

En las páginas que siguen a continuación, encontrarás todo lo que necesitas saber para elaborar tartas y tartaletas estupendas. Hemos incluido glosarios de ingredientes y utensilios, así como técnicas ilustradas. Aprenderás a extender correctamente la masa, a tejer una masa de celosía, a preparar una cobertura de merengue, y mucho más. También encontrarás recetas básicas para las bases de tarta, los rellenos y los acabados más populares.

NET WT. 4 OZ. (113g)

ingredientes

INGREDIENTES BÁSICOS

1. HARINA: Al mezclarla con agua, la harina forma las proteínas del gluten que proporcionan a los productos de repostería su estructura característica. La harina normal posee la cantidad justa de proteína para la mayoría de las masas para tarta, formando bases de tarta ni demasiado duras ni demasiado desmigajadas, y es la utilizada en la mayoría de las masas de este libro. La excepción es la pasta de hojaldre, que requiere una pequeña cantidad de harina pastelera (no la variedad leudante), junto con la normal para conseguir una textura alta y liviana. La harina también puede emplearse como espesante en casi todas las recetas de tartas, y para espolvorear la superficie de trabajo al estirar la masa. Guarda la harina en un recipiente hermético a temperatura ambiente máximo un año. Consulta la página 343 para saber cómo medir correctamente la harina.

2. MANTEQUILLA: La grasa es lo que aporta a las bases de tarta una forma en capas y una textura tierna. La mantequilla es la grasa más empleada en las recetas de este libro por su sabor y suculencia inigualables. Al cortarla y mezclarla con la harina para hacer la masa, debe estar muy fría; si no, empezará a fundirse cuando empieces a trabajarla y formará una masa dura, no hojaldrada. La mantequilla también se utiliza fundida para formar bases de migas, batida en cremas y curds, o a trocitos en los rellenos de fruta antes de hornearlos, para que espesen. Utiliza mantequilla sin sal, y emplea barras nuevas: la mantequilla absorbe fácilmente los olores de los alimentos que la rodean, por lo que la mantequilla abierta podría añadir un sabor desagradable a las tartas. La mantequilla se congela bien un máximo de seis meses (descongélala una noche en la nevera antes de usarla).

3. AZÚCAR: El azúcar blanco granulado, de caña de azúcar refinado o remolacha azucarera, es la variedad más utilizada, especialmente en repostería. El azúcar perla grueso tiene cristales más grandes y es más apto para decoración: espolvoréalo sobre la superficie de una tarta pincelada con glaseado para darle un acabado brillante. El azúcar turbinado y otros azúcares «oscurecidos» se pueden utilizar en lugar del azúcar perla grueso en algunas recetas. El azúcar glas se disuelve fácilmente en las coberturas batidas, y se puede espolvorear sobre la superficie de un postre acabado. A menudo forma grumos, así que puede que quieras tamizarlo con un colador fino antes de usarlo. El azúcar moreno es una combinación de azúcar granulado y melaza (el azúcar moreno oscuro contiene más melaza que el azúcar moreno claro), y es de color y sabor más fuerte. Consulta la página 343 para saber cómo medir el azúcar moreno. Una vez abierto, cierra bien el paquete de azúcar moreno, o bien guárdalo en un recipiente hermético para evitar que se endurezca.

Para ablandarlo si está endurecido, pon un trozo de manzana en la bolsa, ciérrala y déjala un día o dos, hasta que el azúcar esté lo suficientemente blando, y luego retira la manzana.

4. SAL: Un poquito de sal en cada receta (ya sea dulce o salada) potencia el sabor. Las recetas de este libro distinguen entre «sal» (sal de mesa), «sal gruesa» (sal kosher), y en unas pocas recetas, «sal marina», como flor de sal o sal Maldon. Si no tienes sal gruesa, puedes sustituirla por sal de mesa: solo tienes que emplear ¼ de la cantidad indicada. Sin embargo, no sustituyas la sal de mesa por estas sales marinas, pues se utilizan principalmente para dar sabor; la sal de mesa es diferente.

5. HUEVOS: Son la base para cremas, curds y cremas pasteleras; las claras forman la estructura de merengues etéreos. Algunas masas de tarta (como la masa dulce para tartas y la pastaflora) también llevan huevos: la grasa de las yemas de huevo hacen que estas masas resulten más tiernas, y la proteína adicional a su vez las refuerza. Utiliza huevos grandes a temperatura ambiente. Para separar las yemas de las claras, hazlo cuando los huevos aún están fríos, y luego deja que alcancen temperatura ambiente.

6. NATA PARA MONTAR: Con o sin azúcar, la nata montada es una de las coberturas de tarta favoritas (véase receta en pág. 340). Utiliza nata para montar (o nata montada): la nata *light* no se monta. La nata también puede pincelarse sobre la masa de una tarta, sola o combinada con un huevo batido en un barniz de huevo.

7. LECHE: Mezcla la leche con yemas de huevo, azúcar y maicena para elaborar crema o crema pastelera. En las recetas de este libro se utiliza leche entera.

8. QUESO CREMA: La masa de tarta elaborada con queso crema es fácil de trabajar, y la masa final posee una textura tierna. El queso crema también se puede incorporar en rellenos horneados o sin hornear.

9. CREMA AGRIA: La incorporación de crema agria (o su prima francesa, la *crème fraîche*) aporta a los rellenos de crema horneados un sabor ácido que combina especialmente bien con las coberturas a base de fruta fresca.

10. YOGUR: Un relleno sin horneado, como una *mousse* a base de yogur, puede ser una refrescante alternativa a la crema pastelera. Utiliza yogur natural entero para las recetas de este libro, a menos que se especifique otra cosa.

INGREDIENTES ESPECIALES

1. FRUTOS SECOS: Los frutos secos pueden utilizarse enteros, como ingrediente principal de una tarta, como relleno, o picados finamente y mezclados en la masa. Las almendras y otros frutos secos, como las avellanas, se utilizan para hacer franchipán, una suculenta masa para tartas de fruta u otros postres franceses clásicos. Como suelen ser bastante ricos en aceites (de ahí su maravilloso sabor), los frutos secos se vuelven rancios con bastante rapidez. Cómpralos en una tienda donde repongan a menudo los productos, y guárdalos en una bolsa o un recipiente hermético dentro de la nevera, máximo 5 meses.

2. GALLETAS: Una base de galletas para tarta es fácil de hacer y es la opción tradicional para muchas tartas de crema y tartas heladas. Las galletas de harina Graham son muy habituales, también las de barquillo de chocolate y vainilla (como Nabisco Famous Wafers y Nilla Wafers), las galletas de jengibre y las *shortbread* (galletas escocesas de mantequilla, por ejemplo Walkers). Todas las galletas se pueden moler en una picadora, o si no tienes, introdúcelas en una bolsa de plástico grande con cierre zip y tritúralas con un rodillo. Las migas de galletas de harina Graham preparadas se venden en supermercados. En lo que respecta a medidas, en este libro el término «lámina de galleta de harina Graham» corresponde a un rectángulo de 13×6 cm.

3. HARINA DE MAÍZ: Incorporar harina de maíz (blanco o amarillo) molida a la piedra en una masa junto a la harina normal, añade un delicioso toque crujiente. Guarda la harina de maíz en una bolsa o un recipiente hermético lejos de fuentes de calor y protegido de la luz, y comprueba la fecha de caducidad de la bolsa: tiene un período de conservación más corto que las harinas y otros ingredientes secos.

4. CHOCOLATE: El chocolate sólido tiene múltiples aplicaciones en la confección de tartas, como la ganache y los rellenos de crema. También se puede fundir y rociar encima de los postres, o bien cortarlo en forma de rizos para adornar. Cuando compres chocolate para repostería, elige tabletas, piezas o virutas de la mejor calidad que puedas encontrar: Valrhona, Callebaut, El Rey y Scharffen Berger son todas marcas de gran calidad. Cuanto mayor sea el porcentaje de cacao (a menudo aparece en la etiqueta), más intenso será su sabor. El chocolate con leche debe contener mínimo un 10% de cacao, el chocolate sin azúcar posee un 100%, y el chocolate negro (incluido el amargo y el semiamargo) contiene por lo menos un 34%. Nos gusta el chocolate semiamargo con un 55% de cacao, y el chocolate negro con un mínimo del 70%. Utiliza un cuchillo de sierra para picar finamente el chocolate, o un pelador de verduras para hacer rizos de chocolate (véase pág. 343).

5. CACAO EN POLVO: Encontrarás dos tipos de cacao en polvo para repostería, cacao natural (a veces llamado «cacao no alcalinizado») y cacao holandés, tratado con una solución alcalina que reduce la acidez natural del cacao y aporta al polvo un sabor más suave y un color más oscuro. Utiliza el tipo de cacao especificado en la receta. Si no se especifica ninguno, puedes usar cualquiera de los dos.

6. VAINILLA: Elige siempre el extracto de vainilla denominada «pura», nunca «imitación». Algunas recetas requieren vainas en lugar de extracto de vainilla: las semillas proporcionan un aroma y una fragancia mucho más compleja. Para extraer las semillas, coloca la vaina de vainilla horizontalmente sobre una tabla de cortar; sujeta uno de los extremos y córtala longitudinalmente con un cuchillo de cocina, después desliza el cuchillo a lo largo de cada trozo cortado. Normalmente puedes sustituir 1 cucharada de extracto por las semillas de una vaina entera. Guarda la vaina y utilízala para hacer azúcar avainillado, que resulta excelente para repostería o para endulzar bebidas: coloca la vaina cortada en un bote de azúcar, sella la tapa y déjala por lo menos una semana (sacude el bote diariamente para distribuir el aroma); usa el azúcar en el plazo de unos meses.

utensilios

UTENSILIOS PARA CONFECCIONAR MASAS Y RELLENOS

1. TAZAS MEDIDORAS DE INGREDIENTES SECOS: Los ingredientes secos (como harina o azúcar) y los semisólidos (como mermelada, crema agria o manteca de cacahuete) deberían medirse con tazas medidoras graduadas para ingredientes secos. Nivélalos con algo rígido, como una espátula acodada, para conseguir una mayor precisión. Consulta la página 343 para saber cómo medir ingredientes secos.

2. TAZAS MEDIDORAS DE LÍQUIDOS: Utiliza una taza medidora de líquidos transparente (preferiblemente de vidrio templado) que tenga un caño y una asa para medir los ingredientes líquidos. Coloca la taza sobre una superficie plana y lee las medidas a la altura de los ojos.

3. CUCHARITAS DE MEDIR: Mide los ingredientes secos y líquidos con un juego de cucharitas de medir graduadas de metal. Nivela los ingredientes secos, como por ejemplo, la sal, con algo rígido, y vierte los líquidos, como el extracto de vainilla, llenando la cucharita hasta el borde. No midas los ingredientes directamente sobre el cuenco.

4. COLADOR: Un colador de malla fina se puede utilizar para tamizar diversos ingredientes (como harina o cacao en polvo) sobre un cuenco, o bien para espolvorear azúcar glas o cacao sobre una tarta para decorarla.

5. RALLADOR: Las hojas pequeñas y afiladas de un rallador son perfectas para rallar la cáscara de los cítricos: raspan la ralladura aromática pero dejan la piel blanca. Un rallador también puede usarse para rallar finamente chocolate, nuez moscada y jengibre fresco.

6. BATIDORA DE VARILLAS: Una batidora de varillas en forma de globo (también llamada batidora de globo), te permite incorporar con rapidez y minuciosidad los ingredientes secos y líquidos, además de servir para montar nata a mano. Elige una batidora robusta de acero inoxidable que no se deforme.

7. ESPÁTULA FLEXIBLE RESISTENTE AL FUEGO: Una espátula de silicona (que es resistente al fuego, a diferencia de las de goma) resulta ideal para trasladar cremas y masas de un cuenco o una olla, y para distribuir uniformemente rellenos y coberturas.

8. MEZCLADOR DE REPOSTERÍA: Utilízalo para cortar la mantequilla y mezclarla con los ingredientes secos a mano (algunos reposteros prefieren esta herramienta al procesador de alimentos). Presiona y gira el mezclador para trabajar la mantequilla con la harina, procurando no trabajarla en exceso.

9. RODILLO: El diseño más habitual de rodillo tiene dos mangos y un eje sobre el que gira el rodillo. Sin embargo, muchos reposteros profesionales prefieren un rodillo largo y delgado de madera sin mangos ni extremos afilados, pues permite un mayor control y «sentir» la masa mientras la estiras. Sea cual sea tu elección, opta por un rodillo más largo que te sirva para una masa de pastel grande. La madera es el material estándar, pero el mármol es una excelente elección (y el favorito de Martha) porque se mantiene frío mientras trabajas y es menos probable que la masa se pegue.

10. RUEDA DE REPOSTERÍA: Utiliza una de doble cara para formar tiras de masa de celosía, o para cortar bordes rectos para las tartas eclécticas; la rueda ondulada sirve para crear bordes festoneados. Para hacer tiras de bordes rectos, puedes utilizar un cortador de pizza.

11. REGLA: Al usar una regla te aseguras de hacer tiras de celosía totalmente rectas. También resulta práctica para medir la masa cuando la estiras sobre una superficie de trabajo. Una regla larga (de unos 45 cm) te será muy útil.

12. ESPÁTULA ACODADA LARGA: Para despegar la masa que empieza a pegarse a la superficie de trabajo, desliza por debajo una espátula acodada de por lo menos 25 cm. Hazlo de vez en cuando mientras estiras la masa, y espolvorea ligeramente la espátula con harina si es necesario.

13. TIJERAS DE COCINA: Recorta la masa sobrante de los bordes de la base y de la cubierta de la tarta con unas tijeras de cocina: son más fáciles de manejar que un cuchillo.

14. PINCELES DE REPOSTERÍA: Elige pinceles de repostería de cerdas naturales y tupidas, bien sujetas al mango, y designa un pincel para tareas en seco y otro para líquidos. Utiliza un pincel grande para eliminar la harina sobrante de la masa extendida y aplicar glaseado o barniz de huevo sobre la masa de tarta; utiliza un pincel pequeño para aplicar barniz de huevo a masas de tarta sobrepuestas o en forma de tejas. Deja secar por completo los pinceles antes de guardarlos.

UTENSILIOS PARA HORNEAR TARTAS

1. TERMÓMETRO DE HORNO: La temperatura del horno es fundamental para conseguir un buen resultado con los pasteles, por lo que un termómetro de horno es uno de los utensilios más importante para un repostero. Colócalo en el centro de tu horno para calibrar la temperatura y ajusta el control de temperatura de tu horno según convenga.

2. BANDEJA DE HORNO CON BORDE: Las tartas de fruta jugosa pueden burbujear y gotear durante el horneado y ensuciar tu horno. Para protegerlo y facilitar la limpieza, coloca la tarta sobre una bandeja de horno con borde forrada con papel de hornear o con una lámina de silicona para horno. También puedes emplearla para colocar una remesa de tartaletas o pastelitos mientras se hornean, y para hornear una tarta rellena rectangular.

3. PAPEL DE HORNEAR: Con multitud de usos, este papel resistente al calor, antiadherente y desechable, resulta indispensable en la cocina. Utilízalo para forrar tu superficie de trabajo, colocar pesos para hornear bases sin relleno, y forrar bandejas de horno bajo moldes de tarta. El papel encerado no es un buen sustituto.

4. LÁMINA DE SILICONA PARA HORNO: Una versátil y reutilizable alternativa al papel de hornear que proporciona una superficie antiadherente para la repostería. Utilízala para forrar una bandeja de hornear bajo una tarta de fruta, como se describe más arriba, u hornear tartaletas tipo galletas de tipo teja, como las de la página 198.

5. REJILLA ENFRIADORA: Una rejilla elevada permite circular el aire alrededor de las tartas mientras se enfrían. Elige una rejilla de acero inoxidable y con pies, con barras bidireccionales.

6. CORTADOR DE GALLETAS: Las tartas con cobertura requieren orificios de ventilación que dejen salir el vapor cuando se hornean. Pueden cortarse con un cuchillo afilado, pero para darle un toque decorativo, usa un cortador de galletas pequeño. Los recortes se pueden sobreponer en la masa con un poco de barniz de huevo. También se pueden emplear para decorar los bordes de pasteles sin masa de cobertura, tal como se muestra en la página 24, o para coronar tartaletas de mermelada, como en la página 204.

7. PESOS PARA HORNEAR: Puedes comprar pesos de cerámica o metal en las tiendas de utensilios de repostería, o bien utilizar judías secas o arroz. Sirven para evitar que la masa horneada sin relleno se encoja y se infle al hornearla.

8. MOLDE DE TARTA DE CRISTAL: El vidrio templado (como el pírex) es la mejor elección para moldes de tarta, pues dispersa el calor bien, permitiendo un dorado más uniforme. El cristal transparente también te permite ver el color de la masa del fondo mientras se hornea.

9. MOLDE DE TARTA DE METAL: Pese a no transmitir el calor tan bien como un molde de cristal, el molde de tarta de metal resulta atractivo por su aspecto anticuado. También los hay en miniatura.

10. FUENTE DE HORNO DE CERÁMICA: Las fuentes de tarta y otras fuentes de horno de cerámica o porcelana conducen bien el calor y son lo suficiente bonitas como para ir del horno a la mesa.

11. MOLDE DE TARTA ACANALADO: Las tartas adquieren mucha de su elegancia de los moldes en que se hornean. Estos moldes tienen lados cortos y rizados y bases desmontables, y se venden en una gran variedad de tamaños y formas, siendo la redonda y la rectangular las más habituales.

12. MOLDE DE TARTALETA: Disponibles en multitud de formas y tamaños, se utilizan para confeccionar un montón de bocaditos deliciosos. Las tartas horneadas suelen ser lo bastante pequeñas como para sacarlas del molde directamente, así que no requieren bases desmontables. También se pueden usar moldes de brioche en miniatura.

13. MOLDE DESMONTABLE: Utilizado tradicionalmente para elaborar pastel de queso, un molde desmontable también va estupendamente para hornear tartas de lados rectos de aspecto moderno, y también tartas saladas, como una quiche. Una vez se haya enfriado por completo, abre el cierre lateral para abrir el molde y soltar la tarta del interior.

14. ANILLO DE PASTEL: Los anillos para pastel, tarta o flan pueden utilizarse para hornear tartas sin cobertura y bases para tarta. Los moldes sin base, colocados sobre bandejas de horno forradas con papel de hornear, se despegan fácilmente después del horneado, y el resultado es muy elegante.

recetas + técnicas

Pasta brisa

A partir de tres ingredientes principales (harina, grasa y agua), más un poco de azúcar y sal, obtienes una masa incomparablemente hojaldrada, pero suficientemente fuerte como para contener cualquier relleno, dulce o salado. El nombre de pasta brisa proviene del francés *pâte brisée*, que significa «pasta rota», y se refiere a cortar la mantequilla y mezclarla con la harina. La mezcla debería asemejarse a harina gruesa, con algunos trozos de mantequilla del tamaño de pequeños guisantes, antes de rociarla con agua fría; estos trocitos de mantequilla no incorporada son los que proporcionan a la pasta brisa su famosa textura hojaldrada al liberar vapor cuando se funden. PARA 1 TARTA CON COBERTURA DE MASA DE 23CM O 2 BASES DE TARTA DE 9CM

300 g (2 ½ tazas) de harina normal

1 cdta de sal

1 cdta de azúcar

230 g (1 taza) de mantequilla fría, cortada a trocitos

60-120 ml (¼-½ tazas) de agua helada

1. Mezcla la harina, la sal y el azúcar en un procesador de alimentos (o bátelos a mano en un cuenco). Añade la mantequilla y sigue procesando (o incorpórala rápidamente con un mezclador de repostería, o bien con las puntas de los dedos) hasta que la mezcla parezca harina gruesa, con algunos trozos de mantequilla sin deshacer. Rocía la mezcla con 60 ml (¼ de taza) de agua. Procésalo (o mézclalo con un tenedor) solo hasta que la mezcla empiece a unirse. Si la masa está demasiado seca, añade 60 ml (¼ de taza) más de agua, en tandas de 1 cucharada, y sigue procesando (o mezcla con el tenedor).

2. Divide la masa por la mitad entre dos trozos de film transparente. Forma dos bolas, envuélvelas holgadamente en film. Presiona cada una con un rodillo formando un disco. Refrigéralas hasta que estén firmes, bien envueltas en film, 1 hora o máximo 1 día. Se puede congelar máximo 3 meses; descongela en la nevera antes de usarla.

Variante con margarina: Sustituye 115 g (½ taza) de mantequilla por 115 g (½ taza) de margarina vegetal fría cortada a trocitos.

Variante con manteca de cerdo: Sustituye 115 g (½ taza) de mantequilla por 115 g (½ taza) de manteca fría. La que se considera de mejor calidad es la que envuelve los riñones.

Variante con harina de maíz: Sustituye 60 g (½ taza) de harina por 62 g (½ taza) de harina de maíz gruesa.

Variante con queso Cheddar: Reduce la mantequilla a 173 g (¾ de taza) y añade 135 g (1 ½ de taza) de queso rallado tipo Cheddar a la mezcla de harina junto con la mantequilla. Añade 1 cucharada más de azúcar.

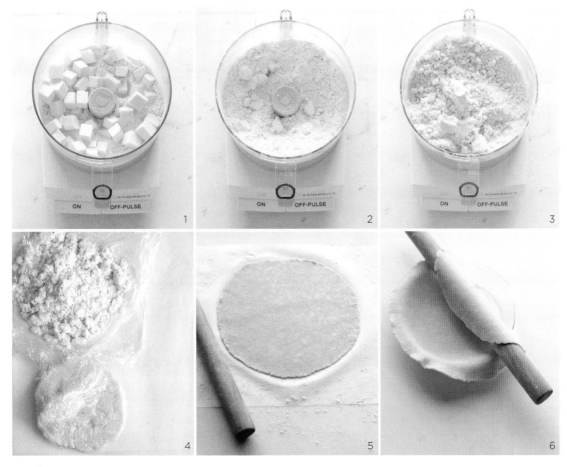

CÓMO HACER PASTA BRISA

1. MEZCLAR LOS INGREDIENTES: Asegúrate de que todos los ingredientes, incluso los secos, están fríos antes de empezar (refrigéralos 30 minutos). Procesa la harina, la sal y el azúcar en un procesador de alimentos. Corta la mantequilla a trocitos y añádela al procesador.

2. CORTAR LA MANTEQUILLA: Procésala solo hasta que la mezcla parezca harina gruesa, con algunos trozos más grandes (hasta aprox. 1 cm), unos 10 segundos.

3. AÑADIR EL AGUA: Rocía uniformemente 60 ml (¼ de taza) de agua sobre la mezcla y procésala hasta que la masa empiece a unirse. Pellizca un trozo de masa con los dedos: debería unirse al apretarla, pero sin mojar, pegarse ni desmigajarse. Añade hasta 60 ml (¼ de taza) más de agua con la cuchara, si es necesario.

4. REFRIGERAR LA MASA: Coloca la masa en un trozo de film transparente. Utiliza las manos para envolver y moldear la masa en forma de bola; aplánala un poco. Desenvuelve la masa y vuelve a envolverla holgadamente, dejando 1 cm de espacio de aire alrededor de la masa. Estira la masa hasta un grosor de 1 cm, llenando el espacio. Refrigérala hasta que la masa esté firme, 1 hora o máximo 1 día.

5. ESTIRAR LA MASA: Si es necesario, deja reposar la masa a temperatura ambiente 10 minutos para que se ablande. Sobre una superficie ligeramente enharinada, estira la masa, trabajándola desde el centro hacia los bordes. Gira la masa un octavo de vuelta cada vez, despegándola con una espátula acodada larga. Retira la harina sobrante con un pincel de repostería seco.

6. COLOCAR LA MASA EN EL MOLDE: Una vez la masa se ha extendido hasta lograr la dimensión correcta, enróllala sobre el rodillo. Luego, con cuidado, desenróllala sobre el molde de tarta, cubriéndolo, y presiónala suavemente para ajustarla al molde.

CÓMO HACER MASA DE TARTA SENCILLA

RECORTAR LA MASA
Recorta la masa sobrante dejando que sobresalga 2,5 cm. Riza los bordes (como se muestra a la derecha) con el pulgar y el índice, o bien crea otro borde decorativo (página opuesta).

PINCHAR LA BASE
Pinchar la base con un tenedor antes de hornearla permite que el vapor salga al exterior, evitando que la masa se hinche al hornearse. Deja enfriar la masa después de pincharla.

HORNEAR SIN RELLENO
Forra la base enfriada con papel de hornear y cúbrelo con pesos para hornear o con legumbres secas. Para hornear parcialmente una base, hornéala solo hasta que los bordes empiecen a dorarse. Retira los pesos y el papel de hornear. Si quieres hornearla por completo, sigue horneando hasta que la base esté ligeramente dorada.

HACER UN ANILLO DE ALUMINIO
Un anillo de aluminio evita que los bordes de la base se doren demasiado rápido. Presiona un trozo de papel de aluminio sobre un molde de tarta vacío para darle forma, luego recorta el borde exterior y recorta el centro para obtener un anillo de unos 5 cm de anchura.

BORDES DE BASE DE TARTA

Para hacer un borde ajedrezado (1), corta la masa a intervalos regulares y dobla hacia el centro trozos alternos. Puedes pegar recortes con agua o barniz de huevo: superponiendo pequeños triángulos puedes hacer un adorno en forma de punta de flecha (2), mientras que trenzando tiras de masa, formarás una trenza (3). Puedes variar el rizado clásico pellizcando en diagonal con el pulgar y el índice (4), o marcando un borde con un tenedor (5).

1. AJEDREZ

2. PUNTA DE FLECHA

4. PELLIZCOS

5. TENEDOR

3. TRENZADO

CÓMO HACER UNA MASA DE TARTA DOBLE PARA TARTA DE FRUTA

1. RELLENO: Distribuye uniformemente el relleno sobre la base de tarta, formando un montículo en el centro. Poner una o dos cucharadas de mantequilla, cortada a trocitos, encima del relleno ayudará a emulsionar los jugos y aportará suculencia.

2. AÑADIR LA MASA DE COBERTURA: Pincela el borde de la masa de base con un poco de barniz de huevo. Centra y coloca la masa superior sobre el relleno.

3. SELLAR LOS BORDES: Recorta la masa sobrante dejando que sobresalga 2,5 cm. Pliega el borde de la masa de cobertura bajo el borde de la masa de base y presiónalo para sellarlo. Para rizar los bordes: con el pulgar y el índice de una mano, presiona la masa contra el pulgar o el nudillo de la otra mano; sigue hasta rodear todo el borde de la tarta.

4. TOQUES FINALES: Con un cuchillo de mondar, haz algunas hendiduras (para que salga el vapor) en la masa de cobertura, de unos 7,5 cm de longitud, o bien moldea el respiradero con un cortador de galletas. Pincela la masa de cobertura con barniz de huevo (véase página opuesta) y espolvorea uniformemente azúcar perla grueso por encima.

1. YEMA DE HUEVO Y NATA

2. NATA PARA MONTAR

3. YEMA DE HUEVO Y AGUA

BARNIZ DE HUEVO

El barniz de huevo con diferentes ingredientes o proporciones de ingredientes puede alterar el aspecto y la textura de una masa de cobertura horneada. El barniz elaborado con una yema de huevo y una cucharada de nata para montar batidas (1) es el favorito de Martha: proporciona un hermoso tono dorado. La nata para montar (2) aporta un acabado más pálido que el huevo, pero añade un bonito brillo. La yema de huevo con agua (3) es el estándar; utiliza una cucharada de agua fría para una yema de huevo. Un huevo sencillamente batido y luego pincelado sobre la masa sin hornear se traduce en un suculento color dorado y una superficie brillante (4). Pincelar solo con agua (5) proporciona una superficie crujiente y de color pálido. Va bien para que se adhiera el azúcar, y es un buen recurso de última hora.

4. HUEVO ENTERO

5. AGUA

CÓMO HACER MASA DE CELOSÍA

1. Corta una cantidad par de tiras (hemos cortado 10) de masa de tarta extendida utilizando el borde liso u ondulado de la rueda de repostería de doble cara. Si no tienes una rueda de repostería, puedes usar un cortador de pizza o un cuchillo afilado. Las tiras de la foto son de aproximadamente 2,5 cm de anchura; hazlas tan anchas o estrechas como desees. Las tiras anchas resultan más fáciles de manejar, especialmente para los principiantes.

2. Coloca la mitad de las tiras verticalmente y a intervalos regulares a lo largo de la tarta, empezando por el centro y trabajando hacia el borde.

3. Dobla las tiras impares tal como se muestra en la foto y coloca una tira horizontal que cruce el centro de la tarta.

4. Desdobla las tiras impares y luego dobla las pares; coloca otra tira en perpendicular como se muestra en la foto. Repite el proceso, desdoblando y doblando de forma alterna las tiras de masa.

5. Continúa con el otro lado de la tarta, doblando las tiras pares y colocando otra tira horizontal.

6. Desdobla las tiras de masa pares y dobla las tiras impares; coloca la última tira horizontal. Desdobla las tiras.

7. Recorta la masa sobrante de los extremos de las tiras alineándolas con la parte sobresaliente de la base (pero no las alinees con el borde del molde).

8. Dobla los extremos de la celosía y el borde de la base hacia abajo. Riza el borde con un tenedor o con los pulgares. Acaba pincelando toda la superficie con el barniz de huevo de tu elección y espolvoreando con azúcar perla grueso o fino (no se muestra en las fotos).

Masa de tarta con queso crema

Los que sean nuevos en el amasado harían bien en empezar con una masa con queso crema. La combinación de la mantequilla con el queso crema produce una masa flexible y maleable que se estira de forma rápida y suave, gracias al alto contenido en humedad del queso crema. También posee una miga tierna y un sabor que combina bien con rellenos tanto dulces como salados. PARA UNA MASA DE TARTA SENCILLA DE 23 CM

2 cdtas de agua fría

1 cdta de vinagre de manzana frío

180 g (1 ½ tazas) de harina normal, y un poco más para espolvorear

½ cdta de sal

115 g (½ taza) de mantequilla fría, cortada a trocitos

113 g de queso crema frío, cortado a trocitos

1. Mezcla el agua y el vinagre en un cuenco pequeño. Mezcla la harina y la sal en otro cuenco. Con la ayuda de un mezclador de repostería, o con los dedos, incorpora la mantequilla y el queso crema a la mezcla de harina hasta que se asemeje a harina gruesa, con algunos trozos más grandes. (También puedes mezclar los ingredientes con un procesador de alimentos).

2. Añade la mezcla de agua a la masa en un flujo lento y continuo, removiendo (o procesando) hasta que la mezcla empiece a unirse. Coloca la mezcla sobre un trozo de film transparente y envuélvela. Presiona la masa formando un disco con la ayuda de un rodillo. Refrigérala hasta que esté firme, de 1 hora a 1 día. (La masa se puede congelar máximo 3 meses; descongélala en la nevera antes de usarla.)

1. PREPARACIÓN: Como con todas las masas de tarta, es esencial que los ingredientes estén fríos para producir una textura hojaldrada. Pesa todos los ingredientes, corta la mantequilla y el queso crema en cubitos y luego refrigera todo (incluida la harina y la sal en el cuenco) durante 30 minutos antes de empezar.

2. HACER LA MASA: Evita mezclar en exceso la masa cuando incorpores la mantequilla y el queso crema a la mezcla de harina. La masa tiene que quedar un poco desmigajada, con trozos que oscilen entre una harina gruesa y pedazos de algo más de 1 cm, todos recubiertos uniformemente en la mezcla de harina.

3. ENVOLVER LA MASA: Al cubrir la masa con film transparente, comprimes los ingredientes y los proteges del calor de tus manos. Coloca la masa sobre un trozo de film transparente y emplea el plástico para unir la masa en forma de bola. Aplánala en forma de disco y refrigérala mínimo 1 hora y máximo 1 día.

Base de galleta de harina Graham

La textura desmigajada de una base de tarta de galletas de harina Graham es la mejor combinación para los rellenos cremosos; es extraordinariamente fácil de hacer, solo tienes que mezclar las migas de galleta con mantequilla fundida y una pequeña cantidad de azúcar, presionar la mezcla sobre un molde de tarta y hornearla. PARA UNA BASE DE 23 CM

12 láminas de galleta de harina Graham (170 g) a trocitos, o 150 g (1 ½ tazas) de migas de galleta de harina Graham

90 g de mantequilla, fundida y enfriada, y un poco más para el molde

3 cdas de azúcar

Una pizca de sal

Precalienta el horno a 190 °C. Engrasa ligeramente con mantequilla un molde de tarta de 23 cm. En un procesador de alimentos, procesa las galletas de harina Graham hasta que estén bien molidas. Mezcla en un cuenco las migas, la mantequilla, el azúcar y la sal. Presiona la mezcla firme e uniformemente en la base y los lados del molde. Hornea hasta que esté ligeramente dorada, unos 12 minutos. Déjala enfriar por completo sobre una rejilla enfriadora. La base se puede guardar máximo 1 día, cubierta holgadamente con papel de aluminio, a temperatura ambiente.

Base de galleta de barquillo de chocolate

Las galletas de barquillo de chocolate (o prácticamente cualquier galleta de barquillo) forman una deliciosa masa de migas, especialmente adecuada para tartas de crema. PARA UNA MASA DE 23 CM

25 galletas de barquillo de chocolate (170 g) a trocitos, o 150 g (1 ½ tazas) de migas de galleta de barquillo

75 g de mantequilla fundida

3 cdas de azúcar

Una pizca de sal

Precalienta el horno a 180 °C. En un procesador de alimentos, muele bien las galletas de barquillo. Añade la mantequilla, el azúcar y la sal, y mézclalo bien. Presiona la mezcla firme e uniformemente en la base y los lados de un molde de 23 cm. Hornea hasta que la base esté firme, 10 minutos. Déjala enfriar por completo sobre una rejilla enfriadora. La base se puede guardar máximo 1 día.

DAR FORMA A BASE DE MIGA: Para formar una base firme, compacta y uniforme, utiliza la base plana de una taza de medir seca para presionar las migas en la base y los lados del molde.

Masa de tarta de chocolate sabroso

Esta base desmigajada y enriquecida con cacao se utiliza para confeccionar la Tarta de crema de caramelo y chocolate de la página 116, y combina estupendamente con otros rellenos cremosos.

PARA UNA BASE DE TARTA SENCILLA DE 23 CM

150 g (1 ¼ de taza) de harina normal, y un poco más para espolvorear

67 g (⅓ de taza) de azúcar

2 cdas de cacao holandés en polvo

½ cdta de sal

90 g de mantequilla fría, cortada a trocitos

3 yemas de huevo grandes

½ cdta de extracto de vainilla puro

En un procesador de alimentos, procesa la harina, el azúcar, el cacao y la sal hasta mezclarlos bien. Añade la mantequilla y procesa la mezcla hasta que parezca harina gruesa. Añade las yemas y la vainilla y sigue procesando hasta que empiece a unirse. Moldea la masa en forma de disco. Envuélvela en film transparente y refrigérala hasta que esté firme, de 1 hora a 2 días.

Pasta sablé

La pasta sablé es básicamente masa de galleta azucarada que se utiliza para hacer una masa de tarta arenosa. De hecho, *sablé* proviene de la palabra «arena» en francés. Como la masa es muy blanda, puede resultar difícil extenderla; en lugar de eso, presiónala ligeramente sobre el molde. Los restos de masa se pueden cortar y hornear como galletas.

PARA UNA TARTA DE 23 CM

172 g (¾ de taza) de mantequilla a temperatura ambiente

50 g (½ taza) de azúcar glas

180 g (1 ½ taza) de harina normal

¾ de cdta de sal

Con una batidora eléctrica a velocidad media, bate la mantequilla y el azúcar hasta obtener una mezcla blanquecina y esponjosa (3 minutos). Reduce a velocidad media/baja. Añade la harina y la sal y bate solo hasta que quede una mezcla desmigada (no lo mezcles en exceso). Moldea la masa en forma de disco y envuélvela en film transparente. Refrigérala 1 hora o máximo 2 días, o bien congélala máximo 3 meses (descongélala en la nevera antes de usarla).

Masa dulce para tartas

Esta masa, conocida como *pâte sucrée* en francés, es una masa robusta gracias a la proporción de azúcar y la adición de yemas de huevo. Es una buena elección para tartas que suelen desmoldarse antes de servirse. También resulta más tierna que la pasta brisa, y se rompe limpiamente bajo un tenedor, en lugar de deshacerse en copos.

PARA 2 TARTAS DE 20 O 23 CM, O 2 DOCENAS DE TARTALETAS DE 8 CM

300 g (2 ½ tazas) de harina normal

50 g (¼ de taza) de azúcar

¼ de cdta de sal

230 g (1 taza) de mantequilla fría, cortada a trocitos

2 yemas de huevo grandes, ligeramente batidas

2-4 cdas de nata para montar fría, o de agua helada

Procesa la harina, la sal y el azúcar en un procesador de alimentos hasta mezclarlos. Añade la mantequilla y sigue procesando la mezcla hasta que parezca harina gruesa. Añade las yemas y rocía la mezcla con 2 cucharadas de la nata para montar repartiéndolas bien; sigue procesando hasta que la masa empiece a unirse, no más de 30 segundos. Si la masa está demasiado seca, añade la nata restante, en tandas de 1 cucharada, y procesa todo. Divide la masa por la mitad, moldea con cada mitad un disco y envuélvelos en film transparente. Refrigéralos de 1 hora a 2 días, o bien congélalos máximo 3 meses (descongélalos en la nevera antes de usarlos).

Variante con cítricos: Añade 2 cucharaditas de ralladura de naranja y 1 cucharadita de ralladura fina de limón a los ingredientes secos.

Variante de semillas de amapola: Añade 2 cucharadas de semillas de amapola a los ingredientes secos.

Variante de chocolate: Sustituye 30 g (¼ de taza) de harina por 30 g (¼ de taza) de cacao holandés en polvo sin azúcar.

Variante de limón y harina de maíz: Sustituye 90 g (¾ de taza) de harina por 122 g (¾ de taza) de harina de maíz gruesa y reduce el azúcar a 2 cucharadas. Añade 1 cucharadita de ralladura de limón a los ingredientes secos.

Hojaldre

La textura del hojaldre procede del modo en que se combinan sus ingredientes básicos: harina, mantequilla, agua y sal. Empiezas haciendo dos componentes separados. El primero, la base de masa, o *détrempe* en francés, es principalmente harina trabajada con solo un poco de mantequilla (una mezcla de harina normal y harina pastelera que genera la proteína justa para sostener la masa mientras se hincha). El segundo, la base de mantequilla, o *bourrage* («relleno»), es principalmente mantequilla trabajada con un poquito de harina. Las dos bases se mezclan extendiendo y doblando repetidamente la masa, creando un total de 1.458 capas diferentes. Con el calor del horno, el vapor producido por la mantequilla en la masa crea bolsas de aire y expande todas estas capas. Las tartas con base de hojaldre se cuentan entre las más sencillas de montar. La siguiente receta proporciona suficiente masa para cuatro tartas grandes (congela el hojaldre que no uses máximo 3 meses). PARA APROXIMADAMENTE 1 KG DE MASA

PARA LA BASE DE MASA

360 g (3 tazas) de harina normal, y un poco más para espolvorear

82 g (¾ de taza) de harina pastelera (no leudante)

1 ½ cdtas de sal

56 g de mantequilla fría cortada en trozos de 1 cm

300 ml (1 ¼ tazas) de agua fría

PARA LA BASE DE MANTEQUILLA

1 cda de harina normal

400 g (1 ¾ tazas) de mantequilla fría

1. Prepara la base de masa: En un cuenco grande, mezcla las dos harinas con la sal. Esparce los trocitos de mantequilla sobre la mezcla de harinas, y con la ayuda de un mezclador de repostería o con los dedos, incorpora la mantequilla solo hasta que la mezcla parezca harina gruesa. Forma un volcán en el centro de la mezcla y vierte el agua dentro. Con las manos, arrastra gradualmente harina sobre el agua, cubriéndola y reuniéndola hasta que esté bien mezclada y empiece a unirse. Amasa suavemente la mezcla en el cuenco hasta que empiece a formar una masa, unos 15 segundos. Moldéala en forma de bola rugosa y colócala sobre film transparente. Envuélvela y refrigérala 1 hora.

2. Prepara la base de mantequilla: Espolvorea 1 ½ cucharaditas de harina sobre una hoja de papel de horno. Coloca los trozos de mantequilla encima y espolvoréala con las 1 ½ cucharaditas de harina restante. Cúbrela con otro trozo de papel de horno y con la ayuda de un rodillo, presiona la mantequilla para ablandarla y aplanarla a un grosor de aproximadamente 1 cm. Retira la hoja de papel superior y dobla la base de mantequilla sobre sí misma por la mitad. Coloca de nuevo el trozo de papel encima y vuelve a presionar la mantequilla hasta alcanzar un grosor aproximado de 1 cm. Repite el proceso 2 o 3 veces, o hasta que la mantequilla se vuelva bastante maleable. Con una espátula acodada larga y un trozo de papel de hornear, forma con la base de mantequilla un cuadrado de 15 cm. Envuélvela bien y refrigérala hasta que esté fría pero no se endurezca, no más de 10 minutos.

(*Las instrucciones siguen en la página 336*) >

CÓMO HACER HOJALDRE

1. Prepara la base de masa. Forma una bola, envuélvela en film transparente y refrigérala 1 hora.

2. Prepara la base de mantequilla: Coloca 400 g de mantequilla sobre una hoja de papel de horno enharinado, espolvoréala con más harina y cúbrela con otra hoja de papel de horno. Presiona la mantequilla con un rodillo hasta aplanarla a un grosor de aproximadamente 1 cm. Retira la hoja de papel superior y dobla la mantequilla sobre sí misma por la mitad. Coloca de nuevo el papel y vuelve a presionar la mantequilla hasta lograr un grosor aproximado de 1 cm.

3. Repite el proceso dos o tres veces, hasta que la mantequilla se vuelva maleable. Con una espátula acodada larga y papel de hornear, forma con la mantequilla un cuadrado de 15 cm; envuélvelo en film transparente y refrigéralo no más de 10 minutos.

4. Retira la base de masa de la nevera y espolvoréala ligeramente con harina.

5. Estira la base de masa formando un círculo de 23 cm.

6. Coloca la base de mantequilla en el centro del círculo de masa. Marca ligeramente la masa con un cuchillo de mondar o una espátula acodada resiguiendo el cuadrado de mantequilla; retira la mantequilla.
(Las instrucciones siguen en la página 337) >

Hojaldre (CONTINUACIÓN)

USAR HOJALDRE COMPRADO
El hojaldre casero es incomparablemente mantecoso y hojaldrado. Aunque no es difícil de hacer, requiere muchos pasos en el transcurso de varias horas. Esta receta produce cuatro piezas de 312 g, suficiente para cuatro tartas grandes: congela las porciones que no utilices máximo 3 meses. Si eliges utilizar hojaldre congelado comprado, busca una marca que utilice mantequilla entera, como Dufour, que se vende en una lámina rectangular de 400 g. La masa de hojaldre congelada Pepperidge Farm, que está hecha con aceite vegetal, se vende en cajas de 480 g, con dos láminas cuadradas por caja. Las recetas de este libro permiten cierta flexibilidad en lo que respecta al hojaldre: puedes emplear una lámina de 312 g de hojaldre casero, una lámina de 400 g de hojaldre de mantequilla entera comprado, o bien una caja de 480 g (dos láminas) indistintamente. Solo tienes que estirar la masa hasta alcanzar el tamaño adecuado. Para unir 2 láminas más pequeñas formando 1 rectángulo más grande, sobrepón ligeramente ambas piezas y pincela la superposición con agua para sellarla. Luego estira o corta la masa según se indique.

3. Retira la base de masa de la nevera y enharínala ligeramente. Sobre una superficie ligeramente enharinada, estira suavemente la masa hasta formar un círculo de 23 cm. Coloca la base de mantequilla en el centro del círculo de masa. Con la ayuda de un cuchillo de mondar o una rasqueta de panadero, marca ligeramente la masa resiguiendo el cuadrado de mantequilla; retira la mantequilla. Empezando desde cada lado del cuadrado central, estira suavemente la masa con el rodillo, formando cuatro solapas, cada una de 10-13 cm de longitud; no extiendas el cuadrado elevado del centro de la masa. Vuelve a colocar la base de mantequilla en el cuadrado central (retira el papel de hornear). Dobla las solapas de masa sobre la base de mantequilla de forma que quede totalmente cubierta por ellas. Presiona ligeramente con tus manos para sellarlas. Si en algún momento al estirar la masa esta se vuelve demasiado blanda o elástica, devuélvela a la nevera y déjala allí mínimo 30 minutos.

4. Presiona con el rodillo la masa a intervalos regulares, repetidamente y abarcando toda la superficie, hasta que tenga un grosor de unos 2,5 cm. Estira suavemente la masa formando un rectángulo grande, de entre 23 y 51 cm, con la parte más corta hacia ti. Procura no presionar demasiado fuerte los bordes, y mantén las esquinas rectas al estirar la masa, enderezándolas con el lateral del rodillo o con una espátula acodada larga. Retira la harina sobrante con un pincel. Empezando por el extremo más cercano, dobla el rectángulo en tercios como lo harías con una carta; esto completa la primera vuelta. Envuélvela bien en film transparente y refrigérala entre 45 y 60 minutos.

5. Repite el proceso del paso 4, dándole a la masa cinco giros más. Empieza siempre abriendo la solapa a la derecha, como si fuera un libro. Marca la masa con los nudillos cada vez que completes una vuelta para llevar la cuenta. Refrigera la masa 1 hora entre cada vuelta. Puedes hacer la masa con antelación hasta la cuarta vuelta y luego guardarla en la nevera toda la noche o hasta 1 mes en el congelador antes de seguir. Después de hacer la sexta vuelta final, envuelve la masa en film transparente y refrigérala mínimo 4 horas o toda la noche antes de usarla. Divídela en 4 partes. Congela las porciones que no utilices máximo 3 meses (descongélalas toda una noche en la nevera antes de usarlas).

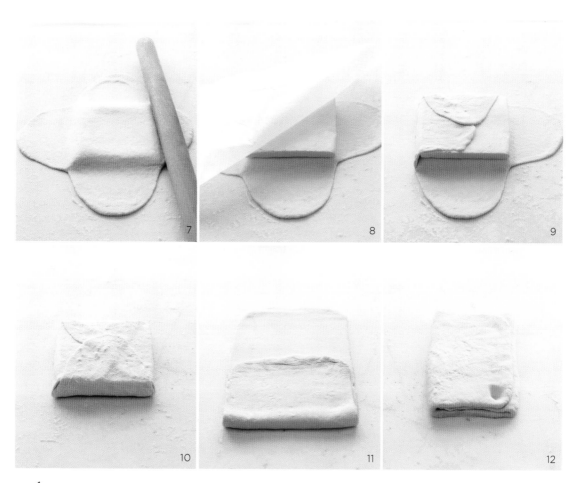

CÓMO HACER HOJALDRE
(continuación)

7. Desde cada lado del cuadrado central, estira suavemente la masa hacia fuera formando cuatro solapas, cada una de 10-13 cm de longitud. No extiendas el cuadrado elevado.

8. Coloca la base de mantequilla en el centro de la base de masa.

9. Dobla las solapas sobre la base de mantequilla.

10. Una vez el paquete está completamente cubierto, séllalo con las manos.

11. Presiona con un rodillo la masa a intervalos regulares hasta lograr un grosor de 2,5 cm. Extiéndela formando un rectángulo grande con el lado corto hacia ti. Empezando por el lado más cercano, dobla el rectángulo en tercios como lo harías con una carta. Esto completa la primera vuelta. Envuelve la masa en plástico y refrigérala 45-60 minutos.

12. Repite los pasos 10 y 11, dando a la masa 5 vueltas más. Empieza siempre abriendo la tapa a la derecha como si fuera un libro. Marca la masa con tu nudillo cada vez que completes una vuelta para llevar la cuenta. Refrigera la masa 1 hora entre vuelta y vuelta.

Crema pastelera de vainilla

La crema pastelera es el relleno clásico de las tartas de fruta francesas. También puede incorporarse a otros rellenos, como la nata montada o la crema de Ricotta de la tarta napolitana de Pascua de la página 253. Al igual que muchas otras cremas, se espesa con huevos y maicena; la mezcla debe llevarse a ebullición para que el almidón se active y cuaje bien. Aquí utilizamos una vaina de vainilla entera, pero puedes sustituirla por extracto de vainilla. PARA 360 ML (1½ TAZA)

480 ml (2 tazas) de leche

1 vaina de vainilla, cortada por la mitad y raspadas las semillas (o 1 cda de extracto de vainilla puro; omite el paso 1 si lo usas)

4 yemas de huevo grandes

100 g (½ taza) de azúcar

27 g (¼ de taza) de maicena

1. Lleva a ebullición la leche y las semillas de la vaina de vainilla en una olla mediana. Retírala del fuego. Cúbrela y déjala reposar 20 minutos.

2. En un cuenco grande, bate las yemas de huevo hasta que estén ligadas. En una olla mediana, mezcla el azúcar y la maicena. Añade gradualmente la mezcla de leche (o la leche y el extracto de vainilla, si no utilizas la vaina de vainilla) con un flujo lento y regular, y cuécelo a fuego medio, removiendo constantemente, hasta que la mezcla espese y empiece a burbujear, unos 5 minutos.

3. Batiendo constantemente, vierte despacio un tercio de la mezcla de leche sobre las yemas de huevo. Vierte la mezcla sobre la leche restante en la olla. Cuece a fuego medio, batiendo constantemente, hasta que la mezcla alcance el punto de ebullición y espese lo suficiente como para cubrir el dorso de una cuchara, de 2 a 4 minutos. Retírala del fuego.

4. Tamiza la mezcla con un colador fino sobre un cuenco resistente al calor, desechando las partes sólidas. Cúbrelo con papel de hornear o film transparente, presionando directamente la superficie para evitar que se forme una capa más sólida. Refrigérala hasta que esté bien fría y firme, mínimo 2 horas o máximo 2 días. Bátela para ablandarla un poco justo antes de usarla.

Curd de limón

PARA 420 G (1 ¾ TAZAS)

6 yemas de huevo grandes

1 cda de ralladura de limón fina más 60 ml (¼ de taza) de zumo de limón recién exprimido (de 3 limones)

150 g (¾ de taza) de azúcar

1 pizca de sal

115 g (½ taza) de mantequilla fría, cortada a trozos

Mezcla las yemas, la ralladura y el zumo de limón, el azúcar y la sal en una olla de fondo grueso. Llévalo a ebullición a fuego medio, batiendo constantemente. Cuece la mezcla hasta que espese, de 8 a 10 minutos. Cuela la mezcla con un colador fino sobre un cuenco. Añade los trozos de mantequilla uno por uno, hasta formar una mezcla suave. Presiona directamente la superficie con film transparente, y refrigéralo hasta que esté frío, mínimo 1 hora y máximo 1 día.

Rodajas de limón confitadas

Usa esta técnica para confitar rodajas de otros cítricos, como lima, naranja o kumquat. **PARA 3 DOCENAS**

3 limones, bien lavados y secados

960 ml (4 tazas) de agua

800 g (4 tazas) de azúcar

1. Con un cuchillo bien afilado, corta los limones en rodajas muy finas (retira y desecha las semillas). En una olla de fondo grueso, lleva a ebullición el agua y el azúcar, removiendo para disolver el azúcar.

2. Añade las rodajas de limón a la olla, y cúbrela con un círculo de papel de hornear para mantener sumergidos los limones; vuelve a llevarlo a ebullición. Retíralo del fuego y déjalo enfriar a temperatura ambiente. Las rodajas de cítricos confitadas se pueden refrigerar (en su almíbar) en un contenedor hermético máximo 1 semana. Colócalas sobre una rejilla enfriadora para que se sequen antes de usarlas.

CORTAR LIMONES EN RODAJAS

COCER RODAJAS DE LIMÓN

SECAR RODAJAS DE LIMÓN

Cobertura de montaña de merengue

Esta receta sirve para hacer una cobertura extraordinariamente elevada. Puedes dividir la receta en dos para obtener un merengue con menos volumen. En cualquier caso, procura extender el merengue hasta cubrir por completo el relleno para evitar que se reduzca o que «llore». PARA UNA TARTA DE 23 CM

8 claras de huevo grandes
¼ de cdta de cremor tártaro
150 g (¾ de taza) de azúcar
½ cdta de extracto de vainilla puro

1. Con una batidora a velocidad media, bate las claras de huevo y el cremor tártaro hasta que quede espumoso. Añade gradualmente el azúcar. Aumenta la velocidad y bate hasta que el merengue esté brillante y forme picos firmes. Incorpora la vainilla.

2. Cubre con cucharadas de merengue la superficie de la tarta hasta alcanzar la masa, y luego forma remolinos con la ayuda de una espátula acodada.

3. Puedes utilizar un soplete de cocina para tostar el merengue, moviendo la llama hasta dorarlo uniformemente. O bien dora el merengue en un asador, pero no le quites ojo: un minuto o dos es suficiente.

FORMAR PICOS FIRMES

EXTENDER EL MERENGUE SOBRE EL RELLENO

DORAR EL MERENGUE

Nata montada

Puedes ajustar la cantidad de azúcar en esta receta a tu gusto: para obtener nata montada sin azúcar, sencillamente omite el azúcar. PARA 480 ML (2 TAZAS)

240 ml (1 taza) de nata para montar, refrigerada
2 cdas de azúcar glas

Con una batidora eléctrica a velocidad media/alta (o a mano), bate la nata en un cuenco bien refrigerado hasta formar picos blandos. Añade el azúcar glas y bate hasta formar picos medios-firmes.

Crocanti de avellana picada

Puedes hacer crocanti de cualquier tipo de frutos secos (blanqueados o sin piel). La Tarta de crema *butterscotch* y crocanti de la página 95 presenta esta variante, picada y mezclada con la nata montada y espolvoreada por encima. PARA 300 G (1 TAZA)

Espray de aceite vegetal para cocinar

100 g (½ taza) de azúcar

1 cdta de sirope de maíz claro

1 cda de agua

1 pizca de sal

50 g (⅓ de taza) de avellanas tostadas y sin piel (véase pág. 343)

Rocía con espray para cocinar una bandeja de horno. Mezcla el azúcar, el sirope de maíz, el agua y la sal en una olla pequeña a fuego medio/alto, removiendo constantemente hasta disolver el azúcar. Sigue cociendo, sin remover, hasta conseguir un tono ámbar oscuro. Retíralo del fuego e incorpora las avellanas. Vierte inmediatamente la mezcla sobre la bandeja de horno preparada, y extiéndela formando una capa uniforme. Déjalo enfriar por completo en la bandeja sobre una rejilla enfriadora. Rompe el crocanti en trozos de tamaño medio y guárdalos en una bolsa de plástico con cierre zip. Con la ayuda de un rodillo, machaca el crocanti a trocitos del tamaño de un guisante.

....

Compota de arándanos rojos

PARA 650 G (2 TAZAS)

240 g (unas 2 tazas) de arándanos rojos frescos

1 cdta de ralladura fina de naranja más 45 ml (3 cdas) de zumo de naranja recién exprimido

200 g (1 taza) de azúcar

¼ de cdta de canela molida

½ cdta de extracto de vainilla puro

En una olla a fuego medio/alto, mezcla todos los ingredientes y cuécelos de 7 a 10 minutos, removiendo de vez en cuando, hasta que los arándanos empiecen a reventar, pero que se mantengan enteros. Pasa la mezcla a un cuenco para que se enfríe. La compota se puede guardar en la nevera en un recipiente hermético hasta 3 días.

Peras en almíbar de vainilla

PARA 10 MEDIAS PERAS

240 ml (1 taza) de vino blanco seco

720 ml (3 tazas) de agua

60 ml (¼ de taza) de miel

1 vaina de vainilla, cortada por la mitad y raspadas las semillas

5 peras maduras y firmes (variedad Bartlett o Comice)

1. Lleva a ebullición el vino, el agua, la miel, las semillas y la vaina de vainilla en una olla grande. Cuece a fuego medio/bajo 5 minutos.

2. Mientras, corta un trozo de papel de horno del mismo diámetro que la olla. Pela las peras y córtalas por la mitad a lo largo. Con una cucharita o cuchara para melón, retira corazones, semillas y tallos. Corta la tira fibrosa del centro con un cuchillo de mondar. Sumerge con cuidado las peras en la olla. Coloca el círculo de papel directamente sobre las peras para mantenerlas sumergidas (esto evitará que se pongan marrones).

3. Cuece las peras hasta que puedas introducir fácilmente en ellas un cuchillo de mondar, con algo de resistencia, de 15 a 20 minutos. Retíralas del fuego y déjalas enfriar en el líquido 30 minutos. Con una cuchara ranurada, traslada las peras a un cuenco grande; cúbrelas con el líquido de cocción y déjalas enfriar por completo. Las peras se pueden guardar en la nevera en un recipiente hermético máximo 3 días.

Rosas de manzana en almíbar

PARA 9 UNIDADES

960 ml (4 tazas) de agua

60 ml (¼ de taza) de zumo de limón recién exprimido (de 1 o 2 limones), más 1 limón cortado por la mitad

400 g (2 tazas) de azúcar

3 manzanas amarillas (como Golden Delicious)

2 manzanas rojas (como Gala, McIntosh o Red Delicious)

1. Lleva a ebullición el agua, el zumo de limón y el azúcar en una olla mediana. Retira el almíbar del fuego y cúbrelo. Corta un círculo de papel de hornear del mismo diámetro que la olla.

2. Descorazona las manzanas. Pela las amarillas y frótalas con ½ limón.

Exprime el zumo del otro ½ limón dentro de las manzanas rojas (sin pelar). Con una mandolina o un cuchillo, corta transversalmente todas las manzanas en rodajas finísimas (menos de 3 mm). Sumérgelas en el almíbar; agita para recubrirlas. Pon papel de horno directamente encima. Deja que el almíbar se enfríe por completo, unos 40 minutos.

3. Saca las rodajas del almíbar. Córtalas en semicírculos. Coloca 1 rodaja de manzana roja encima de 1 rodaja de amarilla, con los bordes cortados hacia ti. Ve envolviendo juntas las rodajas en forma de cono, como un capullo de rosa. Monta encima 2 rodajas más. Colócalas ligeramente encima de la base (para crear un efecto escalonado), y en-

vuelve con ellas el capullo. Repite el proceso hasta que la rosa tenga unos 6 cm de diámetro. Reserva las restantes para decorar.

FORMAR ROSAS DE MANZANA

consejos y técnicas para las recetas

MEDIR INGREDIENTES SECOS: Mide los ingredientes secos (como harina y azúcar) y los ingredientes semisólidos (como manteca de cacahuete y crema agria) con tazas medidoras graduadas para ingredientes secos. Para la harina, introduce la taza medidora en la harina, llenándola hasta arriba, y luego nivélala con un borde recto, como una espátula acodada. No muevas la taza ni la golpees sobre el mostrador para nivelarla, o las medidas serán imprecisas. Si en la receta se habla de «harina tamizada», tamiza la harina primero y luego mídela; si se habla de «harina, tamizada», mídela primero y luego tamízala. Cuando midas azúcar moreno, presiónalo firmemente en un taza seca.

MEDIR INGREDIENTES LÍQUIDOS: Mide los ingredientes líquidos, como la leche, con una taza para medir líquidos; para leer la medida, deja el recipiente sobre una superficie plana y observa la medida a la altura de los ojos.

TOSTAR Y PICAR FRUTOS SECOS: Para tostar frutos secos como nueces pacanas, nueces y almendras, extiéndelos sobre una bandeja de horno y hornéalos a 180 °C hasta que estén fragantes, unos 10 minutos. Empieza a controlarlos transcurridos 6 minutos si se trata de frutos secos fileteados o picados. Tuesta los piñones a 180 °C de 5 a 7 minutos. Tuesta las avellanas en el horno a 190 °C hasta quebrarse la piel (10-12 minutos); cuando estén lo suficientemente frías para poderlas manipular, frótalas con un paño de cocina limpio para retirar las pieles. Pica los frutos secos fríos a trozos grandes o finos con un cuchillo de cocinero, o métalos en un procesador de alimentos para picarlos. No los piques en exceso, o formarán una pasta.

ALMACENAR ESPECIAS MOLIDAS: Guarda las especias molidas en un lugar fresco y oscuro máximo un año. Si etiquetas los botes con la fecha de compra, eso te ayudará a recordar cuándo es el momento de reponerlas.

RALLAR NUEZ MOSCADA: La nuez moscada tiene un aroma a nueces y especias que complementa extraordinariamente bien otras especias aromáticas como la canela y el jengibre. Al rallar nuez moscada fresca, se obtiene un aroma más complejo y lleno de matices; y la nuez moscada entera también posee una vida útil más prolongada que la nuez moscada molida. Utiliza un rallador especial para nuez moscada o un rallador normal. Si quieres sustituir la nuez moscada molida por nuez moscada recién rallada, utiliza la mitad de la cantidad indicada.

FUNDIR CHOCOLATE: Funde chocolate en un cuenco de metal situado encima (no dentro) de una olla con agua hirviendo a fuego lento, o en un hervidor de doble pared. Otra opción es fundirlo en el microondas: en un cuenco apropiado, calienta el chocolate en tandas de 30 segundos, removiéndolo tras cada tanda, hasta que esté casi fundido. Saca del microondas y remueve hasta que se funda por completo.

HACER RIZOS Y VIRUTAS DE CHOCOLATE: Usa un pelador de verduras para hacer rizos de chocolate finos de una pieza grande de chocolate ligeramente caliente (caliéntalo en el microondas en tandas de 5 segundos, comprobando tras cada tanda que esté solo caliente al tacto). Para hacer virutas irregulares, corta longitudinalmente capas finas de una pieza de chocolate con un cuchillo de cocinero.

RALLAR CÍTRICOS: Utiliza un rallador (como Microplane) para obtener la ralladura aromática de los cítricos, dejando la parte blanca y amarga. Un rallador de cítricos (un pequeño utensilio con una hilera de agujeros pequeños y afilados en un extremo) sirve para hacer decorativos rizos para adornar los pasteles.

DESHUESAR CEREZAS: Utiliza un deshuesador de cerezas. También puedes presionar suavemente cada cereza con el lado plano de un cuchillo de cocinero hasta que se abra, y luego retirar el hueso. Otra alternativa es usar un clip o sujetapapeles: deshaz el centro del clip e inserta ligeramente la punta de uno de los extremos doblados en el extremo del tallo de la cereza. Haz girar el clip para soltar el hueso, y luego empújalo para sacarlo.

PELAR MELOCOTONES Y ALBARICOQUES: Con la ayuda de un cuchillo de mondar, marca ligeramente la base de cada melocotón con una X antes de escaldarlos. Trabajando en tandas de 3 o 4, sumerge los melocotones o albaricoques en agua hirviendo durante más o menos 1 minuto. Pásalos con una cuchara ranurada a un baño María inverso para detener la cocción. Luego retira la piel con un cuchillo de mondar.

HACER PURÉ DE CALABAZA: Con una calabaza pequeña (de unos 2 kg), obtendrás unos 660 g (3 tazas) de puré de calabaza. Calienta el horno a 220 °C. Corta la calabaza por la mitad y ásala, sobre el lado cortado, en una bandeja de horno con borde hasta que esté blanda (50 min-1 h). Déjala enfriar por completo; la calabaza asada puede guardarse en la nevera en un recipiente hermético toda la noche. Desecha las semillas, separa la carne de la piel con una cuchara grande e introdúcela en un procesador de alimentos. Procésala hasta que esté suave, aproximadamente 1 minuto.

fuentes

UTENSILIOS DE COCINA Y EQUIPO

BRIDGE KITCHENWARE
800-274-3435 o bridge kitchenware.com. Moldes de tarta de metal, moldes para tartas y tartaletas, moldes desmontables, anillos de flan, moldes de brioche, rodillos, bolsas y boquillas de manga pastelera.

BROADWAY PANHANDLER
866-266-5925 o broadway panhandler.com. Fuentes para tarta de metal y cerámica, moldes de tarta, moldes desmontables, rodillos, bolsas y boquillas de manga pastelera.

COPPER GIFTS
620-421-0654 o coppergifts.com. Cortadores de galletas.

MACY'S
800-289-6229 o macys.com. Colección de moldes para pasteles de Martha Stewart (bandejas de hornear, moldes desmontables, moldes de muffin normales y mini), rodillos, mezcladores de repostería, cortadores de galletas, expositores de pasteles.

WILLIAMS-SONOMA
877-812-6235 o williamssonoma.com. Fuentes para tarta de metal y cerámica, moldes de tarta, rodillos, pesos para hornear, sopletes de cocina, mezcladores de repostería, ruedas de repostería, bolsas y boquillas de manga pastelera.

RECETAS

Página 34: TARTA TATÍN. Molde de cobre para tarta Tatin Mauviel, Williams-Somona (lista anterior).

Página 69: TARTALETAS DE CRÈME BRÛLÉE. Soplete de cocina, Williams-Somona (lista anterior).

Página 85: TARTA DE LIMÓN CARAMELIZADO. Soplete de cocina, Williams-Somona (lista anterior).

Página 89: FLANES DE CALABAZA EN MASA DE HOJALDRE. Anillos de flan de 14 cm (ABFR-P-140), Bridge Kitchenware (lista anterior).

Página 89133: TARTA DE MIEL Y PIÑONES. Miel de árbol del cuero Golden Nectar, My Brands 888-281-6400 o mybrands.com.

Página 165: TARTA DE CHOCOLATE Y CAFÉ EXPRESO. Molde para flan rectangular de 35,5x11 cm, Bridge Kitchenware (lista anterior).

Página 190: TARTALETAS DE CHOCOLATE Y CARAMELO AL OPORTO. Molde para tartaletas de 6 cm Matfer (TTL-DS-60), Bridge Kitchenware (lista anterior).

Página 202: TARTALETAS DE COQUITOS. Molde de brioche de 6 cm (ABBM-N-60) Bridge Kitchenware (lista anterior).

Página 211: TARTALETAS DE MORAS Y NATA. Licor de flor de saúco St. Germain, K&L Wine Merchants, 877-559-4637 o klwines.com; molde de brioche de 9 cm (ABBM-N-90) Bridge Kitchenware (lista anterior).

Página 219: TARTA DE MERMELADA DE UVA NEGRA. Termómetro clásico para caramelo y frituras Taylor, Cheftools.com, 206-933-0700.

Página 220: TARTA DE PERA Y ARÁNDANO CON FALSA CELOSÍA. Minicortadores de galletas iguales cuadrados de 2 cm, Copper Gifts (lista anterior).

Página 223: TARTA DE MANZANA AL BRANDI CON TECHO DE HOJAS. Minicortadores de galletas iguales en forma de hoja de álamo de 6 cm, Sugarcraft, 513-896-7089 o sugarcraft.com.

Página 232: TARTA LINZ CON MERMELADA DE ARÁNDONOS ROJOS. Conserva de arándanos rojos de 400 g, igourmet.com, 877-446-8763.

Página 235: TARTA DE FRESA CON DIBUJOS. Juego de cortadores para áspic y gelatina Ateco, Broadway Panhandler (lista anterior).

Página 245: TARTALETAS MINI DE CHOCOLATE BLANCO Y NEGRO. Moldes de tartaleta rectangulares iguales de 5 cm de diámetro (ATTL-PL-3) y de 9 a 4 cm (ATTL-TS-1R), y moldes de brioche iguales de 6 cm (BBM-N-60), Bridge Kitchenware (lista anterior).

Página 246: TARTA DE FRAMBUESA Y PERA CON CORAZONES. Cortadores de galleta de corazón iguales de 5 cm (n.° 264), Copper Gifts (lista anterior).

Página 249: TARTALETAS CORAZÓN DE GANACHE DE CHOCOLATE. Molde de tarta de corazón de 13 cm (n.° 21441) o molde de tarta de corazón de 26 cm (n.° 21426), Fante's, 800-443-2683 o fantes.com.

Página 253: TARTA NAPOLITANA DE PASCUA. Granos de trigo de primavera, Nuts Online, 800-558-6887 o nutsonline.com.

Página 261: PASTELITOS DE BARRAS Y ESTRELLAS. Molde de tarta de 13 cm (n.° 1541), Fante's, ver anterior.

Página 268: PASTELITOS DE CALABAZA DE HALLOWEEN. Juego de cortadores para áspic y gelatina de 1 cm Ateco, Broadway Panhandler (lista anterior).

Página 276: TARTA DE COPOS DE NIEVE DE FRAMBUESA Y JENGIBRE. Minicortadores de copos de nieve iguales (n.° 4830), Copper Gifts (lista anterior).

Página 279: TARTALETAS DE CHOCOLATE CON PLANTILLAS. Plantillas de Navidad similares, Copper Gifts (lista anterior).

créditos fotográficos

Todas las fotografías son de **JOHNNY MILLER**, excepto las siguientes:

CAREN ALPERT: págs. 256, 342

SANG AN: págs. 91, 184, 223

JAMES BAIGRIE: pág. 83

CHRIS BAKER: págs. 199, 330

ROLAND BELLO: págs. 71, 100, 101, 242, 248

EARL CARTER: pág. 54

LISA COHEN: págs. 154, 155

SUSIE CUSHNER: pág. 214

KATYA DE GRUNWALD: pág. 247

DANA GALLAGHER: págs. 58, 140, 148, 152, 156, 197, 202, 203, 234, 298, 306

GENTL & HYERS: págs. 36, 42, 46, 48, 49, 64, 65, 72, 144, 188, 222, 263, 264, 265, 289, 304

HANS GISSINGER: págs. 75, 143

RAYMOND HOM: pág. 260

MATTHEW HRANEK: pág. 220

JOHN KERNICK: págs. 22, 23, 132, 135, 139, 294

YUNHEE KIM: págs. 45, 280, 302

DAVID LOFTUS: págs. 146, 147

JONATHAN LOVEKIN: págs. 167, 176, 177, 282

ELLIE MILLER: pág. 293

MARCUS NILSSON: págs. 106, 160, 183, 309, 311

VICKI PEARSON: págs. 213, 238

CON POULOS: págs. 50, 172, 179, 218, 219, 277, 285

MARIA ROBLEDO: págs. 127, 206, 237, 290, 297

MIKKEL VANG: págs. 229, 241

SIMON WATSON: pág. 53

ANNA WILLIAMS: págs. 136, 162, 301

índice